D1095387

colección
carabela

1.ª edición — Diciembre, 1963
2.ª edición — Diciembre, 1969

mario benedetti

literatura uruguaya
siglo xx

ensayo
2da. edición ampliada

editorial alfa
montevideo

nota

Este volumen recoge varios trabajos, aparecidos entre
1950 y 1969, en diversas publicaciones (*Marcha*, *Número*,
La Mañana y *Puente*, de Montevideo; *Indice*, de Madrid;
Casa de las Américas, de La Habana; *Revista de la
Universidad de México*, *Siempre* y *La palabra y el
hombre*, de México) sobre las letras uruguayas de
hoy, o de un ayer no demasiado distante. Por su índole
compiladora, no aspira a presentar un panorama completo. A pesar de que esta segunda edición incluye diecisiete trabajos que no figuraban en la primera, siguen
faltando muchos nombres que considero de primera
importancia.

El ensayo denominado *La literatura uruguaya cambia de voz*, en el que intento analizar algunos aspectos
del arraigo y la evasión en una restringida zona de lo
latinoamericano, es, con algunas variantes, el texto de
una ponencia que leí, en enero de 1962, en el Encuentro
de Escritores celebrado en la Universidad de Concepción, Chile, y que algunos meses más tarde fuera publicada en la *Revista de la Universidad de México* y también en *Número*. Esta triple destinación latinoamericana
puede justificar cierta insistencia (tal vez excesiva para
el lector uruguayo) en algunos tópicos nacionales.

En cuanto al último texto, ¿*Qué hacemos con la crítica?*, corresponde a una conferencia, pronunciada en

Amigos del Arte, que posteriormente diera origen a un ciclo de disertaciones y debates en la Asociación Cristiana de Jóvenes. Fue publicada por primera vez en la *Revista de la Universidad de México*.

M. B.

la literatura uruguaya cambia de voz

I

Hace once años, en un ensayo titulado *Arraigo y evasión en la literatura hispanoamericana contemporánea*, intenté estudiar la vigencia de ambas actitudes en la narrativa y en la poesía de nuestros países, particularmente en cuanto se refería a la oposición entre localismo y universalidad. En aquel entonces, los poetas me parecieron primordialmente evadidos; los narradores, especialmente arraigados. Señalé excepciones, claro, pero sólo varios años después empecé a darme cuenta de que el problema no era tan sencillo. Evasión y arraigo son, es cierto, dos palabras claves, pero en cambio no son dos palabras puras. En general, vienen ligadas a dicotomías menos prestigiosas. Por ejemplo: franqueza e hipocresía.

Los rioplatenses tenemos un término que resulta irreemplazable para el uso diario: me refiero a la palabra *falluto*. Creo que lo hemos acuñado nada más que para responder a una imperiosa demanda de la realidad. Porque nuestra realidad está, desgraciadamente, llena de *fallutos*, y tales especímenes, no satisfechos con invadir nuestra política, nuestra prensa y nuestra burocracia, de vez en cuando llevan a cabo perniciosas excursiones, y hasta gravosas permanencias, en nuestra literatura.

El *falluto* no es sólo el hipócrita. Es más y es menos que eso. Es el tipo que falla en el suministro y en la recepción de la confianza, el individuo en quien no se puede confiar ni creer, porque —casi sin proponérselo, por simple matiz del carácter— dice una cosa y hace otra, adula aunque carezca de móvil inmediato, miente aunque no sea necesario, aparenta —sólo por deporte— algo que no es. Todo ello en un estilo muy peculiar, especie de promedio entre dos actitudes para las que también hemos acuñado denominaciones: la viveza criolla y la guaranguería.

El enfoque de once años atrás dejó de ser válido (al menos para mí, y en relación con mi país) el día en que me di cuenta de que los uruguayos poseíamos en nuestras letras una zona verdaderamente original, autóctona: dentro, y además, de nuestra literatura nativista, dentro y además de nuestra literatura ciudadana, de nuestra torre de marfil o de nuestro realismo, había también una *literatura sincera* y una *literatura falluta*, y ni una ni otra obedecían a esquemas previos, a previas estructuras, ya que, singularmente, tenían adeptos en todas las regiones y en todos los estilos, en todos los niveles y en todas las promociones.

Frente a semejante compaginación, no hay arraigo ni evasión que valgan. Porque cuando el escritor nace falluto, o se convierte a la fallutería, es capaz de golpearse el pecho hablando de sus raíces, pero estar verdaderamente haciendo el trámite —o el boquete— para su evasión; es capaz de poner los ojos en blanco al hablar de unicornios, o hipocampos, o filodendros, pero avanzar contemporáneamente a codazo limpio por el estrecho corredor del acomodo burocrático. Y también, cuando el escritor nace sincero, o se convierte a la sinceridad, no importa qué tema o género literarios elija, no importa en qué clima instale el termómetro de su intuición o qué personajes coloque bajo la lupa de sus obsesiones. En cualquier caso, la sinceridad será tan suya, tan incanjeable y tan inocultable como su piel.

Lo cierto es que ni el término *arraigo* ni el término *evasión* comparecen solos, aislados; por el contrario, las más de las veces llegan con toda una familia de palabras. Arraigo, por ejemplo, es cabeza de un clan en que figuran términos como tierra, campo, telúrico, heredad, tradición. Evasión por su parte es cabeza de otra familia en que constan palabras como cielo, inefable, misticismo, irrealidad, pureza, fantasía. Pero en ambas familias hay hijos legítimos e hijos putativos, así como, en quienes las usan, hay creadores legítimos y creadores de adopción. Como en el célebre poema de Nicolás Guillén: *todo mezclado*. Por eso ha dejado de ser un mero juego de palabras decir que, en muchos casos, el arraigo es una forma de evasión, y viceversa. No alcanza con emplear el séquito de las palabras que acompañan al arraigo, para ser probadamente un arraigado; no alcanza con usar la comitiva de palabras que implican la evasión, para ser estrictamente un evadido.

En realidad no sé, no puedo saber, si el resto de América Latina responde a este esquema. Así que he dejado mi antigua tesis en suspenso y me he decidido a revisarla, a ponerla al día, en la reducida región que tiene que ver con mi país, con mi alrededor, con mis tradiciones, con mi generación. Es en esa región limitada donde he comprobado, por ejemplo, que para muchos escritores que viven en la ciudad (no importa que hayan nacido en ella o en el Interior) el tema del campo, en vez de ser un modo de arraigo, es tan sólo un signo de evasión. Las más de las veces escriben sobre el campo, no a partir de una experiencia o un contacto directos, sino a partir de recuerdos, y entonces el resultado es una rarísima mezcla de habilidad formal y nostalgias ajenas, de interés narrativo y traducción costumbrista, de emoción auténtica y sentimientos reflejos. Escriben sobre el campo, no tanto por urgencia entrañable, por necesidad telúrica, como por escapar al tema ciudadano, a su fea, sucia, comprometida mezcla de hollín y prostitutas, de diputados y punguistas, de malas transpiraciones y buenos camanduleros.

Quizá se deba a esa actitud, más difundida de lo deseable, el hecho evidente de que Montevideo, como tema literario, no haya rendido aún su mejor dividendo. Esporádicamente, aparece algún poema, o algún cuento, con tímidas menciones urbanas que permiten reconocer el rostro municipal de la ciudad: calles, plazas, esquinas, monumentos. Pero es sabido que en casi ningún sitio el rostro municipal responde a las esencias de lo humano.

II

No hace mucho, Carlos Martínez Moreno escribía sobre el tema *Montevideo y su literatura* y señalaba que "*el escritor uruguayo sospecha que a su capital le falta tradición literaria, verosimilitud novelesca, condición de soporte creíble para la aventura literaria; y no se decide a internarse en tal materia, si sabe o cree saber que le toca el difícil papel de ir abriéndose camino con sus solas fuerzas*" y, refiriéndose luego a la fidelidad de nomenclátor, agregaba que no creía que la misma valiese "*por una invocación de la ciudad literariamente* presente; pero es obvio que la primera condición para escribir *desde* una ciudad y *sobre* ella, *consiste en que esa ciudad no nos estorbe*" [1].

Pues bien, está visto que por ahora la ciudad estorba a nuestros escritores; y que los estorba en varios sentidos, algunos de ellos bastante comprensibles. Por lo pronto, Montevideo es una ciudad sin mayor carácter latinoamericano. Ningún europeo tendrá inconveniente en reconocer que la nuestra es la más europea de las capitales latinoamericanas. Sin embargo, el escritor uruguayo sí tiene inconveniente en reconocerlo, quizá porque, en el fondo de su conciencia, no le hace mucha gracia ese colorcito seudoeuropeo, que empezó siendo postizo, mínimamente hipócrita, y ha acabado por constituir una inevitable, vergonzante sinceridad.

De espaldas a América, y, de hecho, también de espaldas al resto del país, Montevideo sólo mira al mar, es decir, a eso que llamamos mar; pero ese mar no es otra cosa que río, y depende de imprevistas corrientes internacionales que sus aguas políticas y culturales sean dulces o saladas. Esa tibieza, esa media tinta, ese ser y no ser, se prestan poco para el traslado literario. Sería toda una proeza —inútil proeza, al fin— que alguien trasmutara las timideces reales en una grandiosa epopeya literaria; sería mayor proeza aun que un escritor decidiera crearse, con fines estéticos, la ilusión óptica de que la tan publicitada *garra celeste* del fútbol, también se aplica a los valores cívicos.

Pero existe otro estorbo: el exacerbado sentido del ridículo que padece el lector montevideano. El montevideano tiene una incontenible tendencia a encontrar todo

(1) En *Tribuna Universitaria*, N.º 10, Montevideo, diciembre 1960.

ridículo, y, por consiguiente, a burlarse. La burla no es compromiso, claro, porque la burla no se firma, es rigurosamente anónima. Un lector me confesó una vez que, por el solo hecho de que una anécdota literaria transcurriera —por ejemplo— en la esquina de Andes y Colonia, ya no podía ser leída por él con una mínima dosis de respeto.

En el mencionado artículo, Martínez Moreno recordaba que, en cierta oportunidad, Carlos Maggi había leído uno de sus cuentos, en el que "*el tema era la vicisitud de un pobre hombre que, tras años de penurias, conseguía un puesto en la UTE y, la primera vez que iba a trabajar, moría electrocutado, desmontando una instalación luminosa de Carnaval, y quedaba prendido de la armazón ornamental, enganchado o suspendido en lo alto, en la esquina de 18 y Ejido*", y agregaba: "*Montevideo no tenía tradición literaria como para endilgarle una muerte tan espectacular (...). Si esa muerte u otra parecida se endosan a Piccadilly Circus o a la Place de la Concorde, es materia literariamente asimilable, sin que queden flotando una condición o un estigma flagrante de dicción*" [2].

El ejemplo me parece especialmente adecuado, como demostrativo de una inhibición temática que se cierne a menudo sobre el creador; no obstante, sin descartar la falta de tradición literaria, creo que la inviabilidad de un desenlace tan espectacular para el lector montevideano, reside sobre todo en la obligación colectiva que, todo lo inconscientemente que se quiera, contrae el montevideano para burlarse de lo ridículo, o de aquello que, sin serlo, él cree que lo es.

¿Acaso esto quiere decir que Montevideo, como tema

---

(2)   Art. cit.

literario, está definitivamente perdido para el creador autóctono? De ninguna manera. Estará perdido, mientras el escritor cierre los ojos y quiera convencerse y convencer de que su ciudad es pura y exclusivamente la que figura en la versión retocada, sonriente, patriótica, feliz, higiénica, lúcida e impecable, que pormenoriza la prosa de turismo. No estará perdido en cambio, si el escritor, tal como lo hicieron Joyce, Dos Passos, Durrell o Max Frisch (ante las ciudades por ellos elegidas), abre los ojos y admite las luces, pero también las sombras, las esplendideces pero también las lacras, los orgullos pero también las vergüenzas. No es esencial hablar de cantegriles, o coimas, o punguistas, o conventillos, para desarrollar una buena novela montevideana, pero sí es esencial y quizá imprescindible que el escritor, antes de lanzarse a decir su verdad, esté seguro de no estarse mintiendo.

El sentido del ridículo no es patrimonio exclusivo del lector. También el autor se siente atrapado por él. En el Uruguay, la tan justamente denostada literatura de corzas y gacelas, es en cierto modo un precario escape de lo cotidiano, o mejor aún, del tema de la cotidianidad, que para esos huidizos resulta sinónimo de ridiculez. En el nomenclátor lírico de estos poetas inefables, no intervienen animales metafóricos que hayan sido extraídos de la fauna nacional. No hay zorros, ni víboras, ni gorriones, ni gatos monteses; ni siquiera picaflores. Para los *inefablistas*, cualquiera de esas especies suena a ridículamente verdadera; queden ellas para los narradores como Horacio Quiroga, o Francisco Espínola, o Serafín J. García, quienes, vistos desde la presuntuosa atalaya del soneto gacelar, deben parecer poco más que prosaicos cronistas del folklore doméstico. Las corzas son insólitas, sólo existen en el Jardín Zoológico y en la Arcadia, de modo que no son ridículas sino inefables, no son cotidianas sino extraordinarias.

Sin embargo, no es ésa, como ya lo mencioné, la única Arcadia posible para el montevideano. Hay otra, que es más legítima, menos evidente y literariamente más utilizable. Es la Arcadia del tema gauchesco, o, mejor aún, del tema nativista. Gran parte de los escritores montevideanos son nacidos en el Interior de la República. Vienen a Montevideo con una gran nostalgia a cuestas y de esa nostalgia nutren su literatura. Es el recuerdo de los atardeceres campestres, del silencioso mate entre la peonada, de los prostíbulos orilleros, de la sabiduría de los monosílabos, de la comprensión entre pingo y jinete. Vinieron a la Capital porque del Interior los expulsó la inercia, la pobreza, la simple soledad, o lo que ellos creyeron que era pobreza, soledad e inercia. Acaso los arrimó a Montevideo la posibilidad de mejor trabajo, o cierta inevitable —y un poco engañosa— aura cultural. Tal vez en su casita capitalina tengan hoy un patio con enredadera, o una parrilla para el asado dominguero, o algún *longplay* con rancheras y pericones estereofónicos. Pero eso no basta: falta el clima, falta el contacto con el perfume y las voces del campo nutricio, de la tierra buena.

Aquellos críticos que, en un alarde de frívola ironía, se burlan de esta nostalgia, han de quedar inexorablemente ajenos a la elucidación de este problema. La consecuencia que pretendo extraer, es por cierto muy otra que esa burla superficial. Quizá porque yo mismo vengo del Interior, quizá porque me siento, a pesar de ello, irremediablemente ciudadano, puedo comprender mejor esa insatisfacción de los trasplantados que viven en Montevideo y no se han acostumbrado a ese vivir. De ahí que, aunque no participe de esa nostalgia, pueda defender su derecho a sentirla, su derecho a negarse a ser conquistados por la ciudad. Porque esa conquista es, como se sabe, profundamente amarga.

La ciudad no tiene atardeceres, o mejor dicho sabe ahuyentarlos con sus letreros luminosos. La ciudad no huele a naturaleza, sino a fuel-oil. La ciudad no tiene sabios monosílabos sino largos y gritados enconos. Cuando al escritor del Interior lo conquista ese caos, ese hedor, ese ruido, está perdido para la inocencia ya que en la ciudad falta —como lo ha escrito Julio C. da Rosa, uno de nuestros más auténticos escritores del Interior que residen en Montevideo— "esa angelical ingenuidad que sólo de la tierra sale y que tendrá que recuperar el hombre para salvarse" [3]. Las ciudades (no sólo Montevideo, sino todas las grandes ciudades del mundo) tienen mala conciencia de su vivir y de su morir. Pero con la mala conciencia puede hacerse buena literatura.

Se dice que en Nueva York viven más puertorriqueños que en San Juan de Puerto Rico. Pero también es posible, ya que hay escalas más modestas, que en Montevideo vivan más sanduceros que en Paysandú, más mercedarios que en Mercedes, más maragatos que en San José. ¿Cuántos de nuestros escritores son montevideanos puros? ¿Y cuántos de estos montevideanos puros escriben sobre el campo que no conocen, sobre el campo que heredaron de sus lecturas de Viana, de Quiroga, o de las más recientes de Morosoli y de Espínola?

Escritores del Interior, radicados en Montevideo, pero no arraigados en la vida urbana, que siguen escribiendo sobre su nostalgia campesina; o escritores de Montevideo, que por miedo al presunto carácter ridículo del

---

(3) *La risa y la muerte en la ciudad y en el campo*, en revista *Asir*, N.º 35, Montevideo, julio 1954.

tema metropolitano, se lanzan a escribir sobre un campo que ignoran. Ese desencuentro le quita por cierto cultores, y posibilidades de desarrollo, al tema urbano. Montevideo casi no ha tenido cronistas de sus presentes sucesivos, ni menos aún, recreadores de esas crónicas ciertas o posibles. Enfrentar, con un mínimo propósito creador, la ridícula acusación de ridiculez, requiere hoy en día un coraje tan peculiar y tan sutil, que ni siquiera tiene el mérito de parecer coraje.

Pero hay otro rasgo que afecta por igual a lectores y autores: la resistencia, en unos y en otros, a admitir (antes de cualquier lectura, previo a toda creación) el Montevideo verdadero, esencial. Tanto le han repetido al montevideano que vive en una democracia perfecta, junto a playas magníficas; tanto le han enseñado que su fútbol es (o, más bien, era) el primero de *América y del mundo*, y su churrasco el más sabroso del Universo y sus alrededores; tanto énfasis han puesto en hacerle admitir que esas afirmaciones son *todo* y lo demás no importa, que ahora, naturalmente, hay muchos saludables reconocimientos para los que el montevideano se siente inhibido. De ahí que se aferre a una visión escolar de su propio medio, y siga considerando vigente un retrato de la ciudad, cuyos retoques ya huelen a viejo, a cosméticos pasados de moda.

Si tomamos un texto escolar o universitario de 1920 y encontramos una descripción oficial del Montevideo de entonces, comprendemos de inmediato que es un retrato de álbum, cuando no un medallón de museo. Empero, no siempre tenemos esa misma lucidez instantánea para darnos cuenta de que muchas de nuestras antiguas impresiones de lo montevideano han sido retiradas de circulación por la realidad inexorable. El Montevideo real de 1962 no corresponde a nuestro Montevideo ideal, indatable y ajeno. Esto no quiere decir, ni por asomo, que este Hoy sea peor que ningún Ayer. Existe una zona en la que Manrique no tiene razón y es aquella en la que se verifica la comunicación vital que proviene del creador. Ahí al menos, todo tiempo presente es el mejor.

Ni el lector ni el creador montevideanos pueden pretender que la ciudad de hoy aparezca viva y contradictoria como es, si se la está expresando o se la está leyendo (dos modos particulares de medirla y de captarla) con los patrones mentales, con los prejuicios, favorecedores o desfavorecedores, del pasado vencido y sin vigencia. Montevideo 1962 no es ni mejor ni peor que un Montevideo 1920 o un Montevideo 1940. Sencillamente, es otro. Pero hay una absurda —quizá culpable— timidez en admitir que es otro. La realidad montevideana (no la de los monumentos, que siguen siendo iguales, sino la de los hombres, que ya no son los mismos) se resiste a otorgar su aval a una versión deformada, que pretende que la ciudad siga siendo lo que seguramente ya no es ni puede ser.

Se sobreentiende que el creador literario, trabajando a impulsos de imaginación, no quiere o no consigue evitar una distorsión de lo real. Pero es sobre todo en el momento previo a la creación cuando el escritor no debe engañarse a sí mismo, es entonces cuando debe partir de su ciudad esencial y no del Montevideo escolar de tema fijo o del Montevideo turístico de las postales. Cuando aparece un poeta, un dramaturgo, un ensayista o un narrador, que, antes de escribir, rompe las lindas postales en Kodachrome y toma sus propias instantáneas para tener la fuerza de creer en ellas, cuando aparece ese escritor e imagina criaturas, metáforas o situaciones a partir de esa comunicación sincera con su medio, inevitablemente tiene que encontrar resisten-

ca; no en la ciudad misma sino en cierto tipo de lector, no en aquellos colegas que también están tomando sus propias instantáneas sino en aquellos críticos que se resisten a sacrificar su colección de postales.

Sin embargo, ése es el camino. Y si un lector encuentra algún día en cierta obra literaria un rincón montevideano, una esquina vulgar, un café conocido, y no tiene tiempo de burlarse, no tiene tiempo de ponerse los prejuiciosos anteojos que le hubieran llevado a encontrar ridícula esa mención de lo cotidiano, entonces sí estará echado el primer fundamento de aquella *tradición literaria* que reclamaba Martínez Moreno y que tiene lugar cuando una ciudad no *estorba* al creador. Doy por sentado que tanto al lector como al creador dejará de estorbarles la ciudad en aquel preciso instante en que ya no le estorben sus respectivas conciencias ciudadanas.

III

En un país pequeño como el Uruguay, la estabilidad burocrática ha sido, desde el punto de vista de la creación artística, una suerte de banco de arena. Allí estamos encallados y no hay *nueva ola* capaz de conmovernos.

Nos llegan voces, sobre todo de América. Pero la *sabana* de Gallegos no se parece a nuestros llanos; el metal diabólico de Céspedes no está en nuestro subsuelo; el guarapo de Jorge Icaza no tiene el gusto de nuestro Espinillar; el "señor Presidente" de Miguel Angel Asturias no halla todavía su equivalente en ninguno de nuestros señores Consejeros.

20

Están, además, las voces de Europa. Durante muchos años, les hemos puesto amplificadores para escucharlas mejor. Y las hemos sintonizado por riguroso turno. Hubo una generación que sólo escuchaba a España; otra, que sólo escuchaba a Francia; otra más, que sólo escuchaba a Inglaterra. A menudo nos parece que las voces latinoamericanas hablan un idioma que no es el nuestro, pero en cambio no nos damos cuenta de que muchos traductores de libros europeos nos falsifican su mercadería. (Recuérdese, por ejemplo, que tanto los primeros Tolstoy como los primeros Dostoievsky que llegaron al lector de habla hispana, hicieron su arduo camino a través de retraducciones del francés.) De modo que, entre voces que no oímos y voces que oímos mal, entre la falta de temas estallantes y la paz burocrática en que sestea el intelectual vernáculo, ¿qué posibilidades de salvación tiene nuestro creador? Entiéndase por salvación, en este caso, el encuentro consigo mismo, la necesidad imperiosa de expresarse, el tener realmente algo que decir, no importa cómo ni en qué género. No es fácil. Para salvarse, el creador debe sobreponerse a dos riesgos autóctonos: la cursilería y el esnobismo, Escila y Caribdis de nuestra vida cultural. Y como está todo mezclado, yo creo que nuestra cursilería tiene algo de arraigo, y nuestro esnobismo algo de evasión.

Los cursis dominaron el panorama cultural hasta hace algunos años; ahora parece haber llegado el turno de los snobs. Creo que hay dos posibilidades de comunicación para el poeta: hablar de su vida interior o hablar de su dintorno. En la época marcada por lo cursi, los poetas encontraron que hablar de su vida interior era poco interesante (quizá tuvieran razón, después de todo) y que referirse a la realidad circundante era aburrido. Entonces inventaron una flora de estricto invernáculo literario, y una fauna estilizada y silenciosa. Era una extraña variante de cursilería. No se trataba de la cursilería desaforada y melodramática que habían conocido, fomentado y llorado nuestras abuelas; tampoco se trataba de la cursilería tanguera, en cierto modo glorificadora del masoquismo y del cornudo. No, esta vez se trataba de la cursilería del equilibrio, del no compromiso, del no ensuciar la pluma con el tema barato.

Entonces vino el aluvión crítico. Todo fue examinado, juzgado, revisado. Desde la erudición hasta la ironía, todos los recursos fueron usados para reivindicar la ecuanimidad, para que el público estuviera en condiciones de cambiar la vieja costumbre de ignorar por el nuevo hábito de elegir. Fue una útil, provocativa, entretenida tarea, que duró varios años. Duró, hasta el advenimiento de los *snobs*.

Naturalmente, siempre existieron *snobs* en nuestro medio, pero nunca tan arracimados como ahora. El *snob* vio que la crítica se ponía de moda; entonces, se volvió crítico. Se arrimó a los teatros independientes, a los cineclubes, a las mesas redondas; se arrimó, sobre todo, a los cafés. Pero no se acercó con un gesto de comprensión, sino de suficiencia. Actualmente dispone de un buen surtido de slogans sobre jóvenes iracundos, sobre nouvelle vague, sobre pintura informalista, sobre *Hiroshima mon amour*, sobre Dürrenmatt, sobre *Lolita*, sobre *Justine*, es decir, sobre el último modelito exhibido en la vidriera intelectual.

Me parece que fue Eugenio d'Ors quien alguna vez advirtió que hasta el nudismo puede ser barroco. También la anticursilería puede ser cursi. Sustituir la vocación por la moda, es siempre peligroso. El error es suponer que la vocación sólo funciona para los creadores, cuando la verdad es que también hay un lector vocacional. El lector vocacional es capaz de gustar a fondo una obra de Dickens o una de Robbe-Grillet, si es que verdaderamente lo atraen ambas; el espectador vocacional es capaz de deleitarse con un cuadro de Filippo Lippi o con uno de Jackson Pollock, si es que realmente ambos le interesan. Pero el lector o el espectador *snob* sólo sigue la zigzagueante línea de la moda y es de acuerdo con ella que va cambiando constantemente sus cuadros de honor y sus listas negras. No voy a defender aquí la inalterabilidad de las opiniones (especialmente, teniendo en cuenta que esta exposición es en sí misma una demostración de que las mías son alterables), pero, en todo caso, admitamos que las preferencias del vocacional cambian por ósmosis, mientras que las del *snob* cambian por ventarrones.

Estas pleamares y bajamares del intelectualismo apócrito, han conducido en el Uruguay a un lamentable olvido, a una omisión que no tiene excusas. La anticursilería esnobista no hace discriminaciones, arremete con todo y contra todo. Sin embargo, hay en el uruguayo una porción innegable y arraigada de cursilería, que va desde las letras de tango hasta la pasión futbolística, desde cierta oratoria parlamentaria hasta los libretos radioteatrales, desde algunos estilos publicitarios hasta las decoraciones hogareras. Saludable o indigno, eso es algo que existe, algo que forma parte de nuestro mundo. Su vigencia está más allá (o mejor: más acá) de la exaltación y el vituperio; forma —¿quién podría negarlo?— un rasgo de nuestro pueblo. No seamos ahora tan gratuitamente *snobs* como para cometer la cursilería de negar que somos cursis.

IV

En *El sueño de los héroes*, novela del argentino Adolfo Bioy Casares, dice uno de los personajes: *"Le participo que si usted escucha a los uruguayos, todos los argentinos nacimos allí, desde Florencio Sánchez hasta Horacio Quiroga"*. El personaje de Bioy lo dice dentro de un contexto humorístico, porque la verdad es que tanto Sánchez como Quiroga son efectivamente uruguayos, pero la seria comprobación es que ellos son sólo dos de los muchos uruguayos que crearon en el extranjero sus obras más representativas. Joaquín Torres García trabaja y expone en París desde 1924 a 1933; Pedro Figari, entre 1921 y 1933, pinta, escribe y expone en Buenos Aires, París y Sevilla; Rafael Barradas celebra en Barcelona su primera exposición; Enrique Amorim y Juan Carlos Onetti publican en Buenos Aires la mayor parte de sus novelas; Antonio Frasconi, un ignorado de nuestros Salones de Bellas Artes, emigra en 1945 a los Estados Unidos, llega a ser considerado, en escala mundial, uno de los mejores grabadores contemporáneos, y sólo ahora —cuando regresa por 20 días a Montevideo y hace una exposición retrospectiva de sus obras— deja estupefactos a los críticos de arte y obtiene una resonancia popular inusitada. Y éstos no son casos como el tan mentado trío de poetas franceses (Lautréamont, Laforgue, Supervielle) que nacieron un poco casualmente en Montevideo, pero de hecho pertenecen a la literatura francesa, o como el más recientemente exhumado de Benito Lynch, nacido en la ciudad uruguaya de Mercedes pero perteneciente sin ninguna duda a la literatura argentina. No; en los ejemplos de Torres García, Barradas, Sánchez, Quiroga, Onetti, Figari, Frasconi, se trata de uruguayos sin merma que simplemente entendieron que en su país no había campo para un ejercicio profesional de su arte y decidieron exilarse temporalmente a fin de aprovechar las oportunidades que les ofrecían otros mercados y otros públicos. Ya no se trata de una evasión intelectual, de una huida hacia temas desprendidos, aéreos, sino de una evasión al pie de la letra, textual, explícita. No de una huida de la realidad, sino del país. En definitiva, la experiencia demuestra que todos vuelven, pero ese regreso habla mejor de ellos que del país, y acaso represente la tácita admisión de un fatalismo que empuja al creador hacia su infancia, sus nostalgias, sus primeros paisajes.

Cierta vez, en oportunidad de realizarse en Montevideo una mesa redonda sobre el tema: "¿Qué hacemos con la crítica?" [4], pude comprobar que se alzaban varias voces, tanto desde el público como desde la misma Mesa, para señalar un hecho grave e incontrastable: en Montevideo, el público que asiste a actividades y espectáculos culturales, es sólo una *élite*, con todos los condicionantes de novelería y esnobismo que ese término implica. Es evidente que los visitantes de los salones de arte, o los afiliados a los cineclubes, o quienes integran el público teatral, o los lectores de Onetti, Martínez Moreno o Felisberto Hernández, o los estudiosos tangueros de ambas Guardias, o las fervorosas hinchadas jazzísticas de ambas Temperaturas, o los clientes de Mozart en alta fidelidad o, para cerrar el amplio círculo, los propios asistentes a mesas redondas, son todos ellos reclutados, casi sin excepciones, en el mismo solar intelectual que forma parte de la clase media, un

(4) Ver trabajo así titulado, que se incluye en este mismo volumen.

solarcito más bien modesto que por cierto no es *toda* la clase media. Pero el gran público está in tacto.

En comprobaciones de este tipo no hay exclusividad de culpas. Es cierto que el Estado ha sido en el Uruguay un pésimo administrador de una elogiable alfabetización (después que enseña a leer, se lava las manos); es cierto que muchos vates han escrito desde su cómoda constelación privada, sin dignarse echar un vistazo a esta tierra tan cotidiana y tan municipal; es cierto que el uruguayo es de entusiasmos cortos y, no bien tiende a evadirse, pone la previa condición de que se trate de una evasión facilonga, del tipo de la historieta gráfica o el episodio radial o la película de *cowboys* o la morfina de la televisión. Pero la responsabilidad de que el gran público siga intacto para una más exigente expresión de cultura, no reside aisladamente en ninguna de tales comprobaciones, sino que es un espeso conglomerado de esas culpas y de muchas más.

Lo grave es que el problema no afecta sólo al público sino también, y primordialmente, al artista. En otros países (incluso en algunos con índices de alfabetización más bajos que el nuestro) existe una *élite* y existe un gran público; la *élite* es el sector intelectualmente más evolucionado de ese gran público y es, en definitiva, una presencia bastante lógica. Pero en el Uruguay existe una *élite* sin que exista el gran público, y entonces esa *élite* pasa a significar una presencia más bien absurda. De ahí que ningún artista uruguayo pueda vivir de su arte, por lo menos mientras permanezca en su país. Ni siquiera queda la esperanza del éxito. El éxito, cuando viene, también es proporcional a la reducida escala de nuestras valoraciones, y también —¿y por qué no?— al número de habitantes. No hay que cerrar los ojos. Si se dice que el éxito es, en cualquier parte, un problema de *élite*, no hay que tomarlo en el sentido que Ross o Stoddard le atribuyen al término, sino precisamente en el que le asigna Pareto, para quien la élite se integra con aquellos que poseen los índices más elevados en la rama en que despliegan su actividad. En el Uruguay, y salvo muy contadas excepciones, una actividad artística logra el éxito cuando obtiene la aprobación de la crítica (y aun así, no en todos los casos de aprobación); pero ésta es todavía una acepción muy limitada, ya que no incluye un amplio apoyo popular. Nuestra *élite* está formada por varios círculos concéntricos; lo que se llama éxito puede abarcar uno, dos o tres de tales círculos, pero el gran público (ése que sostiene, en cambio, las grandes recaudaciones del peor cine, o nutre su módica apetencia de fantasía con los *thrillers* más anestesiantes o cualquier otro subproducto literario de agresiva carátula) queda aún al margen de semejantes resonancias.

Claro que todos estos factores dificultan notoriamente la profesionalización del artista y contribuyen a crear una psicosis muy particular. Hasta no hace mucho, la posibilidad de profesionalizarse era mirada, en algunos medios de teatro independiente, como una suerte de prostitución del arte; bastó sin embargo que un conjunto —el Teatro de la Ciudad de Montevideo— triunfara ampliamente en su labor profesional, para que ésta pasara a integrar la nómina de ambiciones más urgentes del teatro *amateur*. En ésta y otras actitudes de nuestro medio cultural, es posible comprobar que el trabajador intelectual no tiene mayores escrúpulos ni inconvenientes en evadirse (cuando le llega la hora) de sus más publicitados arraigos. Hasta mediados de 190, todo escritor uruguayo sabía que prácticamente la única posibilidad de publicar un libro era financiarlo de su propio bolsillo;

27

alcanzó sin embargo con que dos modestas y plausibles experiencias editoriales obtuvieran un relativo éxito, para que la edición de autor fuera considerada casi una vergüenza. Es cierto que la profesionalización, además de un peligro, significa un filtro de calidades. Dicho en otras palabras: si bien una estructura comercial puede fijar trabas y crear tabúes a la expresión artística, hay que reconocer que en cualquier medio cultural que esté altamente profesionalizado, resulta casi imposible que un inexcusable bodrio llegue al público. Si una ventaja tiene la profesionalización, es que por lo general acaba con la impunidad del mamarracho. No obstante, siempre es imprudente engolosinarse con éxitos aislados. No hay profesionalización posible sin una conquista del gran público, pero la verdadera proeza es realizar esa conquista por medios dignos, es decir, elevando al público hasta el arte, y no bajando el arte hasta el nivel del público.

Se dice que Turguenev no podía escribir más que teniendo sus pies sumergidos en una palangana de agua caliente colocada bajo su escritorio y enfrentado a la abierta ventana de su habitación. Comentando precisamente ese hábito, decía Koestler, hace más de veinte años, que se trataba de una posición típica y adecuadísima para el novelista: *"El agua caliente del barreño posa allí en ayuda de la inspiración, lo subconsciente, la fuerza creadora o como quiera que se os antoje llamarla. La ventana enmarca su visión del mundo de fuera, la materia prima para la creación del artista"*. Koestler concentraba a continuación en la ventana los tres tipos de tentaciones que puede experimentar un novelista: 1) cerrar la ventana, 2) abrirla completamente y caer en la fascinación de los sucesos de la calle, 3) tenerla sólo entreabierta, con las cortinas dispuestas de tal modo que brinden sólo una sección limitada del mundo exterior [5].

Creo que en las bisagras de esa ventana se asienta toda la gama de actitudes que van de la extrema evasión al extremo arraigo. No sólo Turguenev escribía frente a una ventana; en rigor, todos los escritores del mundo tienen una ventana abierta frente a sí y, por mesurados y ecuánimes que sean, han de caer finalmente en una de las tres tentaciones. Porque aquí tentación es casi lo mismo que actitud, y por añadidura: actitud inevitable. La ventana tiene que estar abierta, cerrada o entornada; de modo que el escritor debe decidirse. La ventana puede servir para evadirse escapándose o para evadirse clausurándose; para arraigarse en la inspiradora realidad que propone la calle, o para arraigarse en la no menos inspiradora agua caliente de la palangana.

Son tentaciones universales, es cierto; pero hay un matiz diferenciador, representado por el paisaje, la calle, la gente, es decir, por todo aquello que está del lado exterior de la ventana. Que un escritor cierre sus cortinas en el Montevideo de hoy, no significa exactamente lo mismo que cerrarlas en Guernica, año 1937, o en Budapest, año 1956, o en La Habana, año 1958. Pero, de todos modos, las tres tentaciones (condicionadas —claro está— a nuestras urgencias, a nuestros prejuicios, a nuestra cuota personal de coraje o a nuestra dosis de inhibiciones) funcionan también en nuestro ambiente. Fuera de la ventana, de nuestra ventana, está la realidad. Algunos escritores uruguayos cierran las cortinas, y también los postigos, y se extasían frente a su inerme zoológico de cristal; cuando no hay apagones, encien-

(5) *Las tentaciones del novelista*, ensayo leído en el XVII Congreso del Pen Club, celebrado en Londres en setiembre de 1941.

den la luz eléctrica, y, bajo ella, dedican un soneto a la lumbre solar. Otros abren las ventanas de par en par, y apenas pueden contener su asombro: la calle está llena de *slogans*, de consignas políticas, de exhortos a la definición, de premuras, de riesgos. A veces los principios se vuelven anticuados. Hay que borrar y empezar de nuevo; hay que repasar y repensar el panorama interno, la estructura de los propios principios, porque éstos, en ciertos casos, pueden responder a una realidad que no es la que ahora viene de la calle. Ese reajuste suele desconcertar al creador, a veces por atracción y a veces por rechazo, y en medio de tal desconcierto, el artista puede olvidarse de que es creador, es decir, alguien que debe reelaborar su realidad, dar su propia versión creadora de los sucesos externos. De lo contrario, corre el riesgo de transformarse en un mero registrador de noticias, en un inocuo grabador de ruidos.

Y está el que sólo entreabre la ventana, el que sólo quiere ver una parte de lo real, el que antes de mirar ya tiene escrito su falso testimonio, el que acomoda el paisaje a su propia miopía. *"Hacemos retórica de nuestras disensiones con los demás"*, escribió Yeats, *"pero de nuestras querellas con nosotros mismos hacemos poesía"*. No obstante, si en nuestros conflictos con los demás, empezamos por mentirnos a nosotros mismos, no estamos haciendo retórica, ni mucho menos poesía; simplemente, le estamos dando un sonoro beso de Judas a nuestra conciencia. Y esa actitud (no importa que nuestra ventana esté abierta, cerrada o entornada) no ha de ser, seguramente, la mejor garantía para la espléndida —y sacrificada— tarea de crear.

V

Hoy ya resulta difícil saber quién ha sido el inventor de un lema que ha hecho carrera en los últimos tiempos, permitiendo que tanto los intelectuales con inquietudes políticas, como los políticos con inquietudes intelectuales, se sintieran convenientemente representados en él. Me estoy refiriendo a tres breves palabritas: *aquí y ahora*, que hoy en día son citadas en el Uruguay hasta la fatiga, por críticos, oradores, periodistas y literatos. El signo *aquí y ahora* tuvo una rápida aceptación, porque sintetizó de modo cabal una actitud que, desde hacía un tiempo, se venía formalizando en una promoción de escritores (narradores, ensayistas, dramaturgos, y hasta algunos poetas) que hoy tienen alrededor de unos cuarenta años. Era, en cierto modo, la reacción vital contra la *conspiración de la corza*, contra la monótona glorificación de una Arcadia que parecía aprendida por correspondencia, contra una inapetente literatura de ojos vendados. *Aquí y ahora* significaba volver a seres de carne y de hueso, enraizados en un sitio y en un tiempo, y no flotando en una especie de limbo, desprovistos de compromiso y de lectores.

Sin embargo, la profusión de citas en estos últimos tiempos, demuestra que los resortes del lema se han ido gastando para quienes recurren mecánicamente a él y lo dejan instalado en mitad de una frase, sin acordarse ya de qué significaba en su acepción primera. En cierto sentido, y para tales frívolos, *aquí y ahora* ha pasado a simbolizar, no la literatura de *este tiempo* sino de *este instante*, no la literatura de *este mundo* sino de *esta esquina*. Ha comenzado a funcionar una especie de cómoda superstición, que autoriza a pensar que alcanza con escribir sobre burocracia, conventillos, colachatas, expedientes, candombes, para que esas inermes rebanadas de realidad se conviertan, como por arte de magia, en literatura.

El primer malentendido consiste, evidentemente, en confundir literatura con periodismo; novela, con reportaje. Después de tanto denuedo contra una literatura de ojos vendados, existe ahora el riesgo de caer en el burdo simplismo de difundir que lo instantáneo *siempre* es literatura, de tomar lo verdadero como única garantía de lo estético. Cuento realista o cuento fantástico, ambos deben cumplir en primer término con las exigencias del género literario a que pertenecen. Drama militante o comedia de costumbres, antes que militancia o costumbrismo deben funcionar como el teatro que dicen ser. Las diferenciaciones sobrevienen después, a partir del cumplimiento con las reglas del juego. No alcanza con el realismo o la fantasía, con la militancia o el costumbrismo, con el arraigo o con la evasión, para asegurar la calidad literaria, el nivel artístico de una obra.

El segundo malentendido viene, quizá, de confundir el tema con el ámbito. Palabras exotéricamente locales, como conventillo, estancia u oficina, son a veces abordadas como temas, cuando en realidad sólo son ámbitos. Desde el punto de vista del oficiante literario, el narrador debe encontrar el *tema* para desarrollarlo en un *ámbito* determinado. Un tema de celos, de angustia o de crueldad, tanto puede desarrollarse en una estancia como en un conventillo; o sea, que en el famoso *aquí* caben todos los grandes temas de la literatura universal. Uno de los motivos de la exigencia del *aquí* en la actitud de casi todos los hombres de la generación del 45, fue justamente la pretensión de que esos grandes temas no corrieran el riesgo de parecer incoloros, desasidos, lejanos. Los enemigos del *aquí y ahora* ponen un gran énfasis en defender la primacía de lo imaginario puro, sin raíces de tiempo o de lugar; los frívolos acólitos (no, por supuesto, los conscientes realizadores) del lema, los fanáticos del tiempo y del lugar, olvidan subordinar lugar y tiempo a los comandos de lo imaginario, de lo imaginario felizmente impuro, o sea contaminado a su vez por lo real.

Alguna vez propuse que en los últimos capítulos de una historia no escrita de la literatura uruguaya, inmediatamente después de la Generación del Soneto, debería figurar una Generación del Cuento. Que de la primera existan aún varios epígonos o que la segunda haya tenido válidos precursores, no impide anotar que ambos géneros, más que indicar preferencias personales, parecen recoger muy diversas actitudes frente a lo literario. El cuentista uruguayo ha abierto los ojos, ha visto al hombre del campo y está empezando a ver al de la ciudad, se ha dado cuenta de la posibilidad que estaba a su alcance.

Cabe preguntarse, sin embargo, si el hecho fácilmente comprobable de que el cuento sea hoy en día el género más equilibrado y a la vez más provocativo, se debe pura y exclusivamente a ese deliberado propósito de asir la realidad, de arraigarse en ella. ¿Y la novela? ¿No sería un vehículo más apropiado aún? Puede sostenerse que nuestra realidad no es novelesca, si se entiende aproximadamente por novela una versión integral y exhaustiva de un conflicto humano. No se dan en nuestro medio (y en esto nos distinguimos netamente de otros países latinoamericanos) grandes ocasiones para que los héroes hagan su carrera. Lo que hay son anécdotas, retratos, estados de ánimo; temas de cuento, en fin. Somos un rincón de América que no tiene petróleo, ni indios, ni minerales, ni volcanes, ni siquiera un ejército con vocación golpista. Somos un pequeño país de historias breves. Por algo, varios de nuestros escasos novelistas (Reyles, Amorim, Onet-

ti) se han visto a menudo obligados a salir del tema radi-
calmente nacional para lograr el ritmo y la dimensión
de la novela. Otros narradores, como Francisco Espínola
o Juan José Morosoli, han llevado el tema nacional a la
dimensión novelística. Pero entiéndase bien: a la *dimensión* y no al *espíritu* novelístico. Varios críticos han coin-
cidido en señalar que tanto *Sombras sobre la tierra* de
Espínola, como *Muchachos* de Morosoli, poseen innega-
bles virtudes de cuento y algunas insuficiencias como novelas. Esto no quiere decir que la novela sea hoy en el
Uruguay un género imposible. Bastaría la mención de
algunos títulos de Manuel de Castro, Alfredo Dante Gra-
vina, Eliseo Salvador Porta y Enrique Amorim, para demostrar que tal imposibilidad no existe. Pero siempre se
trata de brotes aislados. Aun en la más brillante promoción literaria que conoció nuestro país, la Generación
del 900, figuró un solo novelista de fuste, Carlos Reyles,
ya que Quiroga y Viana sólo pueden ser considerados
cuentistas natos que a veces intentaron, con escasa fortuna, abordar la novela. Además se da el caso de que
mientras la mayoría de nuestros novelistas son, además,
cuentistas eficaces, abundan en cambio los autores de
cuentos que jamás han publicados novelas (Felisberto
Hernández, Santiago Dossetti, Giselda Zani, Luis Castelli,
Marinés Silva Vila, Mario Arregui) o que, cuando las han
escrito, han fracasado total o parcialmente en la empresa.
Parecería que la tendencia natural de nuestros narradores
estuviera orientada hacia el cuento y se sintiera más cómoda en ese género.

Pero también está la explicación contante y sonante.
En un país como el nuestro, con escasos editores, la novela es siempre (o lo era hasta hace muy poco) una
aventura económica riesgosa. Publicar un libro de cuentos representa un parecido riesgo, pero mientras que un

cuento aislado puede hallar cabida en una revista literaria, o en un semanario, o aun en la sección cultural de algún diario, un fragmento de novela es en cambio una rebanada de algo que no siempre compromete el interés del lector. El cuentista puede trabajar con el estímulo de una cercana publicación, en tanto que para el novelista el futuro editorial es siempre más sombrío. Algo de esto parece confirmado por lo acontecido en el año 1961. El afianzamiento de una sola editorial, redundó en la aparición de una media docena de novelas.

Pero el Uruguay es todavía (dicho sea esto sin enfática autoflagelación y sin acordarnos necesariamente de Lord Ponsonby) un país de cuento, un país de temas breves y de cortos plazos. Cada pueblo del Interior, cada oficina de la Capital, cada uno de nuestros intensos y efímeros entusiasmos, puede ser un formidable tema de cuento. Aun ese Montevideo que vive encerrado en sí mismo, de espaldas al resto del país y al resto del continente, es también un tema de cuento: claro que un cuento un poco sórdido, mera variante local del tema universal del egoísmo. De los uruguayos depende que cada mundillo se transforme en un mundo; que a breve plazo su tierra, sin dejar de ser un país de cuento, pase a ser asimismo un país de novela.

Hasta hace muy poco, sólo los escritores —y no todos— leían a los escritores —y no a todos—. El lector a secas, el lector puro, más bien tendía a evitar todo contacto con la literatura autóctona. En rigor, esa resistencia a consumir el producto nacional, podría ser interpretada como una natural, inevitable tendencia del lector a despreocuparse de quienes hablaban un lenguaje artificial, una suerte de esperanto literario. Por lo general, al lector no le molesta reconocer en los escritores una influencia extranjera. Más aún, a veces la influencia (o el personal buceo para descubrirla) representa un atractivo más de la lectura. Que en Quiroga convivan huellas de Poe y de Maupassant; que en Reyles aflore un poco de Balzac y algo más de Zola; que la reiterada Santa María, de Juan Carlos Onetti, constituya una suerte de Yoknapatawpha faulkneriano; que Borges sea una corriente subterránea en los cuentos de Mario Arregui, nada de eso es demérito sino riqueza. Pero la comarca extranjera, la región insólita, que aparecía en muchos de nuestros escritores (más concretamente, en la provincia poética constituida por el grupo "Cuadernos Julio Herrera y Reissig", que dirigió, hasta su muerte en 1959, el escritor Juvenal Ortiz Saralegui) era una comarca extrageográfica, con una fauna y una flora tímidamente librescas y una total ausencia de reales asideros. Eso ya no era evasión sino ajenidad.

Desgraciadamente, durante muchos años el lector corriente identificó a la literatura uruguaya que, en varias capas generacionales, siguió a la del 900, como una literatura de corzas y gacelas, y por eso mismo estableció una higiénica distancia entre su gusto y aquellas inocuas metáforas de vitrina. Sin embargo, allí el lector corriente demostró cierta timidez en su espíritu de búsqueda, ya que contemporáneamente con las corzas, se publicaban narraciones de Espínola, Morosoli y Da Rosa; poemas de Líber Falco, Juan Cunha e Idea Vilariño; cuentos de Felisberto Hernández, Luis Castelli y Martínez Moreno; ensayos de Zum Felde, Visca y Real de Azúa; comedias de Patrón, Maggi y Castillo; críticas de Rodríguez Monegal, Ángel Rama y José Pedro Díaz. Es decir: varias promociones estaban creando una obra extragacelar y de vigencia nacional y humana.

De pronto, en 1960, el público pareció despertar. De la noche a la mañana, comprobó que existía una literatura nacional; además, que ésta era legible, y, por último, que movía criaturas, sentimientos y problemas que tenían algo que ver con su propio mundo. Súbitamente se sintió aludido, se sintió prójimo del personaje literario, del hombre ficticio que le alcanzaba el creador; súbitamente se enfrentó al hallazgo poético, a una fantasía que era solamente una combinación inédita de motivos reales. ¿Qué había pasado? ¿Acaso en 1960 los escritores uruguayos ejecutaron la sabia maniobra de una creación esplendorosa y simultánea? De ningún modo; 1960 fue simplemente un punto de maduración. Maduración del lector, más aún que del escritor; en realidad, éste venía madurando desde hacía quince años.

Hasta 1960 coexistieron —y no siempre fue una coexistencia pacífica— los escritores que venían de lo real, y aquellos otros, exilados de la Arcadia. A partir de 1960, tal vez sigan coexistiendo gacelas insólitas y verosímiles criaturas, pero la diferencia estará en que hasta hace poco el público entendía que corzas y literatura nacional eran sinónimos, mientras que ahora supone que literatura uruguaya es el equivalente de realidad nacional. Claro, ninguna de esas dos opiniones tiene vigencia absoluta. Pero la única posibilidad de que las corzas sobrevivan (¿por qué no?), es decir, que todo poeta mantenga su derecho a escribir sobre ellas, es, paradójicamente, que el lector las dé por muertas. Si después del funeral hay algún poeta gacelario que continúe escribiendo, contra viento y marea, contra toda conspiración de silencio, habrá demostrado que su tema era tan auténtico como las primeras corzas uruguayas, aquéllas de Sara de Ibáñez que aparecieron en 1940 prologadas nada menos que por Pablo Neruda, y no el posterior achaque intelectual que produjo tantas resmas de canjeables, olvidados sonetos.

VI

Evasión y arraigo, arraigo y evasión, todo mezclado. Pero hay otras mezclas, combinaciones, influencias, antilogías latentes. El arraigo y la evasión en la actual literatura uruguaya, están rodeados por otros arraigos, por otras evasiones. Es una historia demasiado larga de contar, pero de todos modos conviene hacer algunas breves, sintéticas precisiones.

Como en todos los rincones de América Latina, en el Uruguay el fenómeno político ha mediatizado importantes aspectos de la vida cultura. Hoy en día resulta difícil entender lo que culturalmente sucede en el Uruguay, si no se atan ciertos cabos del proceso político. Pero, aun así, la tarea no es sencilla, ya que por un lado el nexo entre política y literatura no rompe los ojos; y por otro, el proceso político cumplido en el Uruguay tiene poco que ver con el de la mayor parte de las repúblicas latinoamericanas.

Es difícil comprender, por ejemplo, el fenómeno tan extraño de que toda la política uruguaya se base en la existencia de sólo dos partidos: el Blanco y el Colorado, pero más arduo resulta entender que prensa, oradores y opinión pública, los siga llamando *partidos tradicionales* cuando hace un buen rato que ambos se han apartado del andarivel de sus respectivas tradiciones. Ahí también está todo mezclado y sólo esa mezcla puede explicar que el Partido Colorado (llevado, en su etapa más brillante, por su líder Batlle y Ordóñez hacia un liberalismo socializante que en su época significó una vanguardia llena de osadía) tenga hoy un importante sector que puede ser considerado como el más reaccionario de nuestro panorama político. Sólo esa mezcla puede explicar que el Partido Blanco, mantenido largamente por su jefe civil Luis

Alberto de Herrera en un indeclinable antiimperialismo, mantenga ahora frente a los Estados Unidos actitudes sumisas y bienmandadas.

Todos nuestros bienes y todos nuestros males giran alrededor de la palabra Democracia. Hasta el año 1933, en el Uruguay *democracia* era una palabra que tenía arraigo; más que un hábito, era casi una superstición popular. Todavía hoy se la venera, pero sólo como a un mito; y también, como a los mitos, se la falsea. Opino que la fecha clave es marzo de 1933, momento dramático y decisivo en que Gabriel Terra establece su dictadura y Baltasar Brum tiene el supremo gesto de suicidarse en mitad de la calle, en defensa de la legalidad, de las libertades arrasadas. En ese instante también quedó herida de muerte la fe que el uruguayo tenía en su democracia, el arraigo de esa palabra en la opinión pública. Con su suicidio, Brum le hizo a su pueblo la señal del coraje, pero ese pueblo, en aquel instante, prefirió mirar hacia otro lado.

Nueve años después, con otro golpecito que fue llamado el *golpe bueno*, se verificó con cierta pompa el regreso a la legalidad, pero, como bien lo ha destacado Roberto Ares Pons, "el restablecimiento de la *normalidad democrática* fue meramente formal, nuestro pueblo ya no tenía verdadera fe en instituciones repetidamente violadas, ni vocación suficiente para una apasionada defensa de las premisas del régimen"[6]. Desde 1933 hasta 1942, o sea durante los nueve años de dictadura que van del *golpe malo* al *golpe bueno*, la opinión pública idealizó la democracia perdida, apuntó a ella en la clandestinidad. Pero a partir de 1942, cuando nuevamente quedó hecha la ley y por consiguiente también hecha la trampa, demostróse cabalmente que el trauma político de 1933 era más profundo de lo que habían calculado los sociólogos.

Y aunque hasta ese momento se habían llevado a cabo fugas aisladas, sólo entonces comenzó una evasión casi colectiva.

La cáscara democrática siguió en pie, pero se fue quedando sin pulpa y sin carozo. La democracia se convirtió en un confortable lugar para exilarse dentro del propio país. A la democracia le pidieron asilo los tramposos, los coimeros, los estafadores, los venales. Su hábitat era la penitenciaría, pero ellos se asilaron en la democracia. Fue entonces que los hombres públicos de moral intacta, pero de escaso ímpetu, para no ser manchados por la corrupción huyeron de la política, de los cargos públicos. La élite (una élite creada artificialmente e integrada no por aristócratas sino por pitucos, nuevos ricos, y ciertos especímenes de clase media con vocación de neorriqueza y pituquería) escapó hacia el esnobismo. La clase media propiamente dicha, la enorme clase media que es la que da el *colorcito* del país, se refugió en el deporte, particularmente el fútbol, esa barata y productiva anestesia. En los cuatro años que median entre un acto eleccionario y el siguiente, el proletariado actúa con clara conciencia de clase, tiene un acendrado sentido solidario y es capaz de enfrentar en las calles, con la única arma del coraje, la (a veces dura) represión policial; pero cuando llega el último domingo de noviembre del año de elecciones, el obrero abandona por veinticuatro horas su actitud realista y se evade hacia la divisa tradicional, como si se tratara de un impulso más poderoso que su razón. Vota por blancos o por colorados (en un millón de votos, los partidos de izquierda por lo general cosechan poco más de sesenta mil votos), o sea por aquellos partidos en

(6) *La intelligentsia uruguaya*, en Revista *Nexo*, N.º 2, Montevideo, setiembre-octubre de 1955.

que militan los dueños de ese mismo capital con el que está en conflicto permanente. En cuanto al hombre de campo, ya era de por sí un evadido, quizá el más antiguo de nuestros cuadros sociales; nuestro hombre rural todavía no se ha sobrepuesto a la herencia del gaucho, desarraigado y nómade, todavía no ha aprendido a desear —y, menos aún, a conquistar y defender— su pedazo de tierra. (Hoy en día, es fácil comprobar que la bandera de la reforma agraria tiene más adherentes en la clase media y ciudadana, que entre los peones de estancia, aunque éstos sean candidatos naturales a ser beneficiados con una remoción de la vieja estructura).

Con una creciente y casi desafortunada perversión de las formas de la demagogia, con una nefasta tendencia a urdir simplificaciones y a colgar etiquetas que envilecen no sólo los ataques sino también las defensas, el actual panorama no tiene en el Uruguay la trágica urgencia del hambre, del despojo, de la ausencia total de libertad, pero muestra en cambio otro rostro, que no sé si al final no será más infausto y más ignominioso que todo eso: es el rostro del quemimportismo, de la indiferencia, de la molicie convertida en cinismo, de la decencia convertida en bochorno.

Curiosamente, frente a ese panorama político y social con creciente tendencia a la evasión, hay un sector que, sin previo acuerdo (más bien cada uno por su lado) parece haberse decidido a jugar la carta de la sinceridad, de la decidida e incómoda incursión en las verdaderas causas de la crisis, de la búsqueda de sus razones y sobre todo de sus raíces. Me refiero justamente al clan intelectual, o por lo menos a la más creadora y vital parte del mismo, a ese estrato que algunos llaman la *intelligentsia* y que en la definición del Oxford Dictionary es *"aquella parte de una nación que aspira a pensar con indepen-*

41

dencia" [7]. En ese sentido, es preciso reconocer que el tema de la Revolución Cubana ha desempeñado un papel fundamental. Aun los que mantienen serias y razonables objeciones frente a algunos planteos, procederes, actitudes y alianzas de Fidel Castro, tienen que admitir que la Revolución Cubana ha sido un catalizador altamente positivo. Por lo pronto, sirvió para acelerar una reintegración política (en el sentido más cívico del término) en escritores que hasta ese momento estaban parapetados detrás de su erudición o de su fantasía; sirvió también para que muchos de ellos sintieran la necesidad de un compromiso personal (sin que ello significara someter su obra a la inspiración y al vaivén de partido político alguno) y en decidida actitud no vacilaran en arriesgar sus empleos, sus carreras y hasta el mantenimiento de una saludable distancia con los piquetes policiales; sirvió finalmente para que ese tema externo, aparentemente lejano, se convirtiera en reclamo nacional, y, sobre todo, para que el tema de América penetrara por fin en nuestra tierra, en nuestro pueblo y también en nuestra vida cultural, que siempre había padecido una dependencia casi hipnótica frente a lo europeo.

Para otros latinoamericanos, resulta un poco difícil comprender que no tengamos indios, y que cuando los tuvimos (a diferencia de otros grupos étnicos de América Latina) no sólo fueron nómades e inestables, sino también reacios a toda manifestación artística. En consecuencia, no tenemos folklore indígena y apenas si nos queda algún

---

(7) Esta cita figura en uno de los ensayos de Arthur Koestler, incluido en *The Yogi and the Commissar*. También en el artículo antes citado de Roberto Ares Pons. Pude consultar la cuarta edición (1951) de *The Concise Oxford Dictionary*, donde la definición tiene este texto: *"Intelligentzia: The part of a nation that aspires to independent thinking"*.

saldito de tradición gauchesca, que ni siquiera es toda nuestra ya que la poseemos en desigual condominio con la Argentina. Por eso, mucho del aparente arraigo que habían producido nuestras letras, pertenecía más bien a aquella zona que antes denominé "literatura falluta"; no era arraigo sino parodia de arraigo, y la publicitada tierra que contenía no era la del campo abierto sino la de la macetita que el escritor regaba pacientemente en el pretil de sus inhibiciones o, en el mejor de los casos, en el balcón de sus fervores.

Creo que nuestro pueblo tiene una raíz tan noble y tan generosa como la de los mejores de América Latina; creo que hay en él una disponibilidad de afecto y una capacidad de saber escuchar a los demás, y eso, en medio de un internacional diálogo de sordos, puede significar algo constructivo. Pero ese mismo pueblo, no sé si por legado del masoquismo tanguero, o por cierto excesivo ritual de machismo, ha llegado a sentirse inhibido, no precisamente por sus defectos (en realidad, no tiene inconveniente en ostentarlos) sino por sus virtudes, que en cambio le provocan algo de cortedad y hasta vergüenza. Ese desequilibrio, esa falsa postura, me parece uno de los rasgos más patéticos y más frustráneos del hombre uruguayo.

Que el escritor del Uruguay haya tomado, o esté tomando conciencia de sus pocos arraigos, de sus numerosas evasiones, me parece por lo tanto uno de los acontecimientos más saludables de los acaecidos en la breve y mansa historia de la literatura uruguaya. Y tan saludable como todo eso, me parece el hecho de que nuestros escritores ya no le hagan ascos a otras formas más modestas (pero, en nuestro medio, más verdaderas) del arraigo. Cuando nombramos esta palabra, arraigo, tenemos cierta inevitable tendencia a tomarla al pie de la letra, a embaucarnos con su símbolo implícito. Decimos *arraigo*, urgentemente imaginamos *raíces*, e ipso facto le ponemos *tierra*. Pero es obvio que hay otros modos de arraigo, y así como podemos echar raíces en las tradiciones, también podemos echarlas en el tiempo en que vivimos (así sea el menos prestigioso de los presentes), en el área donde habitamos (sea ella un cantegril, una granja colectiva o el tercer piso de una propiedad horizontal), en la clase a que pertenecemos (así sea la descolorida y tornadiza clase media) o en el ritual que compartimos (así sea el condenadamente abstracto de llenar cuartillas).

El hombre puede evadirse hacia Dios, pero también puede echar raíces en El. El hombre puede echar raíces en la tradición, pero también puede evadirse hacia ella. Todo depende de dónde resida el verdadero reclamo, la verdadera urgencia, la impostergable necesidad. El arraigo se da siempre en el sentido de la conciencia, a veces de la más oscura conciencia, y el resto, todo el resto, es evasión. Por eso está todo mezclado, por eso lo que en uno es arraigo, en otro es evasión, y viceversa, porque no todas las conciencias hablan el mismo lenguaje, señalan el mismo norte, tienen la misma urgencia.

Tengo la impresión de que los uruguayos, y en primer término los escritores, estamos aprendiendo a mirar hacia América Latina, a sentirnos partícipes de su destino. Otros latinoamericanos pensarán que ya era hora. Pero, claro, no pueden saber qué desolador es, aquí en América, hacer un inventario de nuestro contorno, hacer un censo de nuestros prójimos más próximos, y no poder registrar ningún rostro de indio, ese rostro que en cierto modo es el salvoconducto del ser americano. (Por supuesto que aún corre sangre india por las venas de muchos uruguayos. pero de todos modos en nuestro país no existe el indio como unidad tribal, gregaria; ni siquiera como grupo etnológico). El día en que el psicoanálisis deje tranquilos a los individuos e invite a las naciones a que le cuenten su vida, es probable que al Uruguay se le descubra un complejo de falta de indios. Los otros pueblos de América Latina, que tienen ese orgullo y felizmente son conscientes de él, no pueden saber qué incómodo es, y que frustráneo, haber pasado los años, y las decenas de años, mirando a Europa por sobre el Atlántico, reclamándole un susütutivo de aquel orgullo, un sentido a nuestra ajenidad, y comprobar luego que, así como el océano antes de mojar nuestros pies se convierte preventivamente en río, nada más que río, así también aquella riqueza de tradiciones, antes de tocar nuestra cultura, se transformaba preventivamente en influencia, nada más que influencia. No pueden saber cuánto cuesta cambiar de sueños, y cuánto reconocer la propia frustración. En eso estamos, y, naturalmente, la actual literatura uruguaya no es todavía dinámica, poderosa, vital; es, quizá, esperanzada, pero también melancólica; tiene convicciones bastantes firmes, pero aún no se ha desprendido de sus viejas y prescriptas nostalgias. Estamos algo así como en la pubertad de nuestro latinoamericanismo, y nuestros hermanos de América Latina tendrán que perdonarnos si de vez en cuando nos sale algún *gallo*, alguna nota en falso. Sucede, sencillamente, que estamos cambiando la voz.

(Enero 1962)

para una revisión de carlos reyles

Quien mantenga vivo su interés por el hecho literario aun después de la época liceal, hallará seguramente que cada vez que retoma un autor de *programa*
para efectuar, con definida intención crítica, una tercera o cuarta lectura, la nueva impresión purga el recuerdo de todo encuentro adolescente —cuando Dumas
lograba interesarnos más que Dostoievsky o nos atraía
Dickens por muy diversos motivos que ahora— y hasta
modifica sustancialmente el concepto que entonces había-
mos fabricado.

Tal vez ello se explique por la ausencia de sorpresa. Ahora sabemos que lo que nos asombraba no
eran los recursos de un autor determinado sino los de
la literatura en general. Recién descubríamos el mundo literario, la mera posibilidad de la ficción, y con-
fundíamos ese descubrimiento con el de un sector del
mismo, acaso insignificante.

De cualquier modo, toda revisión de este tipo resulta casi siempre tan desalentadora como saludable,
ya que ayuda a encontrar el núcleo verdadero de atracción, que es frecuentemente bastante más reducido de
lo que esperábamos.

Enfrentar con criterio revisionista la obra de un
autor cercano como Carlos Reyles, incluye el riesgo de

medirlo con prejuicios de vecindad. No obstante, es menester correr ese riesgo, porque de lo contrario las opiniones críticas —o seudocríticas— hechas sobre el molde de otras anteriores, pueden convertirse en meras prolongaciones de un dictamen oficial, tácitamente autorizado y nunca puesto al día.

Es evidente que una lectura total, o casi total [1], de la obra literaria de Reyles, provoca en el lector una reacción de antipatía que no resulta fácil de pormenorizar. Nadie pone en duda la competencia de este escritor, ni siquiera su conocimiento del oficio. Nadie se atrevería a afirmar que sus novelas carecen de una trama adecuada ni sus ensayos de una intención. No obstante, el mundo literario de Reyles resulta incómodo, desagradable, y no puede evitarse un pequeño desquite de satisfacción cuando se le abandona.

Después de todo, ¿qué falta allí, qué escondido desequilibrio impide la comunicación entre la conciencia del personaje y la del lector? Acaso pueda interpretarse a Reyles en función de su carácter de hacendado. A ello nos autoriza el hecho de que en buena parte de su obra haya concedido tanta importancia a la ganadería como a la misma literatura. Ribero en *Beba*, Mamagela en *El Terruño*, don Fausto en *El gaucho florido* y el propio Paco en *El embrujo*, conocen el haz y el envés de la vida ganadera. Con razón ha visto Torres-Ríoseco que *Beba* resulta una especie de tratado de economía rural [2]. Sabemos más de toros Durham

<hr>

(1) Algún título, como *Por la vida*, resulta en la actualidad imposible de conseguir. Reyles retiró de circulación los ejemplares de esta obra, incluso los que deben permanecer en la Biblioteca Nacional.

(2) Arturo Torres-Ríoseco, *Novelistas contemporáneos de América*, Santiago de Chile, Nascimento, 1939, pág. 321.

y de ovejas merinas que de los estados de ánimo de los personajes, y cuando, como en *Beba*, va a suceder algo sorpresivo —el hijo engendrado por Tito y su sobrina nacerá muerto y de monstruoso aspecto— los animales se habían adelantado en su lección, ya que resultaron anormales los potros que eran hijos de consanguíneos.

Aun el naturalismo zoliano sabía esquivar tan inconducente prolijidad. A Reyles le agrada pasar por realista, y por eso mismo sorprende hallar pasajes como la cursi descripción que hace Beba de su imaginada alcoba de casada, o en *El embrujo*, la huída de Pura y el Pitoche después de herir a Paco, momento que no parece el más adecuado para que los fugitivos se pongan a rememorar los *espeluznantes dramas* y las *tétricas visiones* vinculadas a cada una de las plazas y las calles de Sevilla.

En realidad, poco puede esperarse de semejante naturalismo. Sólo en contadas oportunidades consiente Reyles en apearse de su condición de hombre acomodado, desde la cual no resulta difícil formular una ideología de la fuerza o una metafísica del oro. Todas sus obras tienen un símbolo, una intención moralizante; en todas ensaya dar una lección. Pero a veces los símbolos se contradicen [3], la moral se vuelve arbitraria o la lección no sirve. Por lo general, las figuras ejemplares, es decir, los únicos personajes que no son viciosos o crápulas o miserables, son los que tienen dinero en abundancia. Mientras tiene dinero, Ribero es un bravo ejemplar nietzscheano, un hombre de carácter, un tenaz. Pero en cuanto comienza a perderlo, se transforma en

---

(3) Obsérvese que *El sueño de Rapiña* es la negación anticipada de *La muerte del cisne*.

un débil, en un pobre tipo que no aguanta sus culpas. Crooker, Mamagela y don Fausto, son, en las novelas que respectivamente animan, las figuras sin tacha y con dinero, cuyo gobierno difunde la única moral posible. En *El embrujo* es el señor Míguez —que además de tener dinero en abundancia, posee (¿cuándo no?) muchos y buenos toros— quien se convierte de la mañana a la noche de ogro en protector y merece por ello sonrisas amables, frecuentes "hola, don Antonio" y *la consabida palmadita en el hombro, familiar y respetuosa a la vez.*

Lo cierto es que la realidad social y económica está fuera del mundo *naturalista* de Reyles. Para sus personajes, aun los más miserables, el problema económico no resulta tal. Los desocupados escriben para los diarios o se casan con una mujer de fortuna. La peor tortura que sufre Cacio es no poder seguir el fastuoso tren de Arturo. Ana, nacida en un *boliche*, padece lo indecible porque los Crooker la reciben en el comedor y no le ofrecen la casa. De modo que los problemas son de envidia, no de necesidad. El autor ve la miseria de arriba abajo, es decir, del lado afortunado; de ahí que los únicos pobres de *La raza de Caín* tengan para Reyles el grave inconveniente de que molestan a los ricos y causan —siempre por envidia— su irreparable desgracia. Para el pobre de sus novelas, la solución no consiste en emanciparse sino en cobijarse bajo el alón del rico, seguir su corriente y vegetar, es decir, merecer que permitan su vegetación. Hay para Reyles —en especial para el "último Reyles"— un solo tipo de pobreza que merece simpatía: la del que tuvo fortuna y la ha perdido, la del equívoco Pepe de *A batallas de amor... campo de pluma.*

En realidad, Reyles no siente horror por la pobreza, no teme caer en la miseria física y moral del pobre vergonzante. Siente en cambio el orgullo de la propia fortuna y es evidente su incomodidad cuando su oro desaparece, ya que, de acuerdo con su cantada *metafísica*, ello significa para él el más abominable de los fracasos. (Es entonces cuando produce sus dos libros menos eficaces —*Ego sum* y *A batallas de amor... campo de pluma*— ensayando sin éxito en el primero una débil retirada idealista y otorgando en el segundo a su malparado personaje un final de anodina espectacularidad.) Por otra parte, Reyles prefiere que sus pobres sean a la vez intelectuales, a fin de representar dos caricaturas en una. Tocles, que ha fracasado política y económicamente, es también un escritor abortado, un mequetrefe lleno de teorías ajenas y que carece del mínimo valor para sobrellevarlas. Como hace más de treinta años señalara Lauxar, Tocles no es un idealista sino un ilusionista [4]. No es un intelectual, puesto que carece de paciencia en la investigación y de rigor para consigo mismo, ni tampoco es un poeta, ya que su obra está totalmente desprovista de gracia y él mismo se halla demasiado apegado a la vanidad, a la gloria circunstancial, a la bambolla de los círculos. En el fondo, Tocles no se rebela contra ningún orden falso, contra ninguna moral de engañabobos, sino pura y exclusivamente contra su propia torpeza, contra su manifiesta incapacidad para el acomodo.

Pero no es éste el único *intelectual* que el autor ridiculiza. También Cacio y Menchaca —las dos figuras más despreciables de *La raza de Caín*— tienen veleidades de literatos. Uno escribe para dar rienda suelta a sus odios; el otro, para crearse una aureola. Pero ni Tocles ni Cacio ni Menchaca tienen por las letras otro

---

[4] Lauxar, *Carlos Reyles*, Montevideo, Barreiro, 1918, pág. 132.

interés que el lucimiento o el desahogo personales. El sacrificio del arte no les seduce, ni siquiera parecen enterarse de su posibilidad.

Reyles se coloca en una posición falsa cada vez que arremete contra un clan enemigo, ya sea éste de los pobres o de los intelectuales, porque en general elige de uno u otro los representantes más abyectos, es decir, los que mejor justifican su reacción. Su realismo aparece por ello como parcialmente deshonesto, desde que se limita a subrayar los rasgos que se oponen a su propio temperamento de escritor. La crítica objetiva de las costumbres, el tratamiento desapasionado de los caracteres, que fueran apreciadas virtudes del naturalismo, se hallan ausentes de sus retratos. Todos los personajes están cargados de Reyles: unos, de lo que él es o quiere ser; otros, de lo que evita llegar a ser. La ingrata impresión que causa *Beba* se debe en primer lugar a la intromisión simultánea del autor en los dos caracteres principales; tanto Ribero como Beba dicen las palabras y piensan los pensamientos de Reyles, y desde esa novela en adelante sus personajes mostrarán cierta condición equívoca —cercana a veces al incesto o a la homosexualidad— debida principalmente a su estructura inacabada, es decir, a que cada uno de ellos es la contraparte de algún otro y no tiene por tanto valor autónomo. Por lo general, el carácter del autor se divide en dos personajes principales. Podría decirse Reyles está formado por Beba más Ribero, o Guzmán más Arturo, o Mamagela más Tocles, o Cuenca más la Pura, o don Fausto más Florido. Siempre existe un personaje depositario de la parte oficialmente admitida como *noble*, y otro de la parte *desagradable* con la que Reyles guarda, en último rigor, soterraña correspondencia. No obstante, no se resigna ni se decide a ser desagradable por completo, a chocar de una vez por todas con los prejuicios del lector. En toda su trayectoria novelística es posible advertir esa fatal indecisión que es, al fin de cuentas, por la que su obra se destruye a sí misma. En la narrativa contemporánea han aparecido otros *desagradables*, como Céline, Faulkner o el propio Sartre, que han sabido sin embargo decidirse y cuyo talento reside precisamente en haber dado a ese choque, ya una formidable verosimilitud, ya un original sesgo filosófico.

Reyles en cambio fracasa, no precisamente por falta de talento, sino —y esto es lo más lamentable— por no haber querido quemar todas sus naves. Sin duda presume que le conviene reservar alguna retirada, pero parece ignorar que esa retirada no concuerda con el aparato ideológico de un presunto nietzscheano que no tiene, sin embargo, del *terrible profesor de Basilea* ni su obsesionante atracción por la verdad ni su visión de lo *demasiado humano*.

Toda arremetida contra las convenciones es corrientemente disculpable. Será además altamente plausible, siempre que se vea dignificada por un imponente y generoso impulso. Pero cuando la mueve sólo el egoísmo, sólo el ansia de poder o de figuración, entonces es preciso volverse momentáneamente convencional a fin de defenderse de una reacción que no tiene en sus raíces suficientes garantías de sinceridad. Claro que la falta de verosimilitud y hasta la inconsecuencia literaria con su ambiente o con su tiempo, suelen convertirse en virtudes de un escritor que busque precisamente alejarse de la realidad, y hasta pueden ser imprescindibles, por ejemplo, en el caso de un escritor fantástico. Pero un declarado naturalista no se halla honestamente en situación de hinchar hasta límites intolerables la existencia de sus criaturas.

No es mera coincidencia que los personajes de Reyles resulten artificiales hasta el ridículo, ni es asombroso que esos mismos personajes incurran en actos a cual más chocante. El lector es siempre consciente de que trata con personajes, nunca con personas. Torres-Rioseco señala, a propósito de *Beba*, que *algunas veces el estilo es excesivamente literario en circunstancias en que sería de rigor una perfecta sencillez, llegando a veces a una verdadera aberración*; v. gr. cuando *Beba y Ribero son arrastrados por la corriente, a lo que ellos creen una muerte segura, él exclama: "¿No ves a la vieja e inexorable Parca?"*, palabras que sonarían mejor en un drama de Víctor Hugo que en una novela realista [5]. Agreguemos a ello la personalidad imposible de Menchaca, con su cadena de estúpidas humillaciones; en *El terruño*, la salida seudoquijotesca de Papagayo o el discurso que pronuncia Mamagela envuelta en la bandera patria; en *El gaucho florido*, la inopinada muerte de Mangacha; en *A batallas de amor*, las páginas en que Pepe espía los escarceos equívocos entre su antigua y su futura esposa, pasaje en el que Reyles, que admiraba a Proust [6], no se decide a tocar francamente el tema de la homosexualidad y sólo se permite la licencia de insinuarlo y negarlo a la vez, dejando empero en el lector un sedimento como de algo inalcanzablemente morboso, casi pornográfico, por lo menos mucho más grosero que cualquiera de los sórdidos capítulos de *Sodome et Gomorrhe*.

---

(5)   A. Torres-Rioseco, *ob. cit.*, pág. 322.

(6)   Véase el ensayo *Marcel Proust y su mundo fantasmagórico y realísimo, surgido de la memoria del olvido*, incluído en *Incitaciones*, Santiago de Chile, Ercilla, 1936, pág. 109/125. El mencionado pasaje de *A batallas de amor* tiene su probable modelo en una página de *Combray* donde Marcelo ve casualmente, a través de una ventana abierta, los juegos en apariencia inocentes a que se dedican la hija de Vinteuil y una amiga.

Por supuesto que Reyles gustaba de cierto sensacionalismo, de los más habilidosos golpes de efecto. El menosprecio que experimenta por el público y los intelectuales, se traduce aproximadamente en su constante afán de desconcertar tanto a uno como a otros. Es preciso reconocer que nadie espera la muerte de Mangacha —al menos, esa muerte— ni el derrumbe espiritual de Ribero, ni la reacción insólita de la Pura. Pero no basta con desconcertar. Para que la sorpresa valga literariamente, es menester que lo que sorprende esté incluído en las posibilidades del protagonista, en los rasgos factibles de su carácter. Lo contrario es un recurso fácil, demasiado barato para ser ponderable. Es así que el asesino de Mangacha resulta un tal Banega, a quien el lector prácticamente desconoce; que Ribero, un fuerte que arrasa con todos los prejuicios y todos los escrúpulos, luego se arrepiente y resulta más débil, menos varonil que la misma Beba; que el relato de los amores de Paco y la Pura (muy distinto, por cierto, del que se presenta en el *Capricho de Goya*, cuento que da origen a la novela y que la supera en varios aspectos) no justifica en absoluto el arrebato ciego de la bailarina en defensa del chulo. Como puede apreciarse, la receta consiste sencillamente en trampear al lector.

Reyles no posee —como Quiroga o como el mismo Viana— condiciones naturales de narrador, verdadero olfato de la peripecia. Su pobreza narrativa le impide desligarse de sus relatos cortos iniciales, y así *Primitivo* se transforma en *El terruño*, *El extraño* en *La raza de Caín*, *Capricho de Goya* en *El embrujo de Sevilla*, y *Mansilla* en *El gaucho florido*. En general, estas transformaciones han resultado poco afortunadas. Casi siempre el relato breve supera a la novela, que viene así a resultar un cuento artificialmente prolongado [7]. A veces Reyles no se limita a estirar las *Academias* sino que, mediante leves variantes, les arrima otros episodios que hubieran podido existir aislados, y la novela nace entonces —como *La raza de Caín*— del entrecruzamiento de esas anécdotas. No obstante, las costuras de unión resultan siempre demasiado visibles, máxime cuando ha sido preciso agregar algún personaje de enlace.

Otra alarmante fisura del agresivo naturalismo de Reyles es sin duda su notoria incomprensión del ambiente. El hecho de que aún hoy se le considere como un fiel intérprete, tanto de la realidad gauchesca como de la estentórea Sevilla, es únicamente atribuible a nuestra alarmante escasez de narradores. Sólo gracias a ella puede Reyles sobresalir como uno de los pocos valores estimables de nuestra literatura narrativa. El apoyo de ese renombre podría estar constituído, sin embargo, por las buenas páginas descriptivas que ha dedicado Reyles a algunas tareas y a algunos momentos de nuestra vida rural, tales como el cruce del río por la tropa, al comienzo de *El gaucho florido* —novela en la que se hallan, pese a su fracaso desde el punto de vista argumental, los más dignos momentos de su estilo— o el breve relato *Mansilla*, uno de los pocos trabajos literarios en que el autor ha acertado en forma cabal. Por lo demás, el gaucho de Reyles es un retrato bastante adulterado. Así como ve a los pobres con su arbitraria visión de millonario, también considera únicamente al gaucho desde su inamovible condición de estanciero. En la portada de *El gaucho florido*

(7) Con la sola excepción de *Primitivo*, cuyo desenlace ha mejorado algo al ser trasladado a *El Terruño*.

pudo Reyles parafrasear en estos términos la dedicatoria de Güiraldes en *Don Segundo Sombra*: "Al estanciero que llevo en mí, sacramente, como la custodia lleva su hostia".

Reyles nos da del gaucho una pintura sólo exterior, en la que los dichos abundan y los refranes surgen a borbotones, como si fuera prurito del autor dejar bien sentado que está haciendo *folklore*. No obstante, el verdadero y contradictorio carácter gauchesco, en el que conviven el primitivismo y la civilización, el machismo desconfiado junto al romanticismo ingenuo, no aparece en el campo de Reyles. El gaucho real es menos dicharachero y más parco, menos *florido* y más frugal. Es el gaucho de Espínola y —descontados sus símbolos— también el de Güiraldes.

Por supuesto que si había derecho a reclamar de Reyles un tratamiento más adecuado de su propio ambiente, no puede ya sorprender que su versión de Sevilla adolezca de parecidos defectos. Si bien ensayó dejar cuidadosamente a un lado la Andalucía de pandereta que solía contrariar a la Pura, el panderetismo —como representación de la parte más burda de lo sevillano— se ha colado igual en su interpretación del misterio andaluz. La Andalucía de Reyles mete mucho ruido, tanto como debe parecerle a un extranjero más que a un sevillano. Reyles entra en pormenores de Baedeker que parecen un tanto pueriles. Los antecedentes históricos o simplemente míticos de cada monumento o cada calle pueden acaso interesar al turista pero no flotar con semejante insistencia en las parrafadas conmemorativas con que mutuamente se afligen esos ardientes sevillanos que proclaman ser la Pura y el Pitoche, Paco y el pintor Cuenca. El propio Reyles revela en *Incitaciones* que Sevilla le dijo al oído: *Si quieres conocerme tal como soy ahora y en mi recóndita*

intimidad, no me busques en las historias, los monu-
mentos y los museos; eso todos lo saben. Sevilla tenía
razón: todos lo saben. Pero, inexplicablemente, el prudente consejo no fue seguido por su renuente admi-
rador.

Es preciso admitir que en *El embrujo* el corriente
artificio del autor se ve aminorado por una circunstancia fortuita, que en cierto modo contribuye a dotar a
la novela de un impensado, ocasional equilibrio. El secreto reside quizá en que el tipo sevillano de tablado
y redondel es también enfático y artificial, gran sollo-
zador y mejor llorador, y prefiere siempre una histé-
rica angustia postiza al degradante fracaso de no tener penas que retorcer en su *cante.* Después de los de-
cadentes de *La raza de Caín,* que a duras penas sobre-
llevan sus mentalidades acalambradas, habrá sido para Reyles juego de niños el representar caracteres de
tan lujoso exterior como los asistentes a la tertulia y
al espectáculo de "El Tronío". Ello explica en parte que
El embrujo sea una novela presentable y que su melodrama resulte en ciertos pasajes hasta conmovedor,
pues el equilibrio que debe existir entre los tipos originales y sus representaciones literarias, se establece allí
en un plano de artificio que, después de todo, conviene
a la índole de la obra. Pero es ésta una receta que no
sirve para más de una vez.

Si Reyles hubiera escrito únicamente *El embrujo,*
tendríamos quizá una impresión mejor de esta novela
y aún de su autor. Aparecería entonces como posición
deliberada lo que en realidad fue en él un defecto corriente. Sus personajes son exageradamente afectados,
no porque así convenga al ambiente sevillano de la
obra, sino porque todas las criaturas de Reyles son fa-
tigosamente literarias y falsas.

Por supuesto que resultaría de interés una revisión más detenida de la obra de Reyles. Debido tal vez a un absurdo escrúpulo patriotero, se ha rehuído siempre un examen imparcial de la misma. Acaso exista también una secreta convicción de que peor es menearlo, ya que eso nos dejaría sin el único de nuestros novelistas que posee un prestigio internacional. Estoy convencido de que este prestigio no desaparecería totalmente, pero sí de que se reduciría en forma notable. Es posible que de Reyles estén destinados a sobrevivir su notoria habilidad descriptiva y algunas pocas páginas de limpio estilo (presente, en su mayoría, en la primera mitad de *El gaucho florido*); como obra completa su cuento *Mansilla*... Y nada más. El resto es hinchazón, merced a la cual consiguió Reyles, en su momento, el sensacionalismo que perseguía. Han bastado empero unos pocos años de distancia para que su mensaje aparezca ya como inactual y limitado.

Además, y esto no es tan pueril como parece, el hombre que surge por debajo de esta obra literaria, no es interesante. Ni siquiera francamente desagradable. Orwell expresa que "*cuando leemos cualquier escrito marcadamente individual tenemos la impresión de ver un rostro tras la página. No tiene por qué ser el rostro real del escritor... Lo que uno ve es el rostro que el escritor debería tener* [8]. El rostro que trasmite la obra de Reyles mantiene sin pausa una expresión dura y despectiva. No sé si ese rostro coincide con el real. No sé si ese hombre desagradable que lleva en sí la obra, se aproxima al Reyles de carne y hueso. Pero si un libro de cerrada intención hagiográfica como el

_____

(8) George Orwell, *Ensayos críticos*, trad. de B. R. Hopenhaym, Buenos Aires, Sur, 1948, pág. 75.

de Josefina L. A. de Blixen [9] deja empero suficientes resquicios como para apreciar un carácter arbitrario, egoísta y mandón, es probable que ambos hombres —el que encubre la obra y el auténtico— se hayan correspondido y hasta recíprocamente venerado. Es probable también que ni uno ni otro hayan sido nunca demasiado admirables.

(1950)

(9)   Josefina Lerena Acevedo de Blixen, *Reyles*, Biblioteca de Cultura Uruguaya, Montevideo, 1943.

emilio oribe o el pecado del intelecto

"Y hasta alguna vez acudió a mí la preocupación de
si el soneto no sería una forma tradicional de una gran
poesía de la deducción. Su estructura se me presentó como la de un silogismo poético, en la cual los cuartetos
actuarían a manera de premisas y los tercetos, y en especial el que cierra la forma, como conclusión". Con estas
palabras, Emilio Oribe justificaba (o, por lo menos acompañaba) sus experiencias de desarticulación del soneto en
1944, cuando publicó *La lámpara que anda*, y reconocía
implícitamente la preocupación filosófica que viene ali-
mentando su obra poética, a partir de *La transfiguración
del cuerpo* (1930).

Tomar el soneto como un silogismo puede tener su
justificación, y Oribe mismo se ha encargado de fabricar,
a través de treinta años y de varios libros, discutibles apo-
yos a su teoría. Sin embargo, ese enfoque casi científico
(con toda la precisión apriorística de un planteo filosófico), revela además el gran riesgo que siempre ha querido
enfrentar Emilio Oribe. *Ars Magna*[1], el más reciente de
sus libros, brinda a lectores y críticos la oportunidad de
investigar hasta qué grado semejante riesgo ha influido

---

(1) Buenos Aires, 1960, Editorial Losada.

en la obra de este poeta uruguayo, rescatándola o perdiéndola, acaso para siempre.

No sé hasta qué punto el resultado de esta investigación puede ser desfavorable para Oribe, desde que él ha tendido siempre, honesta y conscientemente, al norte estético que su último libro propone; creo, en cambio, que el resultado es, sin lugar a dudas, desfavorable para la poesía. Los poemas de *Ars Magna* revelan una obsesión por el goce puro de la inteligencia, pero muestran, asimismo, una extraña, firme e ingenua creencia en que ese puro goce es capaz de llenar todos (o casi todos) los requisitos de la poesía.

El loable propósito inicial de arremeter contra la blanda cursilería, contra la cantilena sensiblera, arrastra a Oribe a una actitud extremista en que la inteligencia pasa a ser el único pasaporte de lo poético. "*Los sentimientos son limitantes y estrechos*", escribió hace algunos años, "*y el poema que se colma de ellos, quédase ahito en las redes de su propio idioma*"; pero la eliminación casi total del sentimiento en la búsqueda de las formas abstractas de la Belleza ("*¿Y, no obstante, oh Belleza, existes?*"; "*Necesitamos de los sentidos / y de la inteligencia, / de la inteligencia lógica, / para aprehender tu rosa objetiva, / para comprender tu ente esencial, / después de intuirte y sentirte*") puede llevar a una cursilería de la inteligencia, a una cantilena de la erudición. Oribe ha sostenido: "*La idea trabaja para que la poesía pueda entrar en la universalidad*", pero cuando la poesía, en su extraña mezcla de misterio, sorpresa, emoción, ritmo, símbolos y goce, no concurre a la cita, aquel trabajo de la idea pasa a convertirse en un mero derroche.

Los poemas de Oribe son, casi siempre, planteos intelectuales, a veces eruditos, frecuentemente oscuros, pero mi objeción no se refiere a su probable y parcial hermetismo, sino a su frialdad indeclinable. Cada uno de esos planteos tiene una estructura de ensayo (a lo sumo, de parábola metafísica), pero por lo común carece del chispazo verbal, de la imagen iluminada, de la inflexión de angustia, que suelen convencer al lector de la inevitabilidad de un poema. Si se lo compara con otros poetas (T. S. Eliot, Paul Valéry, Saint-John Perse), inscriptos como él en la tradición intelectualista, se verá que la desventaja de Oribe se concentra en dos actitudes: primero, cierta desconfianza en la eficacia de su propio instrumento literario, que lo lleva a explicar y volver a explicar ("*La poesía se explica sola, si no, no se explica*", escribió Pedro Salinas) en frecuentes notas, escolios y noticias, el sentido y el propósito de sus poemas, y luego, su tendencia a convertir esos mismos poemas, en glosas de verdades ya célebres, en rodeos de mayúsculas prestigiosas. A través de la mayor parte de su obra, Oribe se ha mantenido rigurosamente fiel a esa postura intelectual, y en ese sentido defiende una convicción y merece un respeto. No obstante, se da la paradoja de que las zonas más disfrutables de la obra poética de Oribe, sean aquellas que podrían tomarse como claudicaciones, como provisorios desvíos de su invariable ruta. Recuérdese, de su obra anterior, el sonoro y comunicativo ¿Quién? (de *La lámpara que anda*) y, del presente libro, algunos de los sonetos titulados *La esfera del canto* y *Ars Magna*.

Cuando el verso de Oribe anda solo y en libertad, suele padecer una crispación prosaica que endurece sus símbolos, congela sus imágenes. En cambio cuando ese mismo verso acomoda su ritmo a los acentos y rimas del soneto tradicional, el proceso intelectualista que inevitablemente prologa cada ensayo poético de Oribe, parece humanizarse, conmoverse, volverse capaz de extraer mejor vida de cada palabra y sus afinidades. Es con esos contados (pero ciertos) hallazgos, diseminados a lo largo de casi cincuencia años de producción literaria, que podría formarse la breve, exigente antología, capaz de rescatar al legítimo poeta Emilio Oribe de esa rara inhibición llamada inteligencia.

(1961)

juan josé morosoli, cronista de almas

Sobre la penúltima de sus obras escribió Morosoli: *"Es aquel libro que deseamos escribir para asir un tiempo que se nos fue en los amigos que murieron, las costumbres que cambiaron, y que puede morir totalmente para nosotros mismos si no cumplimos el deseo de escribirlo. No he escrito una obra de arte sino que he mirado hacia mi niñez natural y melancólicamente"*[1]. Natural y melancólicamente: ahí puede estar la clave. Porque el mundo de este creador está hecho de sentimientos, de añoranzas, de melancolía; pero la naturalidad es el vehículo elegido por Morosoli para comunicar ese mundo a su lector[2].

---

(1) Prólogo a *Muchachos*, 1950, Montevideo, Ed. Ciudadela.

(2) Ocho libros constituyen el aporte total de Morosoli: *Balbuceos* (1925), poemas; *Los juegos* (1923), poemas; *Hombres* (1932), cuentos; *Los albañiles de "Los Tapes"* (1936), relatos; *Hombres y mujeres* (1944), cuentos; *Perico* (1947), estampas para niños: *Muchachos* (1950), novela, y *Vivientes* (1953), cuentos. En 1925 había publicado, además, con otros cuatro escritores minuanos (Valeriano Magri, José M. Cajaraville, Guillermo Cuadri y Julio Casas Araújo) el libro *Bajo la misma sombra*. (Con posterioridad a la redacción y publicación en *Marcha* de este ensayo, aparecieron *Tierra y tiempo*, Editorial Cátedra Lisandro de la Torre, Buenos Aires, 1959 y *El viaje hacia el mar*, Ed. de la Banda Oriental, Montevideo, 1962). Morosoli nació el 19 de enero de 1899 y murió el 29 de diciembre de 1957).

Quizá esto sirva también para comprender por qué los desarrollos de Morosoli, a pesar de entrañar los más distinguidos ingredientes de la cursilería, consiguen superarla limpiamente, ponerla al servicio de una intención más alta. Morosoli trabaja con vagabundos, prostitutas, borrachos, desvalidos, con todos los figurones del melodrama, pero en su oficio de escritor hay siempre una atenta discriminación, un filtro intelectual que frena ese dispendio. Domingo Luis Bordoli ya se ha preguntado, a propósito de la obra de Morosoli, *por qué ciertas formas crueles de la virilidad; la hurañez, el laconismo, la dureza contra sí mismo, aparecen inexorablemente a tiempo para estrangular las efusiones más tiernas*[3]. Quizá la respuesta consista en admitir que esa hurañez, ese laconismo, son inseparables, no sólo del hombre de Morosoli sino del más puro ejemplar de nuestro campo. Y en ese ejemplar la efusión es tan improbable como puede serlo la misantropía en el producto típicamente ciudadano. Hay que tener en cuenta, además, que Morosoli se las arregla para referirse siempre a paradigmas, a hombres y mujeres que por alguna razón erige en símbolos, aunque éstos sean a veces desafiantemente modestos. Las criaturas de Morosoli suelen ser irreductibles solitarios, pobres de espíritu, silenciosos desplazados, pero nunca el desecho, la bazofia de los que están perdidos para siempre. En sus cuentos, el hombre tiene siempre salvación, pero esa salvación no tiene por qué ser la tradicional o la cristiana: el personaje se redime a veces por el encantamiento de la amistad, por su perplejidad ante las cosas. El narrador sabe que tiene el derecho (y acaso el deber) de elegir su materia, de no dejarse avasallar por el fárrago de per-

---

(3) Domingo Luis Bordoli: *Un mundo novelesco*, revista *Asir*, N.º 21, abril de 1951.

sonajes y de temas; entonces usa ese derecho y en el uso asienta una de sus virtudes, que además de literaria es socialmente válida. Porque en treinta años de producción, Morosoli ha puesto orden (tan eficazmente como hubiera podido hacerlo un lúcido ensayista) en los personajes que el folklore uruguayo venía ofreciendo, desde sus orígenes, a nuestra literatura. Es un error ampliamente difundido creer que Morosoli o Espínola utilizan los mismos personajes que la mayor parte de los narradores nativistas de su abundante generación. Morosoli, por lo pronto, fue más natural que naturalista, o sea, que si bien su estilo es aparentemente fácil y espontáneo, su actitud ante la realidad fue en cambio la de un prolijo transformador.

En rigor, a Morosoli no parece interesarle mayormente lo que acontece, sino las circunstancias que rodean el acto y que, en cierta manera, lo determinan. La muerte de la res, en *Un tropero*, o la de *Hernández* en el cuento de este nombre, se hallan implícitas en el tono y la marcha del relato. Sólo valen como integrantes de su propia atmósfera, nunca como hechos descarnados y libres. El acontecer es natural, espontáneo, y el desenlace figura generalmente en las previsiones del lector. Por otra parte, tampoco interesa que sea de otro modo: Morosoli es una especie de cronista de su región, de esa tierra que generosamente le brinda tipos, amores, rancheríos, velorios. A la manera de un testigo sin voz y sin voto, ha decidido anotarlo todo con una fidelidad rigurosa, casi excesiva, sin comentarios marginales. Sin embargo, y a partir de esa eterna fidelidad, el narrador comienza su transformación en lo profundo; sus personajes actúan poco, pero no puede negarse que evolucionan, que se desarrollan, a veces durante varias páginas, nada más que para volcarse en un solo acto que cabe en una frase.

Alguna vez señalé [4] que lo imaginativo no constituía el fuerte de Morosoli, pero hoy, luego de una atenta revisión de sus relatos, creo que esa anotación fue sólo parcialmente exacta. Porque si bien la imaginación de Morosoli no se extiende en las capas superficiales del relato, si bien su pericia es escasa y hasta pusilánime, sus retratos son en cambio suficientemente osados como para admitir el imprescindible despliegue de imaginación. Nótese que los personajes de Morosoli residen en los extremos, difícilmente podrían ser reconocidos como tipos-promedio. Son individuos (como *Andrada*) tan apegados a su tierra que nadie podrá arrastrarlos fuera de ella, o nómades tan nómades (como el chileno de *El compañero*) que ningún poder conseguirá arraigarlos. Son tan solitariamente débiles como *Pablito*, o tan urgidos como el Velázquez de *Romance*. La realidad está poblada de personajes que son términos medios, que están clavados en la indecisión y para siempre. Morosoli, que ha sabido ver y recoger a esos vacilantes, supo también decidir por ellos; con ese impulso, de simples hombres los ha convertido en personajes, de mentiras de carne y hueso los ha transformado en verdades de imaginación. ¿Quién osaría negar que cualquiera de esas criaturas, felices o desgraciadas pero metidas siempre en su propio destino, es más real, más esencialmente verdadera que el mediocre origen de esa imagen y de esa semejanza?

"En cualquiera de nuestros pueblos del interior", ha escrito Domingo Luis Bordoli, "uno puede releer a Morosoli, de una manera impensada y gozosa, al dar vuelta la esquina verde de un arrabal, al escuchar un pregón,

---

(4)   *La obra narrativa de Morosoli*, en *Número*, N.º 12, enero-febrero, 1951.

al mirar un trozo de camino o el paso de las nubes" [5]
Advierta el lector que el crítico, con mucho tino, en esa relectura de Morosoli hecha en la realidad, no incluye personas sino cosas, a lo sumo una voz. Porque en tanto que la relectura en la naturaleza puede ser tan rica como la lectura directa de Morosoli, el reencuentro de un ser vulgar y cotidiano siempre será más pobre que el encuentro directo de un personaje de Morosoli, imaginativamente prolongado a partir de un dato verdadero.

Sin embargo, los valores de este narrador suelen ser proporcionales a su arraigo. Sus mejores relatos —*Romance, Los albañiles de "Los Tapes", Siete pelos*— se sostienen casi exclusivamente en actitudes típicas, en reacciones vulgares. La habilidad de Morosoli, lo que transforma al simple cronista en un eficiente narrador, reside tanto en su estilo concentrado como en la redondez agresiva de sus giros, correctos en lo literario pero a la vez exactos en lo regional.

No obstante, es preciso recordar que éstas no fueron siempre virtudes de Morosoli. En *Hombres*, su primer volumen de cuentos, aparecía un afán excesivo en hacer folklore, es decir lo nativo sin discriminación. Chocaban allí al lector las seguidas frases entre comillas, las notas constantes para traducir regionalismos, la exageración sentimental de los conflictos —como en *Loreta*— o el desenlace falso, intempestivo —como en *Mundo chico*—. *Hombres* es, sin duda, un libro inmaduro. El narrador sufre todavía una subordinación a priori, una dependencia con respecto a su público.

En *Los albañiles de "Los Tapes"*, por el contrario, Morosoli se encuentra con su estilo y con su tema. El lento desarrollo de la trama se acomoda sin dificultad

---

(5)   Domingo Luis Bordoli, art. cit.

al asunto: la morosa construcción de un cementerio. En realidad, con el final del relato no concluyen ni la historia ni la construcción. El novelista ha trazado con vigor un episodio denso, de cansada tensión, una especie de capítulo que, a pesar de su relativa independencia, parece integrar sin embargo una historia mayor. El final laxo, desmayado, que en un cuento corto podría significar su fracaso —como en *Latorre*— allí consigue afirmar el clima, completar el cuadro.

En *Hombres y mujeres* Morosoli vuelve, con un oficio más depurado y un estilo más personal, a la manera y a la medida de su primer libro de cuentos. Relatos como "*La dada*", *El arenero*, *Mujeres*, *Chacra*, se sostienen gracias a su verismo costumbrista, pero en rigor es poco lo que allí se cuenta. Más bien trasmiten una actitud corriente y pasiva que parece desenvolverse sola, sin despertar expectativa en el lector ni originar complicaciones al cuentista. El mejor de estos cuentos es, fuera de duda, *Siete pelos*. Pero tanto en esta narración, como en *Domani* o *El disfraz*, que comparten casi todos los méritos del primero, el éxito del cuento no depende de la acción en sí, sino de cierto sesgo poético, emocional, que de pronto cambia, para mejorarla, la suerte del relato. Esos tres cuentos sobrevivirán por su final: *Siete pelos*, el sepulturero que ha tomado su oficio con prolija devoción y un apego casi burocrático, rechaza por razones más o menos sentimentales su ascenso a un cementerio mejor; *Domani*, el dueño del circo al que todos abandonan, se va también, pero llevándose la lona y al hijo del alambrista; el Flaco, que durante muchos carnavales ha salido disfrazado de muerte, quema esta vez su disfraz porque *la gente comenzaba a reírse de aquella cosa tan seria*. Existe en estos finales una ironía que ha dejado de ser burla para ser comprensión. El narrador captó lo ridículo y lo tierno de estas situaciones, y las satirizó implicándose, envolviéndose en el juicio, porque se trata de su ambiente, de su lenguaje, de sus hábitos.

Tales ejercicios narrativos prepararon, desde lejos, una obra que Morosoli calificó de *novela*, pero cuya estructura irregular autorizó la sospecha de que se trataba de otro libro de cuentos, unidos por el factor común de su Perico, que dado su aparente —y confesado— origen autobiográfico, podría ser el mismo que establecía un recíproco contacto entre los diversos relatos de los volúmenes anteriores. Esta unidad interna del libro, que intentó llevarse a cabo a través de Perico, la había realizado antes con mayor eficacia el propio Morosoli.

Muchachos no es cabalmente una novela, no sólo por carecer de una estructura y un devenir novelísticos propiamente dichos, no sólo por todo lo que le falta para ser novela, sino por todo lo que posee para ser un buen libro de cuentos. Esto ya había sido posible sospecharlo cada vez que Morosoli adelantó un fragmento de su obra a través de revistas literarias. Cada pasaje tenía su valor aislado, no precisaba del resto para redondearse, para ser en sí mismo una historia. Morosoli observó en el prólogo: *"El título no aclara totalmente el sentido que yo deseé dar al libro"*, y agregaba: *"Los muchachos se han condensado todos en uno solo: Perico".*

Subsiste, sin embargo, la impresión de pluralidad; subsiste, porque el libro se forma de varios episodios lo bastante independientes como para que cada uno de ellos tenga su Perico, es decir, su *muchacho*; la reunión de todos estos Pericos constituye los *Muchachos* del título. Los diversos Pericos que animan cada una de estas anécdotas no resultan demasiado contradictorios, pero es bueno observar que sus reacciones no son únicamente las de ese muchacho, Perico, en particular, sino que representan reacciones de un valor casi generacional, es decir, las de la mayoría de los muchachos de su edad. De manera que el tono homogéneo de las mismas no está dado por el carácter —o sea, un solar de usufructo privado— sino por la edad, que es más bien una zona en condominio. Si a Perico le falta alguna unidad, se debe simplemente a que todos los muchachos que él simboliza no obedecen al mismo carácter. De ahí que el díscolo asistente del señor Matías o el rebelde aprendiz de zapatero, devenga empero un excelente auxiliar de don Casiano o un modelo como ayudante de albañil. De ahí que el irresponsable que estruja al gorrión hasta provocar su muerte, se convierta luego en el sensible que no tolera el atroz sufrimiento de Abelardo.

Desarrollé este enfoque particular, con motivo de la aparición de *Muchachos*, hace más de seis años. Con posterioridad, otros críticos de Morosoli reconocieron el carácter fragmentario de la obra pero la defendieron tenazmente de lo que pudo parecer una acusación de debilidad. Domingo Luis Bordoli, por ejemplo, señaló que *"de acuerdo a esta crítica estaríamos en presencia de un conjunto de cuentos o, mejor dicho, de una galería de retratos, unidos muy débilmente por un protagonista que se mantiene casi siempre a la expectativa. Sin dejar de reconocer todo lo que este juicio tiene de verdadero, cabe recordar que ciertos libros, consagrados como clásicos, y a los que no se les ha negado su esencia novelesca, presentan características análogas"* [6]. Por su parte, Arturo Sergio Visca escribió que *Muchachos* era, casi, un conjunto de cuentos breves, cuya unidad se logra por el perfecto ajuste con que se ensamblan entre sí, componiéndose como un mosaico, las distintas situaciones epi-

---

(6) Domingo Luis Bordoli, art. cit.

sódicas, anecdóticamente independientes, y por la presencia en todas ellas de un mismo personaje: Perico. Esta estructura de su novela, que ofrece algunos momentos que se cuentan entre los culminantes del minuauo, ha sido señalada como una debilidad de la misma. A mi juicio, por el contrario, constituye la mejor y más fehaciente prueba de la fidelidad de Morosoli al fondo más auténtico e insobornable de sus cualidades de escritor [7].

Sin embargo, decir que *Muchachos* no es una novela sino un buen libro de cuentos, no implica una censura sino una simple comprobación. Señalarlo es simplemente ayudar al lector, ponerlo en antecedentes de qué es lo que va a encontrar. Considerando el libro como un conjunto de relatos, o, casi mejor, de experiencias de adolescencia, y observando (al contrario de lo que expresa el autor: *Los muchachos se han condensado en uno solo: Perico*) que Perico se ha repartido en varios muchachos de su edad y de su clase, desaparece la sensación de irregularidad que produce el carácter del protagonista y no molesta la notoria desconexión entre los diversos episodios.

En general, el autor no cuidó su estilo tan celosamente como en *Los albañiles de "Los Tapes"*. El diálogo, en cambio, adquirió una ironía menos temerosa y más aguda, e, inesperadamente, una vivacidad desconocida en Morosoli, que antes se había limitado a describir pasivamente sus cuadros de costumbres. Aquí y allá se suceden verdaderos rebotes de palabras, sordas implicaciones en el intercambio de pullas, insultos y silencios, que mantienen despierta la atención del lector. Las trans-

---

(7)   Arturo Sergio Visca: *Juan José Morosoli, un narrador, La Licorne*, Nos. 5-6, setiembre de 1955.

formaciones, las dudas del personaje no son *contadas* por el autor, sino que aparecen desarrolladas en el diálogo. El ciego Menchaca narra así su desgracia: *"Mi padre me mandó con unas carretas a su cargo. Traía también plata de los patrones. Me la jugué y quise matarme... La bala me arrancó los ojos pero gracias a Dios no me pude matar"*. Ese escueto "gracias a Dios" [8] representa toda una dramática, instantánea metamorfosis: la del suicida que, en el instante mismo de cumplir su decisión, se arrepiente de ella y quisiera vivir. Virginia, para demostrarle a Perico su amor, le envía esta esquela simple, elemental: *"Pedro, te tengo que dar una noticia. No entré en el hotel. No me gustó porque a vos no te gusta"*. Quizá aquí, en el inevitable aislamiento de la cita, la frase represente muy poco, pero es increíble la dosis de emoción que trae consigo cuando se la encuentra en medio del relato.

Los personajes son poco complicados, y piensan, hablan, actúan, de acuerdo a sus razones primitivas, a su moral espontánea, mas no por eso menos digna, menos rígida. Morosoli ha preferido conservar ese primitivismo de sus personajes en vez de hacerlos perder su actitud verosímil y con ésta su razón de existir. *Morosoli trae horas de todas partes*, ha señalado Francisco Espínola, que en un breve prólogo de hace tres lustros reconoció con certera intuición las principales constantes de su colega. Para Espínola, Morosoli *"no deja correr el tiempo, lo detiene; cuando éste recobra su curso, es*

(8) En *El contratiempo*, cuento incluido en el volumen que encabeza *Los albañiles de "Los Tapes"*, Morosoli había aprovechado el mismo giro para conseguir un efecto risueño: *"¿Qué hacés, Rafael? ¿Ya tenés la pava echada?" "¡Pues! La Patrona es como el malvón: prende de gajo." "¿Cuántos hijos tenés?" "Seis. Y gracias a Dios que se me han muerto cinco..."*

ya el fin. Tal el secreto del extraño carácter de sus na-
rraciones, que tienen más todavía de la escultura que
de la pintura. De ahí esa iniciación de sus cuentos, ese
estar de golpe en lo fundamental, que sorprende y apa-
siona al lector" [9].

Sin embargo, muchos de los relatos de *Vivientes* (su
último libro) representan una peligrosa exageración de
esa misma tendencia. Es cierto que la peripecia no fue
nunca el mejor recurso de Morosoli. Pero sus cuentos
anteriores no habían carecido de *resorte*, de ese imperceptible matiz en una situación o sutilísima variante en
un retrato, en una descripción, que suele cambiar el
rumbo del cuento y rematar con eficacia la expectativa
del lector. Tal vez uno de los más claros síntomas de
que un cuento es tal, sea la tensión que provoca su
desarrollo. Y bien: varios de esos últimos relatos de Morosoli no satisfacen esa condición mínima. Es evidente
que el narrador ha ido demasiado lejos en su afán de
síntesis, de concisión. *Separación*, por ejemplo, resulta
tan sólo un planteo para un cuento, un croquis listo para
escribir en él la anécdota adecuada. En *Regreso*, el mag-
no acontecer es narrado de un modo tan elíptico, tan
apretado, que parece confuso, sin fuerza, y el efecto final
se anula a sí mismo. *El disfraz de caballo* debe haber
sido una sabrosa anécdota oral, pero es demasiado notorio que el trasplante literario no le sienta bien. En
otros cuentos la peripecia concurre a la cita, pero con
retraso. El narrador ha presentado lánguidamente las
circunstancias, el ambiente, las criaturas; de pronto, tras
un guión aparentemente inocuo, viene el hecho súbito,
por lo corriente una muerte. Y una muerte suele ser un

_____

(9) Francisco Espínola, *Prólogo* a la 2.ª edición de *Hombres*,
Editorial Culturaamericana, Montevideo, 1942.

estrambote demasiado plúmbeo para un brevísimo cuento de tres o cuatro páginas. En *Achurero*, por ejemplo, como no hay tensión que prepare su advenimiento, la muerte no sólo no cumple un cometido literario, sino que produce además un efecto chocante.

En el mismo volumen hay tres cuentos, empero, que no desentonarían en la obra anterior de Morosoli; más aún, es posible afirmar que en cierto sentido la superan: *Un velorio*, *González* y *Pablito*, tres historias de muerte. Es interesante observar de qué factores depende la clara plenitud de estos relatos. En *Un velorio*, magnífico cuento de sólo cuatro páginas, el *resorte* final no es caprichoso. La imagen de Bentos y su mujer desnudando el cadáver de su hijita, se inscribe eficazmente en la miseria de los personajes, en su visión utilitaria, casi insensible, de la vida y de la muerte. No hay expectativa propiamente dicha, pero existe una actitud desvalida, una resignación inerme, que no se contradicen con la decisión cruel y sencilla que termina el relato. En *González*, el protagonista es un hallazgo. La muerte de Almada aparece, como siempre, después del inocuo guioncito, pero como el cuento no está construido sobre Almada sino sobre González y como para éste el encargo póstumo de Almada tiene el significado de una meta cumplida, de un ideal realizado, mediante esa muerte el cuento redondea su eficacia. También *Pablito* se muere, pero de a poco. Este cuento, tal vez el más poético del volumen, recorre un itinerario muy verosímil, progresivamente humano, conmovedor. Cuando el pobre Pablo se enferma, comienza a meterse en su soledad, pero recién cuando aprende a disfrutarla se deslizará de modo imperceptible hacia la muerte. *"Lo dejaron un ratito solo y lo aprovechó para morir"*, es, desde el punto de vista narrativo, uno de los más eficaces finales que jamás haya escrito Morosoli, y, de paso, un modelo de economía verbal, de emoción sin cursilería.

El estudio exhaustivo de la obra de este narrador, demostraría probablemente que Morosoli fue un cuentista vulnerable, pero también que fue un cuentista nato. Aun sus relatos menos eficaces, son siempre *cuentos*, en el sentido más riguroso de este género. Su actitud como creador fue modesta, humilde, sencilla, pero a la vez llena de firmeza. El hombre de veras que creó y condujo a esos otros hombres de vida imaginaria, evidentemente tenía algo que decir. Sus muchos relatos son otros tantos intentos de expresar esa verdad personal, de hacerla transferible. No siempre es posible, para el lector o para el crítico, enumerar coherentemente esa verdad, articularla en un mensaje, quizá porque Morosoli se había quedado hipnotizado e inmóvil frente al espectáculo prodigioso del alma humana. La tarea que a sí mismo se impuso fue la de descubrir el matiz, la palabra, el gesto, que sintetizaran la esencia y la inocencia de cada individuo. Sus cuentos son, en última instancia, el inventario de esas contemplaciones, de esa incesante búsqueda del ser. Por eso pudo equivocarse, dar una versión que no era la adecuada, contar la anécdota en un ritmo débil; pero por eso también pudo mantener su propia línea de necesidad literaria, sin demorarse en adornos ni incluir etapas superfluas en la estructura de sus relatos. En realidad, sus cuentos tienen cuatro o cinco páginas, porque no pueden concentrarse en menos. Pero tampoco su vida (y, sobre todo, la vida de su obra) puede concentrarse en una injusta, prematura muerte. Por eso habrá de prolongarse en esa memoria sucesiva y discriminadora, que en ciertos casos puede llegar a ser un primer borrador de la inmortalidad.

(1958)

una novela herida de muerte

Unos meses antes de morir, frente a una encuesta que preguntaba: "¿Qué corrientes artísticas o qué autores entiende usted que apuntan hacia el porvenir inmediato de las letras?", Enrique Amorim respondió: *"La única corriente es el realismo en cualquiera de sus formas"*. A través de varias decenas de títulos, Amorim demostró, por lo menos, que el realismo era la corriente que a él más le interesaba como creador.

Se consideraba inscripto en la tradición nacional de la novela, y en general la crítica lo acompañó en esa creencia. Sus temas, rurales o ciudadanos, atendieron casi siempre a lo autóctono, y aunque buena parte de lo que escribió demostraba un amargo descreimiento frente a las estructuras burocráticas e inertes de ciertos sectores del país, mantenía en cambio una inquebrantable fe en el hombre de estas tierras, con la que dio vida y dinamismo a sus relatos.

Como narrador, el fuerte de Amorim no fue nunca el estilo —más bien desmañado y sin refinamientos, no siempre desbastado de ripios— sino su innegable capacidad imaginativa, su seguro instinto de la anécdota útil, su inquietud literaria que le permitía recurrir con originalidad a los más variados expedientes en la trasmisión de la peripecia.

Ricardo Latcham lo mencionó alguna vez como un *"gozador de la vida múltiple"*, y la frase da, con notable aproximación, no sólo la imagen de la persona Amorim sino también la del escritor, nervioso testigo de la realidad, vital provocador de su contorno. Pero, además de un *gozador*, fue un *sufridor* de esa múltiple vida. Precisamente en *Eva Burgos* [1], su novela póstuma, son francamente reconocibles esas dos tendencias de su actitud creadora.

La protagonista de esta novela empieza como baratísima ramera y termina como mujer de lujo. Carlos Ochoa, un testigo implicado que a veces parece oficiar de sucedáneo del autor, es presentado, muy de paso, al comienzo de esa trayectoria, en un arrabal del Interior, y luego reaparece al final de la misma, antes de que Eva Burgos sea encontrada muerta en las arenas de un bosque espeso, en Punta del Este, rodeada de vacíos frascos de barbitúricos.

Entre uno y otro extremo, están los mejores años de la vida de Eva, que ella le relata a Ochoa en un largo monólogo que ocupa casi la mitad de la novela. Están los años de Europa, las tardes seguras del Mediterráneo, el contrato como modelo para probar ropa interior, la tortuosa relación con los Perlot, la aparición del millonario Castromagno. *"Voy a cumplir veinticinco años. Si ya ahora no soy vieja, fui vieja a los quince, y más todavía a los once. Cuatro años después de conocer a Pando, era yo una máquina de carne y hueso, sin un solo ser viviente a quien contarle nada. Si lo intentaba ante alguien, ya a la segunda frase me quedaba muda"*.

En la última página, Amorim da otra vuelta (quizá sea una vuelta de más) a la peripecia, revelándole al

---

(1)   Montevideo, 1960, Editorial Alfa.

lector que Eva Burgos, en el momento en que la novela se escribe, acaba de salir de la correccional de mujeres y no tiene destino. *"Lo está aguardando en un bar de cuarta categoría, si es que hay bares de primera. Acaba de cruzar las piernas, como tantas otras mujeres, y enciende un cigarrillo de apestoso tabaco (...) Eva está a la espera. El azar es para ella, y para otras también, el Dios común. Acaba de entrar en otra cárcel. Y ésta no es menos atroz que la primera"*.

Desde el punto de vista del novelista (y del novelista social que era Amorim) ese retroceso a los orígenes de la anécdota, esa suerte de mala jugada al lector, implica también una inculpación a la sociedad, esa sociedad que va seguramente a deformar a su criatura en una dirección muy semejante a la que consta en la implícita profecía del novelista. "Esto es lo que harán ustedes de mi personaje", parece estar diciendo Amorim a todos los Perlot y a todos los Castromagnos que llevan y trasmiten el virus de su propia corrupción.

Es una trampa, claro. *"El arte puede ser tramposo y permitirse el exceso"*, dice Amorim. De acuerdo; pero siempre que el exceso no perjudique al arte mismo. Hay que reconocer que este exceso, esta trampa en última instancia, perjudica notoriamente no sólo a la novela, sino también a la eficacia de la acusación. Después de todo, es un mensaje obvio, que estaba contenido en la novela misma. Hacerlo explícito en la última carilla, es un error que probablemente Amorim, con su certera intuición de la fluidez y los efectos narrativos, habría corregido si la muerte le hubiera concedido una última prórroga.

En realidad, toda la novela está herida de apuro, de la inminencia de ese fin que el novelista veía acercarse como la inmutable fecha de un almanaque. Esa dramática urgencia explica —o puede explicar— indudables fallas de estructura, y, especialmente, cierto desajuste en el enfoque. Lamentablemente, ese desajuste contribuye a malbaratar un tema riquísimo, un clima y un ambiente de los que, es evidente, el novelista poseía datos invalorables.

Lo mejor de la novela está dado en el relato en primera persona de la protagonista. Es una lástima que Amorim no se haya decidido a brindar la historia íntegra en la versión de Eva, usando un expediente narrativo que ya Moravia había empleado con éxito en *La romana*, y luego, con menos estilo y más autobiografía, Flora Volpini en *La florentina*. Quizá fue la existencia de esos mismos antecedentes, lo que en definitiva obligó a Amorim a desechar parcialmente un procedimiento que estaba cantado.

Cuando Eva Burgos le cuenta a Carlos Ochoa las diversas etapas de su itinerario europeo, con la enumeración de hombres (y mujeres) que la codiciaron y la obtuvieron, con los celos, la codicia y las perversiones que la rodearon como un cerco infranqueable, el relato tiene una sostenida espontaneidad, una verosimilitud tan taquigráfica, que va convirtiendo a esa mujer joven, de una hermosura casi tangencial, en un paradigma de lucidez, en una soledad invulnerable, en un receptáculo de toda nuestra piedad sobrante. En el momento en que Eva cuenta su historia, se halla más allá del Bien y del Mal, ya no puede sumergirse en el amor ni tampoco en el odio, sencillamente porque no siente nada. *"Carlos, si por lo menos pudiese yo encenderme contigo, contigo Carlos, o con cualquier hombre o mujer, para desquitarme de la vida... Pero es imposible hacer nada. Nada. ¡Nada! ¡No siento nada...!..."*

Así termina la larga confesión, y el lector intuye

que así debió haber terminado la novela. Pero en Amorim había otro tema que lo desvelaba y que ya había sido tratado por él en una novela corta, *Todo puede suceder*, de factura endeble pero apasionante anécdota: ciertas extrañas muertes de la zona de Maldonado, que siempre quedan registradas en una indecisa región policial, equidistante del crimen y del suicidio. Es posible que Amorim no haya podido resistir la tentación de vincular la historia de Eva Burgos con esas muertes aparentemente indescifrables. Es seguro, en cambio, con los resultados a la vista, que esa vinculación, literariamente forzada, sólo sirvió para desperdigar la eficacia de la anécdota, para diluir la veracidad del relato. Todo el episodio de Punta del Este (con excepción del relato de Eva propiamente dicho) es claramente postizo, vacilante, tropezado. Comparados con Eva, los otros personajes son meras siluetas, cuyos repetidos movimientos no interesan. Aun en el uso del lenguaje, en los vericuetos de lo coloquial, el episodio de Punta del Este es visiblemente menos dúctil y comunicativo que el relato en primera persona.

Esta irregularidad, este desequilibrio de calidades en la novela póstuma de Amorim, no representan sin embargo un hecho aislado en la trayectoria de un escritor tan vital y renovado. Si se examina su obra, se verá que es difícil destacar de entre la cincuentena de títulos que la integran, la novela perfecta, acabada, magistral. Amorim siempre fue un escritor de extraordinarios fragmentos, de páginas estupendas, de magníficos hallazgos de lenguaje, pero también de grandes pozos estilísticos, de evidentes desaciertos de estructura, de capítulos de relleno. Aun en las mejores de sus novelas, demostró Amorim una impaciencia, un intermitente desaliño, que conspiraron, desde dentro mismo de su obra, contra sus formidables dotes de narrador. Quizá en ese nervioso modo de crear, en ese ritmo alterno de excitación e incitación, haya encontrado Amorim el mejor (o el único) camino para su temperamento de escritor. En tal caso, aunque el precio pagado sea excesivo, habría que reconocer que esa peculiar correspondencia de su obra con sus intuiciones, de su oficio con su olfato de artista, le han permitido integrar la escasa nómina de los novelistas uruguayos que verdaderamente importan. En el último de sus instantes creadores, *Eva Burgos* representa una síntesis, bastante ajustada, de sus antiguas sombras y sus mejores luces.

(1961)

francisco espínola: el cuento como arte

Diecisiete cuentos deben ser, en rigor, *todos los pu-*
publicados desde 1926 a la fecha por Francisco Espínola.
Con esta reedición [1], que abarca —excepción hecha de
la novela *Sombras sobre la tierra*— la totalidad de su
obra narrativa, Espínola sale al encuentro de su indiscutible nombradía. Hay toda una promoción de jóvenes
(estudiantes, aprendices de narradores, simples gustadores de lo literario) que han oído hablar admirativa e
insistentemente de los relatos de este escritor, pero no
han podido leerlos, simplemente porque sus libros hace
muchos años que estaban agotados. Ahora sí, estos nuevos y ávidos lectores de Espínola podrán enfrentarse a
El angelito, El hombre pálido y *Rancho en la noche*, y
estarán en condiciones de ajustar los resortes de la fama.
Pero también están —entre ellos me cuento— los antiguos lectores, que habrán de cotejar las huellas de sus
viejas impresiones con esta fresca, actualizada imagen
de uno de los creadores más singulares de nuestro medio.

Puede ser la prueba de fuego para la validez de
un escritor. Confieso que concurrí a esta revisión con la
misma inconfesada aprensión que experimenté, hace un

---

(1) *Cuentos*, Montevideo, 1961, Universidad de la República,
Colección Letras Nacionales.

par de años, cuando fui al rencuentro de *La quimera del oro*. Afortunadamente, y salvados géneros y distancias, ni Chaplin ni Espínola me defraudaron.

La presente edición de los *Cuentos* incluye los nueve que integraban *Raza ciega* (1926), el cuento para niños *Saltoncito* (1930), los cuatro relatos que formaban *El rapto y otros cuentos* (1950) y tres más no recogidos hasta ahora (*Las ratas, El milagro del Hermano Simplicio, Rodríguez*).

Del conjunto de diecisiete relatos apenas hay tres que, por distintas razones, pueden ser considerados inferiores a la media literaria del volumen: *Yerra y Visita de duelo*, por ser y parecer, más que cuentos, simples viñetas pintorescas; *Las ratas*, por no estar bien redondeado como narración, ni establecer la mejor correspondencia entre su anécdota y la obvia proposición de su trascendencia. Cada uno de los catorce cuentos restantes, constituye en cambio una unidad lograda e indivisible, un pequeño solar en el que la imaginación creadora ha operado con tino e inspiración.

Diecisiete relatos no son muchos para haber sido escritos en treinta y cinco años de oficio literario; pero es preciso reconocer que, en la mayoría de los casos, el resorte anecdótico en que se asienta el relato es excepcionalmente rico, y su traslado literario (aunque, por explicables razones, difícilmente puede llegar a la riqueza de matices y de tonos que otorga el propio Espínola a sus relatos orales) es siempre original y artísticamente válido.

Con excepción de esa deliciosa isla narrativa que se llama *El milagro del Hermano Simplicio* (sólo vinculada a los otros cuentos por el nexo del Carnaval y cierto humor apuntalado con la inocencia), los cuentos se apoyan en una realidad concreta, casi siempre campera. Pero ése es el pretexto; de inmediato comparece la fantasía y hace de las suyas. Espínola tiene un extraordinario olfato para reconocer los rasgos temperamentales de nuestros hombres y mujeres del campo, pero (a diferencia de Morosoli, que hizo de ello su fuerza y su coherencia) no se limita a redimir los cuentos que la realidad va coleccionando, no se ciñe al simple rescate de anécdotas que esa misma realidad le brinda primitivamente estructuradas. Por el contrario, es evidente que Espínola extrae, del muestrario de realidades disponibles, más características que peripecias, más tendencias que anécdotas propiamente dichas. En todo caso, reestructura los episodios, infundiendo a los personajes un ritmo (*Rancho en la noche* es quizá el ejemplo más ilustrativo) que inexorablemente empuja todo dato real hasta colocarlo en la órbita de la fantasía.

Lo curioso es que la de Espínola no es una fantasía descarnada, gratuita, etérea, sin raíces. Con segura intuición, sabe reconocer dónde reside un determinado hilo de natural, espontánea fantasía en la vida de nuestra gente de campo, y entonces lo estira, lo prolonga, lo exagera; lo trasmuta, en fin, en empresa de imaginación. Así, utilizando ese recurso dinámico, convierte la ritual superstición en una suerte de mística sentimental (*El angelito*); el helado horror de la muerte, en una porfía casi bonachona (*El hombre pálido*); la irredimible ignorancia, en una inefabilidad desconcertada (*Lo inefable*); la criolla impasibilidad, en improvisado exorcismo (*Rodríguez*). Al igual que esos ufanos barriletes que pueblan los cielos de nuestra primavera, la fantasía de Espínola tiene un cabo en la tierra, pero su razón de ser está en el aire.

Alberto Zum Felde escribió alguna vez que "en los cuentos de *Raza ciega* no se trata ya de caracteres, sino de almas, es decir, de lo esencial y lo abismal del hombre" [2]. Hoy todos los cuentos de Espínola —y no sólo los de *Raza ciega*— tienden a confirmar aquel dictamen. Lo extraordinario no es tampoco la anécdota, que en la mayor parte de los relatos tiene algo que ver con la muerte (crímenes, suicidios, velorios, visitas de duelo) o con el Carnaval. Lo realmente extraordinario es el juego, el enfrentamiento, la dinámica de las almas. Es rigurosamente cierto que éstas no actúan de acuerdo al concepto tradicional del personaje, de los caracteres específicamente literarios; si lo hicieran, no estarían en condiciones de moverse, como se mueven, siempre a la vista de la verosimilitud, pero no más acá de su periferia.

En *María del Carmen*, uno de los más impresionantes cuentos del volumen, se estructura sobre un hecho por demás común (el suicidio de una muchacha, a la que el hijo de un vecino había dejado embarazada) toda una guiñolesca ceremonia: el padre de la suicida obliga al responsable de su deshonra nada menos que a casarse con el cadáver, para luego, una vez que la dignidad ha quedado a salvo gracias a tan insólito expediente, matar asimismo al flamante desposado. Haber conseguido estructurar, con semejante tema, un excelente relato, significa sencillamente una proeza narrativa. Espínola basa este éxito, como casi todos los suyos, en un esclarecido, tierno y habilísimo empleo del humor, que siempre es frenado en el linde oportuno, cuando dar un paso más en la dirección de la burla habría significado la frustración del cuento. Con esa rápida sucesión de imágenes, en la que Pedro Fernández pasa de deshonrador a novio, de novio a viudo, y de viudo a cadáver, con todos los diálogos, las idas y venidas, los

---

(2) *Indice crítico de la literatura hispanoamericana*, tomo II: *La narrativa*, México, 1959, Editorial Guarania, pág. 448.

prejuicios de juez y cura, los llantos, las amenazas, con todo ese aderezo que sirve de múltiple comentario a una situación tan absurda como absorbente, Espínola está dando una lección artística, una clase de ritmo y de inventiva. La clave del cuento no es la credibilidad del suceso, la verosimilitud de los caracteres; la clave está dada por el modo atrevido y creador con que el escritor maneja a una sola de sus criaturas, a una sola de sus almas: la de Rudecindo, el padre de la finada. En definitiva, no importa que Rudecindo no siga las reglas de un personaje ortodoxo; Espínola lo ha hecho vivir artísticamente, y, a partir de esa comprobación, claudica la retórica. Como siempre, la única receta es el talento. El atractivo casi estremecedor del relato, es precisamente que el hecho narrado pueda ser absurdo, y hasta ridículo, pero también que haya un requisito que acude a salvarlo, a rescatarlo para el más legítimo patetismo: Rudecinco cree en la licitud de la ceremonia, cree en la justicia de su propio crimen, y no sólo él lo cree, también Nicanor, el consuegro póstumo, balbucea tembloroso: "Usté tenía derecho".

Por eso está bien lo de Zum Felde: *almas y no caracteres*. Las criaturas de Espínola son impulsos de carne y hueso, estados de ánimo que la realidad pocas veces concreta, pero que el artista en cambio puede materializar. Uno de los más originales rasgos de Espínola es la renovación que impone a ciertos tradicionales gambitos del oficio: por ejemplo, el misterio. Espínola no maneja este recurso con un sentido meramente dinámico, es decir, como la posibilidad inesperada que irrumpirá en un momento dado en el acontecer, trastrocando expectativas o sembrando estupores; No; Espínola especula de otro modo con el misterio y ni siquiera se mantiene fiel a una exclusiva modalidad de esa especulación. A veces parecería decirle al lector: "No sólo es misterio para ti; también lo es para mí". Ese sería, por ejemplo, el caso de *Lo inefable* (donde los sucesivos "¿Por qué?" de Pedrín podrían tener un doble eco en el cuentista y en el lector) o de *Qué lástima* (donde el desconcierto final del negro, busca y consigue, un asombro solidario en quien lo lee). Pero otras veces, como en el estupendo *Rancho en la noche*, el misterio simplemente fluctúa entre disfraz y disfraz, entre guitarra y guitarra, entre rancho y luna. La última palabra es "Silencio", y uno tiene la impresión de haber asistido al alivio de un denso misterio, sin estar bien seguro de cuál se trata.

En una de las pocas modificaciones que ha efectuado para esta reedición, Espínola demuestra ser perfectamente consciente de ese arbitrio: al término de la versión original de *Todavía, no*, figuraba una culminación explicativa de la historia, que ahora ha sido suprimida. El episodio de Vicente queda así sin solución, metido en ese módico misterio que es el futuro de cada ser humano, y cuánta mayor fuerza tiene ahora la que se convierte en última frase reveladora: *"De lejos, sólo el bulto blanco veíase alejarse sobre las altas chilcas. Parecía una nube que se quería cortar sola de la tierra y no podía"* [3].

No han de ser muchos, seguramente, los narradores latinoamericanos que puedan disponer del coraje

---

(3) Espínola ha efectuado, asimismo, otro tipo de modificaciones, especialmente en cuanto tiene que ver con el lenguaje coloquial, al que ha despojado considerablemente de sus deformaciones gauchescas. Es probable que la intención haya sido convertirlo en más universal, pero lo cierto es que algunas frases estratégicas han perdido algo de su fuerza primaria. Por otra parte, la enmienda no ha sido uniforme, ya que junto a numerosos *ahora*, sobreviven todavía algunos *aura*.

esencial que ha tenido Espínola para convertir en auténtico arte estos relatos. Por eso es preciso disculparle la escasez de su producción. El coraje no se dilapida y por lo menos diez o doce de estos cuentos dependen de soluciones osadas, narrativamente intrépidas. Por eso, aunque lectores ávidos reclamen, y no se expliquen, y muestren impaciencia, es perfectamente legítimo que Francisco Espínola, indiscutible maestro del cuento uruguayo, al igual que el impasible *Rodríguez* y su *zainito*, siga "*muy campante bajo la blanca, tan blanca luna, tomando distancia*".

(1961)

felisberto hernández o la credibilidad de lo fantástico

"Primero se veía todo lo blanco: las fundas grandes del piano y del sofá, y otras, más chicas, en los sillones y las sillas. Y debajo estaban todos los muebles; se sabía que eran negros porque al terminar las polleras se les veían las patas. Una vez que yo estaba solo en la sala, le levanté la pollera a una silla; y supe que aunque toda la madera era negra el asiento era de un género verde y lustroso". Así empezaba un relato de Felisberto Hernández, *El caballo perdido*, publicado hace dieciocho años. Desde entonces hasta ahora, este narrador tan singular y controvertido, se ha pasado levantando las polleras a las cosas, a los temas, a las almas. En toda la obra de Hernández (es decir, en sus cinco últimos títulos, ya que las narraciones que publicó entre 1925 y 1931 son virtualmente desconocidas e inhallables) hay un tono de travesura, de divertida curiosidad por lo lóbrego y lo prohibido; hay, en definitiva, un humorista. Pero el humor de Felisberto Hernández es muy difícil de catalogar, precisamente porque no es satírico. Por lo general, cuando un humorista se asoma a un ámbito más o menos abyecto, asienta largamente el filo de su ironía, y cuando corta, lo hace de veras y para siempre. Borges es un buen ejemplo de esta actitud satírica del creador que reacciona frente a algo que le provoca simultáneamente un sentimiento de atracción y otro de repulsa.

Pero la clave del acercamiento de Hernández a la abyección y al absurdo, acaso resida en la curiosidad. Este escritor es siente atraído y se divierte, y es su propia diversión lo que lo salva de la náusea. Por eso es difícil el diagnóstico, porque siempre se corre el riesgo de atribuir al autor la parte de abyección que va implícita en sus temas. Pero, evidentemente, Felisberto Hernández no es un alma gemela de Nabokov. En *Lolita* —tan bien escrita, tan bien condimentada de perversión y de efectos— se transparenta un alma sucia que no es sólo la del protagonista; también es la del autor. Felisberto Hernández, en cambio, no es un alma sucia. Por el contrario, es un alma ingenua y decidida, que habla de los tabúes con la misma naturalidad que si se tratase de lugares comunes. Ello lo convierte en un hipersensible detector de lo falso, de la hipocresía, de los prejuicios, de ese submundo vergonzante que reside detrás de las fachadas. Con su prosa imprevista, llena de pequeñas trampas, de emboscadas sutiles, se introduce dondequiera y donde quiere, nada más que para revelarse a sí mismo, y revelarle al lector, que lo prohibido tiene su gracia.

Hace muchos años que se rastrean en la obra de Felisberto Hernández claves freudianas, notorias frustraciones, símbolos sexuales. Evidentemente, existen esas claves, abundan esos símbolos. Justamente, esa abundancia es lo único sospechoso. ¿Por qué tantas claves, tantos símbolos? Tengo al respecto una interpretación personal que probablemente no habrá de conseguir muchas adhesiones: el humorista que reside vitaliciamente en Felisberto Hernández, le ha hecho (sin que le importe correr el riesgo de que su obra sea malinterpretada) una mala jugada a los gustadores y disgustadores de sus cuentos. Es decir, se ha propuesto convencerlos de que escribe con más líbido que tinta. De ahí esa formidable diseminación de símbolos sexuales, de ahí ese mapa perfecto de inhibiciones, de ahí esa estructura casi clínica de su tribu de yoes.

Examine cuidadosamene el lector la obra de Hernández, y comprobará que hay claves en exceso, y aún más: que esas claves se hallan distribuidas con deliberada estrategia, como si estuvieran destinadas a apuntalar las más clásicas interpretaciones psicoanalíticas. Efectuar una auscultación freudiana en la obra de Felisberto Hernández, es más o menos lo mismo que, para un estudioso del ajedrez, ir reconociendo en una partida los pormenores de la Defensa Filidor o del Contragambito Falkbeer; encuentra todas las respuestas previstas. Por eso, es fácil vanagloriarse como crítico de las revelaciones en cadena que es posible extraer de los relatos de Hernández, pero también cabe la posibilidad de que este narrador sea un seudohermético, es decir, que escribe para ser interpretado. Como en el viejo y delicioso cuento de Hänsel y Gretel, que deliberadamente iban dejando migas que marcaban su ruta, así Felisberto Hernández va dejando indicios que conducen al símbolo. Sólo que esta vez no hay pájaros que se coman las migas; estamos en cambio los críticos, siempre dispuestos a dar las hurras cuando creemos haber descubierto un nuevo atajo que conduce a la líbido.

Más de una vez se han señalado las vecindades de Felisberto Hernández con la obra de Kafka o la de Jorge Luis Borges. No recuerdo, en cambio, que se haya notado su relativa coincidencia con su casi homónimo: el argentino Macedonio Fernández. Pero aún con respecto a este notable humorista del absurdo, Felisberto Hernández mantiene una clara diferencia de enfoque, de actitud creadora. Mientras que Macedonio Fernández no pierde de vista la realidad, pero corta deliberadamente las amarras que lo unen a la misma, a fin de obtener la libertad que le permite hacer maravillas con lo absurdo, Felisberto, en cambio, a veces parece perder de vista lo real, pero nunca corta deliberadamente las amarras. Quizás resida allí su salvación. Las únicas veces en que casi las corta (*Las hortensias*, y antes, *Muebles El Canario*) consigue sus dos únicos —e ilevantables— fracasos. Alberto Zum Felde vio con claridad que "el estado mórbido, semiclínico de los personajes de Hernández, abarca una escala extensa y muy elástica, que va de la hiperestesia a la alucinación, o, y aún, al delirio, pero no inhibe íntegramente la personalidad, le afecta sólo en parte; son semilocos, razonantes" [1].

Semialienada es, por ejemplo, la protagonista de su último libro, *La casa inundada* [2], un relato en que Hernández cumple la infrecuente hazaña de conmover por la vía del ridículo. Esa viuda monumental, siempre rodeada de agua y de rituales ("*su cuerpo sobresalía de un pequeño bote como un pie gordo de un zapato escotado*"), empieza siendo ambiguamente cómica y acaba imponiéndose al lector como una presencia majestuosa, patética. El relato breve *El cocodrilo*, que acompaña a *La casa inundada*, es un cuento hábilmente redondeado y, asimismo, un espléndido y divertido ejercicio de imaginación, pero la acuosa peripecia de la señora Margarita es algo más que todo eso.

---

(1) *Índice crítico de la literatura hispanoamericana* (tomo II: *La narrativa*), México, 1959, Editorial Guarania, pág. 461.
(2) Montevideo, 1960, Editorial Alfa.

En *La casa inundada* está, quizá, el mejor Hernández, el que es capaz de crear situaciones absurdas sin desprenderse de lo verosímil (expediente que, por otra parte, ya había usado en *El Balcón*, relato incluido en el volumen *Nadie encendía las lámparas* y que tiene asegurado un lugar incanjeable en cualquier antología del cuento uruguayo). Quizá sea imposible encontrar en la realidad un personaje tan egomarginal, tan humildemente vanidoso, como esa mórbida y minuciosa recordadora que es la señora Margarita, en cuya casa, inundada de agua y de recuerdos, puede navegar, sin que el lector se asombre, todo un cortejo de budineras con velas. Sin embargo, los detalles y pormenores de esa situación absurda no son inverosímiles, ni violentan ninguna ley, ni provocan catástrofe alguna. No en todos sus relatos, pero sí en los mejores de ellos, Felisberto Hernández demuestra que puede construirse una literatura fantástica sin trastrocar violentamente los valores o los límites de la credibilidad. En esos casos, Hernández accede a lo fantástico sin apartarse de nuestra horma coloquial, ni alejarse de nuestro escaso —y a veces superfluo— costumbrismo.

Hasta ahora, Hernández sólo había contado con entusiastas panegíricos y críticas demoledoras, pero ambas valoraciones provenían siempre de las *élites* intelectuales. El último libro, al que hago referencia en esta nota, se agotó rápidamente. Aun los gustadores del arte tan peculiar de Felisberto Hernández, no creyeron que este narrador llegase a gozar de una extendida popularidad, ya que su estilo de imaginar ha requerido siempre un entrenamiento del lector, una progresiva aclimatación a sus cánones. Sin embargo es posible que, paulatinamente, Feliberto Hernández vaya interesando a un número creciente de lectores; acaso sólo falta que esos lectores se den cuenta de que no se trata de un escritor que reside en las nubes, sino de alguien que viene, con su personal provisión de nubes, a residir en nuestro alrededor.

(1961)

desde el silencio de dios
al escándalo del prójimo

I

Desde 1945, año en que publicó *La cabellera oscura*, Clara Silva es una voz que importa en la poesía uruguaya. Tanto en ese libro como en *Memoria de la nada* (1948), esta autora desarrolló una proposición existencial, egocéntrica y recurrente, poniendo al servicio de la misma un verso tenso, afanoso y en ocasiones muy eficaz, así como una imaginería un tanto restringida y severa, que no le impidió sin embargo llegar a la emoción. En *Los delirios* (1954) ya hubo una bifurcación: el amor físico y el amor a Dios, compitieron por lograr el definitivo interés de ese yo absorbente y encendido. Luego, en *Las bodas* (1960), persistió el tema religioso, pero el soneto (envase exclusivo de *Los delirios)* fue abandonado.

La poesía religiosa es uno de los géneros más arduos, y, a la vez, de los que más fácilmente pueden ser desvirtuados. Desde San Juan de la Cruz hasta hoy, el poeta religioso avanza lentamente, en una prueba de constante equilibrio, como si se moviera sobre una cuerda floja. Allá abajo espera la constante amenaza del ridículo.

Clara Silva fue consciente de ese riesgo y lo enfrentó con decisión. Como bien señaló Idea Vilariño con respecto a un libro anterior de la misma autora, Dios es "un elemento conflictual que huye, se esquiva y no contesta, que es atacado por todos los flancos con argumentos comunes unas veces, profundamente originales otras, con reproches, conminaciones, a veces con entrega, casi siempre de igual a igual".

En *Las bodas*, Clara Silva buscó el eco de su propia voz, después que ésta había rebotado en Dios. A veces, Dios dialogaba con ella, pero el lector intuía que se trataba de diálogos ficticios, simple estratagema de apasionada que, en su clima de combativa oración, se imaginaba respuestas. La poesía seguía siendo egocéntrica, pero era un yo despojado de todo rasgo que no fuera Dios mismo, es decir, de todo rasgo que no tendiese hacia la presencia de Dios. De ahí que se justificara que, en determinado momento, escribiese: *"Mujer de oscura frente / voy entre cielo y tierra / casi sin mí, buscando el paraíso".* Ese "casi sin mí", era, sin embargo, una exageración austera, un despojamiento que asimismo la alejaba de un lector que, en medio de ese diálogo entrañable, intimista, repetido, se sentía representar el incómodo papel de extraño. Por algo, los poemas que en *Las bodas* reflejaban una hondura más legítima, eran aquellos que se atenían a los límites del monólogo. Los otros, los que aceptaban la estructura de diálogo, parecían siempre un poco artificiales.

En esa poesía religiosa, curiosamente, casi no había expectación de lo sobrenatural. Había sí, una invocación directa, perentoria, un exigirle a Dios que saliera del silencio:

Soy como soy,
yo misma,
la de siempre,

con esta muerte diaria
y la experiencia triste
que guardo en los cajones
como cartas;
con mi pelo, mi lengua, mis raíces,
y el escándalo que hago con tu nombre,
para oírme;
y tu amor que revivo en mí cada mañana,
masticando tu cuerpo
como un perro su hueso.

Clara Silva tuvo siempre una particular intuición para otorgar a un verso aislado la fuerza expresiva, el poder casi magnético, que a veces bastan para salvar un poema. "Por mí entraste en la casa de la culpa", escribió, recurriendo a una imagen que casi evocaba la pasión carnal, para relatar las bodas de un alma sola con su Creador. "Apenas puedo, en mí, sobrellevarme / y soy responsable de tu gloria". Y luego: "yo, que apenas sobrevivo a mi sombra, / sostengo entre mis brazos / la inmensa noche de tu misericordia".

En su libro más reciente, *Guitarra en sombra* (1964), Clara Silva cambia de paso, de temas y hasta de ritmo. Siguiendo un impulso de transformación que también parece cumplirse en su obra narrativa, *Guitarra en sombra* es, si se lo compara con los anteriores libros de la autora, más sensible a las solicitaciones y provocaciones del mundo exterior. No sólo hay tópicos directamente recibidos de la realidad circundante (*Las llamadas, Monte-vide-eu*); también hay formas —y fórmulas— de canto, deliberadamente aceptadas y usufructuadas como nuevo molde (contrapuntos, tristes, tangos) para la voz de siempre.

El viraje ha sido sin duda riesgoso, y algunos versos dejan oir ciertos rechinamientos ("*qué contrapunto / machaca / esta payada secreta*"), atribuibles sobre todo a dificultades de adaptación en el nuevo envase estético. También hay algún poema (*Las llamadas*) en que el repiqueteo sonoro, por otra parte bien utilizado, frivoliza parcialmente el trazo humano, y asimismo otro (*Tango*) en que las imágenes corroborantes, hábilmente yuxtapuestas, no alcanzan a otorgar hondura a un tema tan lleno de tentaciones pintoresquistas.

A pesar de tales menguas, este libro de sólo once poemas es uno de los más interesantes y comunicativos de Clara Silva. Si bien no todas las estructuras poéticas, ni todas las realidades elegidas, establecen un nexo ideal con el temperamento de la autora, lo cierto es que en algunos poemas la forma recién adquirida otorga a ese mismo temperamento una excelente plataforma para aludir al prójimo, para llegar a él.

Es probable que, en su calidad y tono esenciales, la voz de Clara Silva no haya cambiado, aunque sí ha cambiado la actitud. Entre *Las bodas* y *Guitarra en sombra* se ha operado en la autora una transformación, cuyos orígenes y condicionantes no aparecen (ni tienen por qué aparecer) como demasiado nítidos ante el lector, pero que aproximadamente consiste en un traslado de miradas. Así como, en libros anteriores, el amor físico y el amor a Dios, se habían disputado el definitivo interés de un yo absorbente y encendido, y la mirada poética se había posado intermitentemente en uno y en otro para crear su inseguro universo, su brecha anímica, así también el mundo (considerado no tanto como un inerte muestrario de objetos, sino como una dinámica y renovada colección de prójimos) reclama ahora la atención de aquella misma mirada inquisidora, conminatoria, angustiada. Frente a semejante reclamo,

Clara Silva responde de dos modos: uno, el más arriba señalado (la asunción, no siempre lograda, de temas más o menos pintorescos), y otro, que me parece no sólo más válido sino artísticamente más disfrutable que consiste en trasmitir con innegable calidez (y no solitaria, monologalmente, como en libros anteriores) a esa renovada colección de prójimos, el sacudimiento o el conflicto de una peripecia interior, de una rehallada tristeza, de una nostalgia vindicada.

En poemas como *Triste N.º 1* o *Alma en pena* ("*Si soñar no cuesta nada / qué caros los resultados / en pena el alma / si es alma / en pena el sueño / si es sueño. / Y en la noche una luz mala*"), la adopción de nuevos ritmos permite a Clara Silva decir su ansiedad de siempre con un temblor existencial, con un balbuceo conmovedor, que la acercan considerablemente a su destinatario, alguien que —ahora sí— es el lector.

Pero es quizá en *El sillón de hamaca* (iluminado desgarrón de melancolía, que sólo en los últimos versos aminora su eficacia) y en la desamparada recurrencia de *Atardeciendo*, sin duda lo mejor del libro y uno de los poemas más intensos de la autora, donde esta nueva actitud cálida, comunicante, enternecedora, llega a un equilibrio ideal:

> *Si pudiera decirte*
> *si pudiera*
> *en una vidalita*
> *largamente*
> *donde mi voz*
> *nocturna de garganta*
> *volando*
> *se extendiera*
> *en un lamento*
> *por la tarde triste.*

Si *pudiera decirte*
si *pudiera*
en *contrapunto azul*
de *mate y cielo*
tu *ausencia de este amor*
amor *de ausencia*
en *el bordón de una guitarra*
oscura.

Si *pudiera, por siempre*
si *pudiera*
edificar *la casa*
de *barro y manzanilla*
y *en el nido de sombra*
adonde *el huevo de la muerte nace*
amarte *a cara limpia*
verdadera
en *una vidalita*
triste *como la tarde.*

Tales poemas rescatan, en última instancia, la validez de este volumen, irregular pero lleno de vida, en que Clara Silva pone su aguda sensibilidad al servicio de la comunicante fuerza de lo verbal. En ciertas instancias de lo poético es imposible elegir o retroceder. Clara Silva no retrocede (alguna vez escribió: "y ya no puedo volver atrás / no puedo"). Así como antes peleó dignamente, con las armas que tenía, la ardua batalla con el silencio de su Dios, así ahora, renovado el arsenal pero cambiado el tiempo, abre las puertas de su fortaleza a fin de establecer contacto con el mundo. Tanto en esa faena, como en la brega poética propiamente dicha, *Guitarra en sombra* es un esclarecedor inventario de sus derrotas y de sus victorias.

101

La más reciente novela de Clara Silva, *Aviso a la población* (1964), tiene un obligado antecedente latino-americano: *Eloy*, del chileno Carlos Droguett, que en 1959 fue finalista del premio Biblioteca Breve, de Seix Barral. El chileno partió de un personaje real, el Ñato Eloy, reo presunto de por lo menos veinte asesinatos, que en julio de 1941 fue acorralado y muerto por una patrulla policial, después de haber cruzado con ella más de ciento cincuenta disparos.

A diferencia de Drogett, la novelista uruguaya no confiesa literalmente la base real de su anécdota, pero es evidente que la figura del Mincho no está sólo en la fotografía de la carátula (también la sobrecubierta de *Eloy* mostraba una foto periodística y macabra); es asimismo origen e inspiración del retrato de Walter Francisco López, el protagonista. Curiosamente, la novela chilena lleva como epígrafe un párrafo entrecomillado (probable fragmento de una crónica policial sobre la muerte del Ñato) en el que se enumera el contenido de los bolsillos de Eloy, mientras que en el primer capítulo de la novela uruguaya también figura una descripción de lo que contienen los bolsillos del protagonista, recién acribillado por la descarga policial.

Las afinidades, empero, no se extienden a otros aspectos. En primer término, porque media una apreciable distancia temporal, geográfica y anímica, entre las respectivas figuras de carne y hueso que sirven de inspiración a ambos creadores, y luego, porque cada uno de éstos somete la anécdota real a los dictados de su propia inventiva, de su propia formación (y deformación) literaria, de sus particulares ambición, estilo y sensibilidad. La novela de Droguett es (aunque a veces el autor use la tercera persona para referirse a Eloy, o también, adelantándose a los posteriores experimentos de Carlos Fuentes, una persona segunda y vocativa) un largo e ininterrumpido monólogo del protagonista, que a través de la larga noche de su derrota final, piensa, murmura, recuerda, en un fascinante ronroneo alrededor de las imágenes de su carabina y de su Rosa puntualmente convocadas a partir de las desordenadas pero muy concretas evocaciones del presente. La situación está vista desde dentro del salteador. El soliloquio no explica ni justifica nada, pero posee una fuerza casi poética. La novela de Clara Silva está escrita en tercera persona y dividida en once capítulos. No es de ningún modo panfletaria, pero tiene un mensaje (el infanto-juvenil es un producto del medio) a flor de página. De ahí que los distintos capítulos sean sucesivos pantallazos destinados a iluminar ciertas zonas de la vida del protagonista. En tanto que Eloy es virtualmente feliz en su vida familiar (el monólogo pormenoriza con delectación el apego a su mujer y a su hijo) y ha accedido a la violencia casi por azar, el protagonista de *Aviso a la población* se va formando entre focos de desgracia y corrupción, en tugurios y clanes a cual más miserable. Eloy tiene muy claros sus objetivos, en tanto que, para Walter Francisco López, todo es oscuro, confuso, insondable. En su caso no corresponde hablar de un aislado *complejo*; su infancia se encrespa en un verdadero empalme de traumas morales.

Aviso a la población es la tercera novela de Clara Silva. Anteriormente había publicado *La sobreviviente* (1951) y *El alma y los perros* (1962). En varios aspectos, la reciente novela significa un cambio sustancial en la trayectoria de la autora. En *La sobreviviente*, las influencias no habían sido totalmente asimiladas y, pese a algún capítulo hábilmente diseñado, el conjunto carecía de la necesaria coherencia. En *El alma y los perros* pudo advertirse la presencia de un creador más seguro de sus medios expresivos, más maduro en su actitud humana, más fiel a las reglas que había decidido adoptar. Aunque era visible el legado del *nouveau roman* y su afán objetivista, la novela resultaba algo así como la cinta grabada de una conciencia; la única e importante objetividad de la autora consistía en haber imaginado, en haber creado tal conciencia ficticia, pero a partir de ese núcleo, la narración se volvía subjetiva, funcionaba como voz (y como eco) de una conciencia individual. De modo que la influencia del *nouveau roman* era más de ejercicio literario que de actitud filosófica; y aún así para encontrar un antecedente con nombre y apellido, habría que retroceder hasta Nathalie Sarraute (los puntos suspensivos y las constantes interrogaciones, los vaivenes del pensamiento y los saltos del tiempo, traen insistentemente el recuerdo de *Le Planétarium*), en quien Gilbert Gadoffre ha reconocido ciertas *estructuras estáticas* que también aparecen en la novela uruguaya.

Dentro de los cánones que a sí misma se ha dictado, la novela no es un logro total. La fatigante recurrencia a noticias periodísticas, avisos sonoros, títulos de diarios, *slogans* de propaganda, lesiona a menudo el tenso esclarecimiento psicológico; la mención de detalles chocantes o vulgares no perjudica sino que complementa el retrato pero la golpeante insistencia en los mismos (por ejemplo, un dedo del pie que asoma por el agujero de la media) amortigua y hasta anula el efecto de la primera referencia; el personaje del marido no sólo es opaco en sí mismo (lo cual puede significar un acierto narrativo) sino que está opacamente presentado; la inopinada aparición en esta segunda novela, de un ejemplar de *La sobreviviente,* y el comentario posterior sobre esta obra, resultan chocantes, algo así como una desafinación (el recurso de la autocita, empleado entre otros por Shaw y por Ionesco, adquiere fuerza cuando va unido a cierta burla de sí mismo, pero cuando es empleado en *serio,* su invalidez queda a la intemperie).

Junto a tales objeciones, cabe señalar que *El alma y los perros* tiene la vitalidad de toda obra experimental construida con fe; algunos momentos, como el relato de la comunión, alcanzan un alto nivel artístico: la figura de la protagonista emerge como un verosímil y conmovedor cruce de dudas y creencias, de esperanzas e inhibiciones; y el ritmo de la narración mantiene un latido perfectamente acorde con la esencia anímica que por ella circula.

Si se la compara con aquella doble experiencia anterior, *Aviso a la población* representa un notable progreso. Por primera vez Clara Silva prescinde de ciertas anfractuosidades que perjudicaban su ritmo narrativo; por primera vez su peripecia esencial sigue una trayectoria nítida y lleva adelante un personaje claramente delineado; por primera vez somete su estilo a una implacable, sacrificada sobriedad. Paradojalmente, este lenguaje más frugal, esta visión más severa, este rigor más sostenido confieren a su prosa una fuerza literaria y una posibilidad de conmoción, que no tenían sus novelas anteriores, de más expuesto énfasis. En el tan zarandeado rubro del objetivismo, *Aviso a la población* es aproximadamente una operación inversa a *El alma y los perros.* Si en su segunda novela, Clara Silva creaba objetivamente una conciencia ficticia, para luego, desde ésta, formular un relato subjetivo, ahora en cambio parte de una actitud subjetiva (su postura frente al problema social que empuja al libro por su derrotero) para brindar un planteo objetivo que sólo y provisionalmente parece fracturarse en el capítulo final, con la aparición, ya no del Viejo como personaje, sino de la palabra de Dios que aquél aspira a trasmitir. Pero luego, cuando el muchacho, desarmado, con los brazos en alto, sale a la intemperie y es acribillado por la ráfaga policial, la derrota no es sólo suya; es también de la inerme mansedumbre del Viejo. Así, gracias a ese giro, la objetividad es restablecida. Ese desenlace, que en cierto modo entra en colisión con la postura religiosa de la autora, me parece la prueba del nueve de su objetivismo. Esta vez, Clara Silva ha visto, con dolorosa claridad, que las esperanzas más fervientes pueden ser inmisericordiosamente derrotadas por la realidad. Y ese convencimiento, que en lo personal quizá le signifique un desánimo, en lo literario enriquece su mundo y le permite un evidente logro.

Se le ha reprochado a Clara Silva que su novela no atraviese estratos profundos de lo social. Sin embargo, ello no importa demasiado: hay que tener presente que se trata de una novela, no de un ensayo sociológico. Aunque el origen de su anécdota se remonte a la crónica policial, la verdad es que el creador no tiene por qué ser escrupulosamente fiel (y en este caso no lo es) a la larga nómina de condicionantes y motivaciones. Los hechos escuetos son meras cifras para la estadística, pero también son formidables provocaciones para el arte. Policía, reformatorios, juzgados, prostitución, le interesan a Clara Silva no exactamente como los semáforos sociales que suelen ser, sino sobre todo como desafíos, envites, presagios, que de algún modo determinan modificaciones y desvíos de su criatura literaria. La novela tiene un centro, Walter Francisco López, y el resto es alrededor, contingencia, reflejo. Hay dos temas que actúan sobre él a modo de obsesiones: el castigo y el sexo. El primero es la fuente de sus terrores y resentimientos; el segundo es el móvil de sus osadías. En la parodia de hogar, en el reformatorio, en la policía, todos lo tratan a puntapiés, todos lo van pateando hacia el delito. Entonces el sexo se convierte en el único estímulo, en la sola posibilidad de goce, en lo más parecido a la Salvación. De ese modo, todo adquiere una connotación sexual. Walter Francisco López se expresa con el revólver y "es un proceso rápido, magnético, de voluptuosa, morbosa pasión viril. Es un instante de orgasmo brutal". En el reformatorio está obligado a trabajar la tierra, y la pala "se hunde en ella con un furor renovado de poseerla toda entera, abrirla, humillarla, destruirla, buscando la lobreguez de su entraña". Aun en el último capítulo, el decisivo, insólito gesto del Viejo, viene a bendecir, a cubrir de piedad esa posibilidad, ya lacerada, de salvación por el instinto.

El capítulo más débil es el último, no tanto por la aparición del alegórico Viejo sino por las pesadillas del protagonista. Al desarrollar en éstas una suerte de resumen (donde el caos aparece demasiado ordenado) de las otras peripecias, ya relatadas en el resto del libro, la autora deja muy al descubierto el artificio y, por ende, su improbabilidad. Pero la novela se lee de un tirón, y tiene algunos capítulos (Sólo el revólver; Total, sos menor; Juez de menores) de excelente factura. Con un tema riesgoso, de fáciles presupuestos y tentaciones panfletarias, Clara Silva ha escrito sin embargo no sólo una obra artísticamente válida, sino, además el más logrado de sus libros.

(1964)

don menchaca, divertido cretino

El presente, con todos sus asibles ridículos, ha sido siempre la gran tentación de los humoristas. Las razones de tal preferencia son bien explicables y tienen que ver con la eficacia, pero también con la comodidad. En toda referencia a lo actual, el humorista se está ahorrando buena parte de la recreación de un ambiente. Es decir, construye un clima caricaturesco en el sobrentendido de que el lector conoce el ambiente o el personaje que originan la caricatura. Si el humorista montevideano contemporáneo hace una broma sobre la belleza de las torres del Aerocarril o sobre la bondad del Soyp para con los peces, no tiene necesidad de crear previamente el muro de realidad donde el chiste habrá de rebotar. La realidad está creada y a mano; el lector la ve contemporáneamente con el humorista y sólo les falta intercambiar un guiño de complicidad.

La cosa se complica cuando el humorista apunta hacia el pasado, ya que el lector común no siempre está en condiciones de inferir qué sabor tuvo esa rebanada de historia. Tampoco es aconsejable que el humorista se embarque en grandes explicaciones preliminares porque todo análisis previo sólo sirve para socavar la sorpresa del rasgo de humor. De modo que la verdad verdadera tiene que aparecer sólo en las entrelíneas de la broma, en la trastienda del chisme: tiene que afluir como información al lector, sin que éste se dé cuenta (por lo menos en una primera lectura, que es la gran ocasión del humorismo) de que lo están poniendo al tanto, de que le están dando los elementos y referencias necesarios para que su risa se de por aludida. De ese modo, sin que nadie lo advierta, el humorista va construyendo pacientemente la espontaneidad de su lector, la capacidad de éste para captar el lado ridículo de las situaciones, y, en consecuencia, el lado cómico de las mismas.

Con varias de estas dificultades ha tenido que habérselas Simplicio Bobadilla [1], autor de *Los Partes de Don Menchaca*. Don Segundo Menchaca es un comisario rural de fin de siglo, y el libro reproduce los partes que ese personaje fue enviando desde enero de 1895 hasta marzo de 1897, al *Señor Juez de Paz de la Cétima Sesión, don Endalecio Camejo*; al *Señor Comisario de la Sesta Sesión Rural del Deto., don Ladislao Cuestas*, y sobre todo, al *Señor Gefe Político y de Polecía del Deto., Sarjento Mallor don Merejildo Toranza*, y, a la muerte de éste, a su sucesor el *Comandante don Anjelino Pimienta*, todo ello suscripto (ya que Menchaca no sabía firmar) por su culto escribiente don Esmeraldo Zipitrías, cuya renguera ortográfica es realmente inefable.

Al parecer, ni Menchaca ni Zipitrías son personajes imaginarios. En una *Introducción* que está a medio camino entre la mentira y la verdad, el autor reconoce su deuda con los archivos de la *Jefatura "Política y de Polecía"* que tuvo el honor de contarlos entre sus más conspicuos funcionarios. En todo caso, lo fraguado no

---

[1]   Seudónimo del conocido poeta y narrador Serafín J. García.

desacredita lo histórico, o viceversa, y el conjunto de sesenta y cuatro partes es un disfrute que hace tiempo no podía permitirse el lector nacional, cuya voracidad para todo lo humorístico permite vaticinar a este epistolario una amplia difusión.

Durante años, los partes de Don Menchaca fueron apareciendo en la revista *Peloduro* y otras publicaciones humorísticas, pero sólo ahora, vistos en conjunto, adquieren su verdadero sentido y su rotunda eficacia. Porque ninguno de los partes, considerado aisladamente, da la exacta medida de Menchaca ni exprime todas las posibilidades cómicas de su personalidad y de su lenguaje. Más aún, en este caso especial la repetición de algunas erratas mentales o coloquiales (*"Después de saludarlo con la mallor conmiseración y respeto"; "disfrutando a sus anchas de los dolcefarnientes brazos de Morfeo"; "paso a comunicarle que la causa habiente de este amistoso parte es, etc."; "el personal humano y caballar"*) tiene el valor de estribillos, y como el autor los deja ver en circunstancias muy diversas, producen siempre diferentes ecos de comicidad y sirven para nuevos retoques del retrato.

El propio Menchaca es, claro, el gran personaje del epistolario, pero además hay toda una época en juego, todo un código de esa jocunda inmoralidad que llegaba ingenuamente a dejar constancia escrita del vulgar acomodo, de la prestigiosa venalidad, de la recaudación de la coima, temas éstos que hoy en día sólo figuran en una tradición bisbisadamente oral. La sátira de Simplicio Bobadilla tiene un doble filo, pero ninguno de esos filos hiere a don Menchaca, un comisario rural que ha aprendido las maniobras de su oficio, no precisamente en Maquiavelo (su orgulloso analfabetismo lo pone a salvo de toda sospecha) sino en el ejemplo directo de sus jerarcas. La sátira pasa el cepillo a todo el ritual político de fin de siglo, pero ello no impide que alguna de sus virutas tenga un color peligrosamente actual. Que ese propósito lateral del epistolario no incluya en ningún momento un tufillo anacrónico, es otro punto a favor del autor, que en todo caso se limita a acentuar ciertos rasgos finiseculares, rasgos con suficiente fuerza de supervivencia como para reaparecer en los comités políticos de mil novecientos cincuenta y ocho.

Eso en el aspecto satírico. Pero la más notoria eficacia del libro reside en su pintoresquismo narrativo y en su facundia verbal. Desde la frase inaugural: *"Buelto a mi costante y eficaz atibidá autoritaria, luego del disfrute de la meresida lisensia de un año y pico que Usía tubo a bien consederme"*, hasta que concluye el último parte: *"Y desde ya me atrebo a asegurar que yo y Usía juntos, si las beleidades del siempre bariable azahar no disponen otra cosa, sabremos redochar por arrobas el coraje en las oméricas batallas que me palpita habrán de sobrebenir, lo cualo proporcionará tal vez alguna mejorita porsupuestal cuando llegue la hora de la bitoria"*, don Menchaca va dejando constancia de los diversos episodios acaecidos en la *jurisdisión policial de mi encumbensia.*

Aun cuando no estuvieran apuntalados por la gracia constante del lenguaje, la mayoría de los episodios son divertidos en sí mismos. En el parte titulado *Cuando no hay coima hay delito*, Menchaca relata una acción emprendida la noche anterior contra la nueva pulpería seccional del gringo Orlandini, a quien puso preso junto con *nuebe jugadores de dibersa laya moral y corporal*, y concluye: *"Ruégole me embíe por el portador, cabo Macario Barragán, el respetibo permiso de allanamiento"*. En *Préstamo macabro*, el comisario tiene el

111

agrado de remitir al Juez, en *calidá* de préstamo, el *cadaber* de un *indibido* de nuestro *seso* (...) *cullo cadáber fenesió* anoche en el cepo de esta comisaría, donde estaba detenido por *abiriguaciones*. En *Suicidio por mano propia* deja constancia de que la *enfeliz* mujer se había suicidado por entremedio de ambas manos propias al unísono, *engeriendo* con una el criminal *beneno* y pegándose con la otra —allá en ella— un tiro de *rebólber* mismo sobre la tetilla izquierda, como lo demostraba la *erida* de bala que *lusía* en dicha parte íntima de su difunto cuerpo. En *El crimen de Hermafrodita*, Menchaca envía a su superior la mujer Hermafrodita Céspedes, partera clandestina, quien *provocara* el *deseso* mortal de una moza soltera engañada y asimismo el de un *suidadano todabía enconcluso*, o sea un ser humano en estado *costitusional*. En *Un caso de autoprisión*, el comisario dice haberse constituido en prisión en su propia comisaría, donde me tengo *encomunicado*, en razón de haber sido *ator primojénito* en un incidente originado en una partida de truco, durante la cual el finado *Azambuya* hizo una seña al adversario de Menchaca, obligando a éste, después de un breve intercambio de golpes, a *deserrejarle consecutibamente* los seis tiros de mi *rebólber*, cosa que *hise* con el sano propósito de *julepearlo* nomás, pero con tan mala suerte, que tres de las balas hirieron *mortoriamente* al culpable *esclusibo* de este *desbenturado* hecho *sanguiño*, una en la nuca, otra en la espalda izquierda y la otra tercera en el riñón derecho *motibando* su *istantáneo* y natural *deseso*. En *Los muertos no contestaron*, Menchaca *notifica* su hallazgo de dos cadáveres —uno de ellos con un largo tajo de carácter *inmortal*— que fueron puestos boca abajo, tal como aconsejan la *tradisión* y la *esperiensia*, a fin de atraer a los matadores hasta el lugar *del hecho, donde dejé apostados al sarjento Ramos y al guardia sibil Cuello, con la orden terminante de prenderlos en cuanto se presenten.*

Las citas podrían prolongarse indefinidamente, pero con las anotadas ya es posible mostrar que, aunque el lenguaje sea en sí mismo eficazmente paródico, gran parte de la riqueza humorística de los *partes* está en el singular planteo de las situaciones, en la coherencia descriptiva con que son presentados época, ambiente y personajes. Por otra parte, los peculiares ritos ortográficos del escribiente Zipitrías, en ningún pasaje llegan a atrofiar la gracia de la anécdota. El autor se limita a mantener la imprescindible armonía de los errores, y, dentro de lo posible, a obtener que éstos también contribuyan con su cuota de comicidad. Así, se habla de un *anegado* compañero de causa; de un esclavo infatigable de su siempre recargada *micción*; de que es preciso pelear, aunque sea con perros y *marrones*; de un bárbaro tajo que le produjo a la víctima una *fatal hemorroides sanguiña*; de la casualidad, o mejor dicho, del *azahar*; de los que rinden honores al *arte* del *finado Tersícores*; de un filósofo de los tiempos *medio ovales*, o sea de la *Enquisisión*.

Siempre ha sido fácil burlarse de un pelma, de un ignorante, de un cretino, y conseguir que el lector simpatice con el autor de ese tipo de humorismo. Más difícil es lograr que el lector se olvide del humorista y simpatice directamente con el pelma, el ignorante o el cretino. Cuando ello acontece, no significa en realidad una justificación de esas cualidades del personaje, sino simplemente un éxito de comicidad. El lector simpatiza con ese cretino en particular (aunque todos los otros cretinos del mundo le provoquen santa indignación), simplemente porque le hace reir. En mayor o menor grado,

113

todo lector tiene prejuicios y principios morales, políticos o religiosos. El mayor éxito de un humorista es lograr que el lector simpatice con un personaje que arremete violentamente contra tales patrones. Aparentemente, esto es lo que consiguen los partes de don Segundo Menchaca. Si quienes están francamente contra la corrupción política de este tiempo, pueden empero simpatizar con don Menchaca, convicto y confeso de toda corrupción, significa que la tentación de la risa puede más que las obligaciones éticas. Son copartícipes de esa proeza el lejano, fineecular origen del caricaturesco don Menchaca, el responsable colector Simplicio Bobadilla y —last but not least— un consecuente y conocido maestro de este último: el poeta y narrador Serafín J. García.

(1958)

liber falco frente al ángel posible

La Universidad de la República acaba de reeditar *Tiempo y Tiempo* (Montevideo, 1963, 144 págs., prólogo de Arturo S. Visca) de Líber Falco, un libro que originariamente fue publicado por los amigos del poeta en 1956, poco tiempo después de su muerte. Ya la primera edición había recogido prácticamente toda la producción de Falco [1]; la segunda incorpora dos poemas y una página en prosa.

Retomar contacto, en 1963, con la obra poética de Falco, constituye una saludable experiencia de lector. Saludable y tonificante. Admito que decir esto frente a la obra de un poeta que remontara los temas de la soledad y de la muerte, puede parecer un desenfoque o, por lo menos, un enfoque frívolo. Pero no sólo el optimismo es saludable; no sólo el dinamismo tonifica. También pueden ser saludables la tristeza, el pesimismo, siempre que cumplan el requisito indispensable de ser

---

(1) O sea: *Cometas sobre los muros* (1940); *Equis Andacalles* (1942); *Días y noches* (1946) que además absorbe el segundo libro y algunos poemas del primero; *Artigas* (1954), extenso poema publicado en 1954 por el semanario *Marcha*; un grupo de 18 poemas aparecidos en diversas publicaciones periódicas; poemas inéditos antiguos, y últimos poemas inéditos.

actitudes auténticas y no artificiosos reflejos de lo ajeno. Lo estimulante en Falco ha sido siempre su calidad humana. Carlos Martínez Moreno, al cumplirse un año de la muerte del poeta, escribió: "Falco era un ser incapaz de guardarse, para la obra escrita, claves que no diera su trato. Era él mismo, con su mismo lenguaje y sus mismas entonaciones y afinaciones de alma. Todo llevaba en él a unas mismas y pocas emociones primordiales, a un solo ensimismamiento denso y desnudo" [2]. La extraordinaria virtud de Falco está precisamente en haber mantenido su poesía dentro de esas emociones primordiales, en no haber caído en la tentación de decorarlas literariamente. Creo que puede decirse, sin ánimo de forzar la paradoja, que Falco veía con claridad dónde residían sus oscuridades, que al ser prolongadas y verificadas en su contorno, eran también, y en última instancia, los misterios del ser. ("¿Qué me dio Dios para gastar, / qué?, que no entiendo"). Por eso no se entretenía en oscuridades falsas, en hermetismos sin causa; no perdía tiempo en cubrir sus emociones y conmociones verdaderas con una bambolla verbalista que, al fin de cuentas, sólo sirve para cubrir indigencias de alma. Ni en su poesía ni fuera de ella, Falco hizo proselitismo de sus actitudes; dijo, simplemente, y su dicción tuvo un único, inevitable acento. Es cierto que sus poemas son en definitiva monólogos, pero no es menos cierto que todos ellos tienden al diálogo. La más firme aspiración de Falco es la comunicación; por eso su soledad no es huraña ni quejumbrosa, ya que demasiado sabe que estas dos cualidades terminan por ahuyentar al prójimo. Su soledad, tan nostalgiosa de compañía, es siempre sobria, modesta

---

(2) *Liber Falco o un elogio de la autenticidad*, en *Marcha*, N.º 839, 16 de noviembre de 1956.

en el mejor de los sentidos. Cuando se denomina a sí mismo *Equis Andacalles* y, según narra Mario Arregui en un capítulo recordatorio[3], se resiste a eliminar de ese título la primera palabra, Falco está sin duda defendiendo esa actitud de casi anonimato con que prefiere acercarse a temas y prójimos, a tiempos y paisajes; esa voluntad de no imponer su presencia a nada ni a nadie.

Es conveniente hacer la prueba de leer la obra de Falco siguiendo el orden de fechas en que los poemas fueron originalmente publicados (véase la *Advertencia de la segunda edición*), un orden que por cierto difiere del que se sigue en *Tiempo y Tiempo*. Sólo así se apreciará con nitidez el coherente y sin embargo dramático proceso de esta poesía. Todos los temas fundamentales de Falco están presentes en *Cometas sobre los muros*. Después llegará la verdadera hondura, pero ya en esa obra de 1940 (téngase en cuenta que, a pesar de tratarse de un primer libro, no puede ser denominado un producto juvenil; en esa época, Falco tenía 34 años) la *muerte*, la *soledad* y el *tiempo* constituyen núcleos magnéticos. Hay, es cierto, una actitud más suelta, un lenguaje más próximo a la alegría, un ánimo más esperanzado que en libros posteriores. Pero nótese que los rumbos que podríamos llamar *positivos* o *estimulantes* aparecen más bien como aspiraciones, casi siempre amortiguadas por convicciones o intuiciones más profundas. "Soñábamos con un ojo / y el otro para morir", dice en *Apunte*. Ni siquiera el amor desbarata esa lucidez esencial: "¿Y con esta complicada cocina / tú y yo doramos el amor? / Ah, el instinto. Padre Nuestro / que muerde y miente cautelosamente". Por último: "Y crece mi ternura para ahuyentar el miedo".

---

(3) *Liber Falco Andacalles*, en *Marcha*, N.º 796, 30 de diciembre de 1955.

Como todos, Falco llega a sus personales e inevitables muros. Y entonces descubre un sucedáneo de la inalcanzable comunicación: no puede ver a aquellos que están detrás del muro, pero sí puede distinguir sus cometas (o sea sus infancias, sus candores, lo mejor de sus almas) que se elevan por sobre la incomunicación. No son sólo *cometas* sino *cometas sobre los muros*, es decir, indicios de otras soledades. Y él dice, a modo de retribución, para que los demás también descubran el mismo sucedáneo: "*Hoy subo veinte cometas*". Remonta poemas como cometas: mirando al cielo.

Poco a poco, Falco se irá convenciendo de que la ternura no alcanza "para ahuyentar el miedo". En un revelador poema *A la memoria de Diego Larriera* escribía aún: "*muriendo triste, alegremente*", como si todavía no se hubiese decidido entre dos sensaciones. Porque (he aquí lo dramático) la vocación de Falco es la alegría. Pero también sabemos cuál es la dirección que le impuso prepotentemente el destino: "*Todo está muerto, y muerto / el tiempo en que ha vivido. / Yo mismo temo, a veces, / que nada haya existido; / que mi memoria mienta, / que cada vez y siempre / —puesto que yo he cambiado— / cambie, lo que he perdido*".

O sea que, a esta altura, el poeta no sólo teme por su presente sino también por su pasado; teme que este presente en que se halla "*ya para siempre desasido y solo*", no se conforme con entregarlo a la muerte, esa última, única, "*extraña compañía*", sino que además corrompa su pasado, derrumbe las cometas y quede sólo el muro. Por eso, cuando pasa tiempo y tiempo, Falco mira sus recuerdos con creciente franqueza. Si antes escribió, con retroactiva esperanza y sin salvedades: "*te veo un ángel*", ahora decide que su fantasía toque la tierra. Es una desalentada nostalgia la que indica: "*Y era un ángel* posible / *hacia el atardecer"*; pero es una inconmovible certidumbre la que resuelve: *"Oh ángel no nacido / y cielo y sueño ya lejanos. / Sobre el filo del vértigo está; / golpeadlo hacia atrás, / porque no puedo no, ahora, / sentir sonar sus dientes contra el suelo"*. En toda la última etapa de la poesía de Falco, resuenan esos dientes contra el suelo, esa indeseada caída del ángel nonato.

Falco no tuvo necesidad de inventar palabras ni de forcejear con metáforas: con viejos términos, y hasta con aparentemente gastadas combinaciones de palabras *(los pliegues de la noche, llueve la tristeza, vuelan campanas)* fue creador en un nivel mucho más humano que retórico, y no parece arriesgado afirmar que se sintió responsable de su autenticidad. Por algo no habló de la Muerte, sino de su muerte, la que él veía y entreveía; no de la Soledad, sino de su soledad, la que él consiguió imantar con su actitud de religioso sin religión. (*Sin Dios*, repite una y otra vez, dejando su desencanto a la intemperie). En alguna ocasión, Falco vio reír a los niños y pensó y escribió: *"Cómo en su inocencia / la Tierra es inocente / y es inocente el hombre"*. Es probable que más de un lector que se aproxime a Falco, sienta una conmoción en su último saldo de inocencia. Pero estamos tan habituados a vanagloriarnos de nuestras culpas, tan acostumbrados a frecuentar autores que sólo nos facilitan perforadoras para llegar a nuestros respectivos yacimientos culposos, que acaso nos avergoncemos de sentirnos por una vez aludidos en forma tan espléndida. Por eso quiero quebrar una última lanza por la poesía de Falco: también esa vergüenza es saludable.

(1963)

juan carlos onetti y
la aventura del hombre (1)

I

La atmósfera de las novelas y los cuentos de Juan Carlos Onetti, dominados y justificados por su carga subjetiva, estaba anunciada en una de las confesiones finales de *El pozo*: *"Yo soy un hombre solitario que fuma en un sitio cualquiera de la ciudad; la noche me rodea, se cumple como un rito, gradualmente, y yo nada tengo que ver con ella".* Ni Aránzuru (en *Tierra de nadie)* ni Ossorio (en *Para esta noche)* ni Brausen (en *La vida breve)* ni Larsen (en *El astillero),* dejaron de ser ese hombre solitario, cuya obsesión es contemplar cómo la vida lo rodea, se cumple como un rito y él nada tiene que ver con ella.

Cada novela de Onetti es un intento de complicarse, de introducirse de lleno y para siempre en la vida, y el dramatismo de sus ficciones deriva precisamente de una reiterada comprobación de la ajenidad, de la forzosa in-

---

(1) Este trabajo, que apareciera por primera vez, en su redacción actual, en la revista *Siempre,* de México (setiembre 4 de 1968), reúne tres anteriores: el primero, publicado como prólogo a *Un sueño realizado y otros cuentos,* Ed. Número, Montevideo, 1951, y ampliado posteriormente para *La Mañana,* en 1962, sobre los cuentos de Onetti; el segundo, sobre las novelas, publicado inicialmente en *La Mañana,* en 1961; el tercero, sobre un libro en particular, bajo el título: *Juntacadáveres: una nueva apertura,* publicado también en *La Mañana,* en 1965. En la operación recopiladora los textos originales han sufrido, por supuesto, leves modificaciones e imprescindibles actualizaciones.

comunicación que padece el protagonista y, por ende, el autor. El mensaje que éste nos inculca, con distintas anécdotas y en diversos grados de indirecto realismo, es el fracaso esencial de todo vínculo, el malentendido global de la existencia, el desencuentro del ser con su destino.

El hombre de Onetti se propone siempre un *mano a mano* con la fatalidad. En *Para esta noche*, Ossorio no puede convencerse de la posibilidad de su fuga y es a ese descreimiento que debe su ternura ocasional hacia la hija de Barcala. Sólo es capaz de una moderada —y equívoca— euforia sentimental, a plazo fijo, cuando querer hasta la muerte significa lo mismo que hasta esta noche. En *La vida breve* llega a tal extremo el convencimiento de Brausen de que toda escapatoria se halla clausurada, que al comprobar que otro, un ajeno, ha cometido el crimen que él se había reservado, protege riesgosamente al homicida mejor aún de lo que suele protegerse a sí mismo. Para él, Ernesto es un mero ejecutor, pero el crimen es inexorablemente suyo, es el crimen de Brausen. La única explicación de su ayuda a Ernesto, es su obstinado deseo de que el crimen le pertenezca. Lo protege, porque con ello defiende su destino. *La vida breve* es, en muchos sentidos, demostrativa de las intenciones de Onetti. En *Para esta noche*, en *Tierra de nadie*, había planeado su obsesión; en *La vida breve*, en cambio, intenta darle alcance. Emir Rodríguez Monegal ha señalado[2] que *La vida breve* cierra en cierto sentido ese ciclo documental abierto diez años atrás por *El pozo*. El ciclo se cierra, efectivamente, pero en una semiconfesión de impotencia, o más bien de imposibilidad: el ser no puede confundirse con el mundo, no logra mezclarse con la vida. De esa carencia

(2) *Juan Carlos Onetti y la novela rioplatense* (*Número*, N.º 13-14, Montevideo, 1951, págs. 175-188).

arranca paradójicamente otro camino, otra posibilidad: el protagonista crea un ser imaginario que se confunde con su existencia y en cuya vida puede confundirse. La solución irreal, ya en el dominio de lo fantástico, admite la insuficiencia de ese mismo realismo que parecía la ruta preferida del novelista y traduce el convencimiento de que tal realismo era, al fin de cuentas, un callejón sin salida.

Sin embargo, no es en *La vida breve* donde por primera vez Onetti recurre a este expediente. Paralelamente a sus novelas, el narrador ha construido otro ciclo, acaso menos ambicioso, pero igualmente demostrativo de su universo, de las interrogaciones que desde siempre lo acosan. En dos volúmenes de relatos: *Un sueño realizado y; otros cuentos* (1951) y el más reciente *El infierno tan temido* (1962), ha desarrollado temas menores dentro de la estructura y el espacio adecuados. A diferencia de otros narradores uruguayos, ha hecho cuentos con temas de cuentos, y novelas con temas de novela.

Es en *Un sueño realizado*, el relato más importante del primer volumen, donde recurre francamente a una solución de índole fantástica, y va en ese terreno más allá de Coleridge, de Wells y de Borges. Ya no se trata de una intrusión del sueño en la vigilia, ni de la vulgar pesadilla premonitoria, sino más bien de forzar a la realidad a seguir los pasos del sueño. La reconstrucción, en una escena artificiosamente real, de todos los datos del sueño, provoca también una repetición geométrica del desenlace. El autor elude expresar el término del sueño; ésta es en realidad la incógnita que nunca se despeja, pero es posible aclararla paralelamente al desenlace de la escena. En cierto sentido, el lector se encuentra algo desacomodado, sobre todo ante el último párrafo, que en un primer enfrentamiento siempre desorienta. Desde el principio del cuento, la mujer brinda datos a fin de que Blanes y el narrador consigan reconstruir el sueño con la mayor fidelidad. Así recurre a la mesa verde, la verdulería con cajones de tomate, el hombre en un banco de cocina, el automóvil, la mujer con el jarro de cerveza, la caricia final. Pero cuando se construye efectivamente la escena, se agrega a estas circunstancias un hecho último y decisivo: la muerte de la mujer, que no figuraba en el planteo inicial. El desacomodamiento del lector proviene de que hasta ese momento la realidad se calcaba del sueño, es decir, que los pormenores del sueño permitían formular la realidad, y ahora, en cambio, el último pormenor de la escena permite rehacer el desenlace del sueño. Es este desenlace —sólo implícito— del sueño, el que transforma la muerte en suicidio. El lector que ha seguido un ritmo obligado de asociaciones, halla de pronto que éste se convierte en otro, diametralmente opuesto al anunciado por la mujer.

No es esta forzosa huida del realismo, el único ni el principal logro de *Un sueño realizado*. Cuando el narrador presenta a la mujer, confiesa no haber adivinado, a la primera mirada, lo que había dentro de ella *"ni aquella cosa como una cinta blancuzca y fofa de locura que había ido desenvolviendo, arrancando con suaves tirones, como si fuese una venda pegada a una herida, de sus años pasados, para venir a fajarme con ella, como a una momia, a mí y a algunos de los días pasados en aquel sitio aburrido, tan abrumado de gente gorda y mal vestida"*, y agrega: *"La mujer tendría alrededor de cincuenta años y lo que no podía olvidarme de ella, lo que siento ahora que la recuerdo caminar hacia mí en el comedor del hotel, era aquel aire de jovencita de otro siglo que hubiera quedado dormida y despertara ahora un poco despeinada, apenas envejecida pero a punto de alcanzar su edad* en cualquier momento, de golpe, y quebrarse allí en silencio, desmoronarse roída por el trabajo sigiloso de los días". Es decir que ésta también es una rechazada, alguien que no pudo introducir su soledad en la vida de los otros, pero sin que esto llegue a serle de ningún modo indiferente; por el contrario, le resulta de una importancia terrible, sobrecogedora.

Cuando ella le explica a Blanes cómo será la escena y concluye diciéndole: "*Entretanto yo estoy acostada en la acera, como si fuera una chica. Y usted se inclina un poco para acariciarme*", ella sabe efectivamente que alcanzará su edad (la de la chica que debió ser) en ese momento y podrá así quebrarse en silencio, desmoronarse roída por el trabajo sigiloso de los días. Esa propensión deliberada hacia la caricia del hombre, ese elegir la muerte como quien elige un ideal, fijan inmejorablemente su ternura fósil, desecada, aunque obstinadamente disponible. Para ella, Blanes no representa a nadie; es sólo una mano que acaricia, es decir, el pasado que acude a rehabilitarse de su egoísmo, de su rechazo torpe, sostenido. La caricia de Blanes es la última oportunidad de perdonar al mundo. En *Un sueño realizado*, Onetti aisla cruelmente al ser solitario e indeseable, superior a la tediosa realidad que construye, superior a sus escrúpulos y a su cobardía, pero irremediablemente inferior a su mundo imaginario.

Los cuentos de Onetti tienen, no bien se los compara con sus novelas, dos diferencias notorias: la obligada restricción del planteo, que simplifica, afirmándolo, su dramatismo, y también el relativo abandono —o el traslado inconsciente— de la carga subjetiva que en las novelas soporta el protagonista y que constituye por lo general una limitación, una insistencia a veces monótona del narrador. La simetría, que en las novelas parece evidente

124

en *La vida breve* (el asesinato de la Queca se halla en el vértice mismo del argumento) y más disimulada en *El astillero* (la entrevista de Larsen con el viejo Petrus, que en muchos sentidos da la clave de la obra, tiene lugar en el centro mismo de la novela), constituye en los cuentos una modalidad técnica. Siempre hay un movimiento de ida y otro de vuelta, una mitad preparatoria y otra definitiva. En la primera parte de *Un sueño realizado*, la mujer cuenta su sueño; en la segunda, se construye la escena. También en *Bienvenido Bob*, el narrador diferencia hábilmente al adolescente del comienzo, "casi siempre solo, escuchando jazz, la cara soñolienta, dichosa, pálida", del Roberto final, "de dedos sucios de tabaco", "que lleva una vida grotesca, trabajando en cualquier hedionda oficina, casado con una gorda mujer a quien nombra "miseñora". En *Esbjerg, en la costa*, la estafa separa dos zonas bien diferenciadas en las relaciones de Kirsten y Montes. En *La casa de la arena*, la llegada de Molly transforma el clima y provoca las reacciones siniestras, faulknerianas, del Colorado. Ese vuelco deliberado, que significa en Onetti casi una teoría del cuento, no quita expectativa a sus ficciones. La mitad preparatoria suele enunciar los caminos posibles; la final, pormenoriza la elección.

En los cuentos de Onetti —y, de hecho, también en sus novelas— es poco lo que ocurre. La trama se construye alrededor de una acción grave, fundamental, que justifica la tensión creada hasta ese instante y provoca el diluido testimonio posterior. Con excepción de *Un sueño realizado* —cuya solución remite a un mero regreso a su desenlace— los otros cuentos del primer volumen carecen precisamente de solución. Existe una esforzada insistencia en describir el medio (con sus pormenores, sus datos, sus inanes requisitos) en que el relato se suspende.

Existe asimismo el evidente propósito de fijar las nuevas circunstancias que, a partir del punto final, agobiarán al personaje.

Nada culmina en *Bienvenido Bob*, como no sea el increíble desquite, pero en el último párrafo se establece la cronicidad de un presente que seguirá girando alrededor de Roberto hasta agotar su voluntad de regreso, su capacidad de recuperación: "*Voy construyendo para él planes, creencias y mañanas distintos que tienen la luz y el sabor del país de juventud de donde él llegó hace un tiempo. Y acepta: protesta siempre para que yo redoble mis promesas, pero termina por decir que sí, acaba por muequear una sonrisa creyendo que algún día habrá de regresar al mundo y las horas de Bob y queda en paz en medio de sus treinta años, moviéndose sin disgusto ni tropiezo entre los cadáveres pavorosos de las antiguas ambiciones, las formas repulsivas de los sueños que se fueron gastando bajo la presión distraída y constante de tantos miles de pies inevitables*". Nada culmina tampoco en *Esbjerg, en la costa*, pero Montes "*terminó por convencerse de que tiene el deber de acompañarla (a Kirsten), que así paga en cuotas la deuda que tiene con ella, como está pagando la que tiene conmigo; y ahora, en esta tarde de sábado como en tantas noches y mediodías (...) se van juntos más allá de Retiro, caminan por el muelle hasta que el barco se va (...) y cuando el barco comienza a moverse, después del bocinazo, se ponen duros y miran, miran hasta que no pueden más, cada uno pensando en cosas tan distintas y escondidas, pero de acuerdo, sin saberlo, en la desesperanza y en la sensación de que cada uno está solo, que siempre resulta asombrosa cuando nos ponemos a pensar*". De modo que la tarde de sábado es también allí un presente crónico, un incambia-

ble motivo de separación, que desde ya corrompe todo
el tiempo e invalida toda escapatoria.

En cuanto se desprende de sus relatos, puede inferirse que el mensaje de Onetti no incluye, ni pretende incluir, sugestiones constructivas. Sin embargo, resulta fácil advertir que el hombre de estos cuentos se aferra a
una posibilidad que lentamente se evade de su futuro inmediato. Roberto tiende, sin esperanza, a recuperar la juventud de Bob; Kirsten no puede olvidar su Dinamarca, y
Montes no puede olvidar la Dinamarca de Kirsten; sólo
la mujer de *Un sueño realizado* consigue su caricia, a costa de desaparecer.

Lo peculiar de todo esto es que la actitud de Onetti
—como dice Orwell acerca de Dickens— "ni siquiera es
destructiva. No hay ningún indicio de que desee destruir
el orden existente, o de que crea que las cosas serían
muy diferentes si aquél lo fuera"[2]. Onetti dice pasivamente su testimonio, su versión cruel, agriamente resignada,
del mundo contra el que se estrella; pero arrastra consigo
un indisimulado convencimiento de que no incumbe obli-
gadamente a la literatura modificar las condiciones —por
deplorables que resulten— de la realidad, sino expre-
sarlas con elaborado rigor, con una fidelidad que no sea
demasiado servil. Es claro que estos cuentos no logran
trasmitir en su integridad el clima oprimente de Onetti
ni todos los matices de su mundo imaginario. Sus novelas
resultan siempre más agobiadoras. Eladio Linacero padece una soledad más inapresable y más cruel que la del
último Bob; Brausen realiza sueños más bastos que la
mujer acariciada por Blanes; el Díaz Grey de *La vida breve* está en varios aspectos más encanallado que su ho-

---

(3) ..*Charles Dickens*, ensayo incluído en *Critical Essays*, Londres, 1946, Secker and Warburg.

mónimo de *La casa en la arena;* el Larsen de *El astillero* está más seguro en su autoflagelación que el Montes de *Esbjerg, en la costa.* No obstante, esos relatos breves son imprescindibles para apreciar ciertas gradaciones de su enfoque, de su visión agónica de la existencia, que no siempre recogen las novelas. Los cuentos parecen asimismo (con excepción de *El infierno tan temido,* al que me referiré más adelante) menos crueles, menos sombríos. Por alguna hendidura penetra a veces una disculpa ante el destino, un breve resplandor de confianza, que los Brausen, los Ossorio, los Aránzuru, los Linacero, no suelen irradiar ni percibir. Confianza que, por otra parte, no es ajena a *"la sensación de que cada uno está solo, que siempre resulta asombrosa cuando nos ponemos a pensar".*

Entre el primero y el segundo de los volúmenes de cuentos publicados hasta ahora por Onetti, hay otro relato, titulado *Jacob y el otro,* que obtuvo la primera de las menciones en el Concurso Literario que en 1960 fuera convocado por la revista norteamericana *Life en Español.* Situado, como la mayor parte de sus narraciones, en la imaginaria y promedial Santa María, *Jacob y el otro* abarca un episodio independiente, basado en dos personajes (el luchador Jacob van Oppen y su representante el Comendador Orsini) que sólo están de paso. Santa María los recibe, a fin de presenciar una demostración de lucha y un posible desafío, en el que estarán en juego quinientos pesos. El desafiante es un almacenero turco, joven y gigantesco, pero su verdadera promotora es la novia *("pequeña, intrépida y joven, muy morena y con la corta nariz en gancho, los ojos muy claros y fríos")* que precisa como el pan los quinientos pesos, ya que está encinta y necesita el dinero para la obligatoria boda.

Con este planteamiento, y la aprensión de Orsini por

la actual miseria física de su pupilo, Onetti construye un cuento acre y compacto, mediante sucesivos enfoques desde tres ángulos: el médico, el narrador, el propio Orsini. Con gran habilidad, el escritor hace entender al lector que quienes gobiernan el episodio son la novia del turco y Orsini, mientras que Jacob y el desafiante son meros instrumentos; pero en el desenlace uno de esos instrumentos se rebela y pasa a actuar por sí mismo. Aunque Onetti empieza por contar ese desenlace (en la versión del médico que opera al gigante maltrecho), en realidad el lector ignora de qué luchador se trata; sólo imagina el hombre y por lo común imagina mal. Lo que verdaderamente pasó, sólo se sabrá en las últimas páginas. Es un relato cruel, despiadado, en que los personajes dejan al aire sus peores raíces; por lo tanto, no invita a la adhesión. Pero con personajes desagradables y hasta crapulosos, puede hacerse buena literatura, y el cuento de Onetti es una inmejorable demostración de esa antigua ley.

El volumen que se titula *El infierno tan temido*, incluye, además del relato que le da nombre, otros tres: *Historia del caballero de la rosa y de la virgen encinta que vino de Liliput*, *El álbum* y *Mascarada*. Este último es, seguramente, el menos eficaz de todos los cuentos publicados hasta ahora por Onetti. La anécdota es poco más que una viñeta, pero soporta una cargazón de símbolos y semisímbolos, que la agobian hasta frustrarla. No obstante, puede tener cierto interés para la historia de nuestra narrativa. Se trata de un cuento publicado separadamente hace varios años, cuando todavía no estaba de moda la *novela objetiva*. Si se lee el cuento con atención, se verá que el personaje María Esperanza está visto (por cierto que muy primitivamente) como objeto, y como tal se lo describe, sin mayor indagación en su intimidad. *El álbum* cuenta, como casi todas las narraciones de Onetti, una aventura sexual. Pero —también como en casi todas— planea sobre la aventura un reducido misterio, un arcano de ocasión, que oficia de pretexto, de justificación para lo sórdido. El muchacho de Santa María que se vincula a una desconocida, a una extraña que *"venía del puerto o de la ciudad con la valija liviana de avión, envuelta en un abrigo de pieles que debía sofocarla"*, juega con ella el juego de la mentira, de los viajes imaginarios, de la ficción morosamente levantada, palmo a palmo. Pero cuando la mujer se va y sólo queda su valija, el crédulo se enfrenta con un álbum donde innumerables fotografías testimonian que los viajes narrados por la mujer no eran el deslumbrante impulso de su imaginación, sino algo mucho más ramplón: eran meras verdades. Ese desprestigio de la verdad está diestramente manejado por Onetti, que no puede evitar ser corrosivo, pero en esa inevitabilidad funda una suerte de tensión, de ímprobo patetismo.

En *El caballero de la rosa* el logro es inferior. Hay un buen tema, una bien dosificada expectativa, tanto en la grotesca vinculación de la acaudalada doña Mina con una pareja caricatural, como en el proceso que lleva a la redacción del testamento. Pero la expectativa conduce a poca cosa, y el agitadísimo final sólo parece un flojo intento de construir un efecto. Hay buenos momentos de prosa más o menos humorística, pero si se recuerda la excepcional destreza que Onetti ha puesto otras veces al servicio de sus temas, este relato pasa a ser de brocha gorda. En compensación, *El infierno tan temido* es el mejor cuento publicado hasta hoy por Onetti. En su aceptación más obvia, es sólo la historia de una venganza; pero, en su capa más profunda, es algo más que eso. Risso, el protagonista, se ha separado de su mujer, a consecuencia de una infidelidad de extraño corte (ella se acostó con otro, pero sólo como una manera de agregar algo a su amor por Risso). La mujer desaparece, y al poco tiempo empieza a enviar (a él, y a personas con él relacionadas) fotos obscenas que, increíblemente, van documentando su propia degradación. Risso llega a interpretar esa agresiva publicidad, ese calculado desparramo de la impudicia, como una insólita, desesperada prueba de amor. Y quizá (pese al testimonio de alguien que narra en tercera persona y adjetiva violentamente contra la mujer) tuviera razón. Lo cierto es que el último envío acierta "en *lo que Risso tenía de veras vulnerable*"; acierta, en el preciso instante en que el hombre había resuelto volver con ella. Lucien Mercier ha escrito que este cuento "es una introducción al suicidio"[4]. Yo le quitaría la palabra *introducción*. Es el suicidio liso y llano. La perseverancia con que Risso construye su interpretación, esa abyección que él transfigura en *prueba de amor*, demuestra algo así como una inconsciente voluntad de autodestrucción, como una honda vocación para ser estafado. En rigor, es él mismo quien cierra las puertas, clausura sus escapes, crea un remedo de credulidad para que el golpe lo voltee mejor. De tan mansa que es, de tan mentida o tan inexperta, su bondad se vuelve sucia, más sucia acaso que la metódica, entrenada venganza de que es objeto. Para meterse con tema tan viscoso, hay que tener coraje literario. Como sólo un Céline pudo hacerlo, Onetti crea en este cuento la más ardua calidad de obra artística: la que se levanta a partir de lo desagradable, de lo abyecto. Es ese tipo de literatura que si no llega a ser

---

(4) *Juan Carlos Onetti en busca del infierno*, en *Marcha*, N.º 1129, 19 de octubre de 1962, Montevideo.

una obra maestra, se convierte automáticamente en inmundicia. La hazaña de Onetti es haber salvado su tema de este último infierno, tan temido.

II

"Yo quiero expresar nada más que la aventura del hombre". Esta declaración de intenciones aparentemente mínimas, pertenece a Juan Carlos Onetti y consta en un reciente reportaje efectuado por Carlos María Gutiérrez[5]. Por más que la experiencia aconseje no prestar excesivo crédito al *arte poética* de los creadores, conviene reconocer que ésta de Onetti, tan cautelosa, es asimismo lo suficientemente amplia como para albergar no sólo su obra en particular, sino casi toda la narrativa contemporánea. Desde Marcel Proust a Michel Butor, desde Italo Svevo a Cesare Pavese, desde James Joyce a Lawrence Durrell, son varios los novelistas de este siglo que podrían haber refrendado ese propósito de *expresar nada más que la aventura del hombre*. Todo es relativo, sin embargo; hasta la aventura.

Para Proust, la aventura consiste en remontar el tiempo hasta ver cómo el pasado proyecta "esa sombra de sí mismo que nosotros llamamos el porvenir"; para Pavese, en cambio, la aventura es un destello instantáneo ("la poesía no nace de *our life's work*, de la normalidad de nuestras ocupaciones, sino de los instantes en que levan-

---

(5) En revista *Repórter*, N.º 25, Montevideo, 1961.

tamos la cabeza y descubrimos con estupor la vida"); para Butor, en fin, la aventura consiste en rodear la peripecia con incontables círculos concéntricos, todos hechos de tiempo. Y así sucesivamente. Ahora bien, ¿cuál será, para Onetti, la aventura del hombre? Ya que su *arte poética* no derrama mucha luz sobre el creador, tratemos de que esta vez sea la creación la que ilumine al *arte poética*.

Con doce libros publicados en casi treinta años, Onetti representa en nuestro medio uno de los casos más definidos de vocación, dedicación y profesión literarias. Desde *El pozo* (1939) hasta *Juntacadáveres* (1964), este novelista ha logrado crear un mundo de ficción que sólo contiene algunos datos (y, asimismo, varias parodias de datos) de la maltratada realidad; lo demás es invención, concentración, deslinde. Pese a que sus personajes no rehuyen la vulgaridad cotidiana, ni tampoco las muletillas del coloquialismo vernáculo, por lo general se mueven (a veces podría decirse que flotan) en un plano que tiene algo de irreal, de alucinado, y en el que los datos verosímiles son poco más que débiles hilvanes.

Hay evidentemente, como ya lo han señalado otros lectores críticos, una formulación onírica de la existencia, pero quizá fuera más adecuado decir *insomne* en lugar de onírico. En las novelas de Onetti es difícil encontrar amaneceres luminosos, soles radiantes; sus personajes arrastran su cansancio de medianoche en medianoche, de madrugada en madrugada. El mundo parece desfilar frente a la mirada (desalentada, minuciosa, inválida) de alguien que no puede cerrar los ojos y que, en esa tensión agotadora, ve las imágenes un poco borrosas, confundiendo dimensiones, yuxtaponiendo cosas y rostros que se hallan, por ley, naturalmente alejados entre sí. Como sucede con otros novelistas de la fatalidad (Kafka, Faulkner,

Beckett), la lectura de un libro de Onetti es por lo general exasperante. El lector pronto adquiere conciencia, y experiencia, de que los personajes están siempre condenados; sólo resta la posibilidad —no demasiado fascinante— de hacer conjeturas sobre los probables términos de la segura condena.

Sin duda, desde un punto de vista narrativo, este quehacer parece destinado a arrastrar consigo una insoportable dosis de monotonía. Onetti ha sido el primero en saberlo. No alcanza, para estar en condiciones de proponer un mundo de ficción, con estar seguro (como lo está Onetti) del sinsentido de la vida humana. No alcanza con dominar la técnica y los resortes del oficio literario. La máxima sabiduría de este autor es haber reconocido, penetrantemente y desde el comienzo, esa limitación temática que a través de veintidós años habría de convertirse en rasgo propio.

Desde *El pozo* supo Onetti que su obra iba a ser un renovado, constante trazado de proposiciones acerca de la misma encerrona, del mismo círculo vicioso en que el hombre ha sido inexorablemente inscripto. En aquel primer relato figuraba una reveladora declaración: *"el amor es maravilloso y absurdo, e, incomprensiblemente, visita a cualquier clase de almas. Pero la gente absurda y maravillosa no abunda; y las que lo son, es por poco tiempo, en la primera juventud. Después comienzan a aceptar y se pierden"*. Virtualmente, todas las novelas que siguieron a *El pozo* son historias de seres que empezaron a aceptar y se perdieron, como si el autor creyese que en la raíz misma del ser humano estuviera la inevitabilidad de su autodestrucción, de su propio derrumbe.

Poco después de ese comienzo, Onetti tal vez haya intuido (o razonado, no importa) que había dos caminos para convertir su cosmovisión en inobjetable literatura.

El primero: la creación de un trozo de geografía imaginaria, que, aunque copioso en asideros reales, pudiera surtir de nombres, episodios y personajes, a todo su orbe novelístico, con el fin de que el tronco común y el intercambio de referencias (como sucedáneas de una más directa sustancia narrativa) sirvieran para estimular el mortecino núcleo original de sus historias. Una compilación codificada de todas las novelas de Onetti revelaría que aquí y allá se repiten nombres, se reanudan gestos, se sobreentienden pretéritos. Ningún lector de esta morosa saga podrá tener la cifra completa, podrá realizar la indagación decisiva, esclarecedora, si no recorre todas sus provincias de tiempo y de lugar, ya que ninguna de tales historias constituye un compartimiento estanco; siempre hay un nombre que se filtra, un pasado que gotea sin prisa, enranciando el presente, convirtiendo en viscosa la probable inocencia. Mediante esa correlación, Onetti construye una suerte de *enigma al revés*, de misterio preposterado, donde la incógnita —como en su maestro Faulkner— no es la solución sino el antecedente, no el desenlace sino su prehistoria. Esto es más importante de lo que pueda parecer a simple vista, porque no sólo revela una modalidad creadora de Onetti, sino que, en última instancia, también sirve para desemejarlo de Faulkner, su célebre, obligado precursor.

Es cierto que el novelista norteamericano (por ejemplo, en *Absalom, Absalom!)* perfora el tiempo a partir de una peripecia que se nos da desde el comienzo; es cierto asimismo que esa novela consiste en una inmersión en el pasado, gracias a la cual la anécdota se ilumina, adquiere sentido, recorre su propia fatalidad. Pero también es cierto que cada personaje de Faulkner posee una fatalidad distinta, particular, propia, mientras que en Onetti la fatalidad es genérica: siempre ha de conducir a la

135

misma condena. Todos los personajes de Faulkner —como ha anotado Claude-Edmonde Magny— han sido hechizados por el destino, pero todos tienen un destino diferente. De ahí que en Onetti resulte más coadyuvante aún que en Faulkner (y asimismo más funcional o inevitable) el recurso de desandar el pasado, de rastrear en él la aparente motivación, porque si el desenlace preestablecido (no por capricho, sino por legítima convicción de su autor) es *la condena*, entonces parece bastante explicable que a Onetti no le interese saber hacia dónde va el personaje (de todos modos, él ya lo sabe, y el lector también) sino de dónde viene, porque es en el pasado donde reside su única raigambre de misterio.

El otro camino entrevisto desde el comienzo por Onetti para convertir su obsesión en literatura, es el andamiaje técnico, el bordado estilístico. A medida que se fue acercando a esa novela-clave que, hasta la aparición de *El astillero*, fue considerada como su obra mayor (me refiero a *La vida breve)* su oficio literario se fue enrareciendo, fanatizando en el merodeo del detalle, en una vivisección vocabulista que provisoriamente lo acercó a algunas de las más influyentes y diseminadas manías de Jorge Luis Borges. Si las palabras de Jean Génet ("*la oscuridad es la cortesía del autor hacia el lector")* resultasen verdaderas, de inmediato Onetti pasaría a ser el más cortés de nuestros literatos.

Paradójicamente, ese barroquismo de la frase, de la imagen, de la adjetivación, no sirvió para ocultar los trucos, sino (ya fue reconocido ese aspecto en una reciente nota de Emir Rodríguez Monegal) para revelarlos. *La vida breve* no es tan sólo importante como novela de gran aliento, como obra ambiciosa parcialmente lograda, sino también, y principalmente, como medida de un indudable viraje de su autor, como punto y aparte de su trayectoria. Después de esa novela, y a partir de *Los adioses* (1954), Onetti pudo apearse de la complicación verbal, del puntillismo estilístico. No se bajó de golpe, claro, y es obvio que durante años ha venido extrañando el cambio. Ni *Los adioses* (1954) ni *Una tumba sin nombre* (1959) ni *La cara de la desgracia* (1960), alcanzan para mostrar a un escritor capaz de transitar la llaneza estilística con la misma seguridad que antes tuviera para lo complejo. Pero en *El astillero* (1961) Onetti se acerca a un equilibrio casi perfecto, a una economía artística que resulta algo milagrosa si se tiene en cuenta la ingrata materia humana que maneja, el ejercicio del asco en que prefiere inscribir su asentada, luctuosa sabiduría.

En apariencia, *El astillero* sigue un orden cronológico, una línea de trazado sinuoso pero de segura dirección; el barroquismo ha desaparecido casi totalmente de la adjetivación y el compás metafórico, provocando la imprevista consecuencia de que las pocas veces en que se hace presente (*"A través de los tablones mal pulidos, groseramente pintados de azul, Larsen contempló fragmentos rombales de la decadencia de la hora y del paisaje, vio la sombra que avanzaba como perseguida, el pastizal que se doblaba sin viento. Un olor húmedo, enfriado y profundo, un olor nocturno o para ojos cerrados, llegaba desde el estanque"*) ocasione un efecto de contraste, cree un lote de brillantes imágenes que se estaciona al borde de la sordidez y momentáneamente la reivindica. En *El astillero*, Onetti ha reservado la hondura y hasta la complejidad para el sentido último de la historia, que es, como en sus obras anteriores, la obligada aceptación de la incomunicación humana. Sólo en *El pozo* había usado Onetti un lenguaje tan obediente al interés narrativo, tan poco encandilado por el aislado destello verbal.

Muchos de los más exitosos gambitos literarios de

137

Onetti provienen de su habilidad para trasladar (transformándolo) un procedimiento heredado, para apoyar una técnica de segunda mano sobre bases de creación personal, por él inauguradas. Así como ha transformado el fatalismo sureño de Faulkner mediante el simple expediente de volverlo estático, incambiable; así como ha trasplantado el regusto de Céline por la bazofia, mediante el simple recurso de quitarle dinamismo e insuflarle un desaliento tanguero; así también ha conseguido renovar otros procederes y técnicas, exprimidos hasta el cansancio por varios lustros de influencias encadenadas. Por ejemplo: Onetti crea un ámbito fantasmagórico, irreal, sin recurrir a ninguna de las tutorías de la literatura fantástica; nada más que valiéndose de convenciones realistas, de diálogos creíbles, de seres aplastados, de monólogos interiores que sólo adolecen de la improbabilidad de estar demasiado bien escritos. Que con ese regodeo en lo vulgar, esa chatura cotidiana, esa impostación de lo probable, haya podido levantar un mugriento, húmedo, neblinoso, pero también alucinado alrededor, que a veces parece estar aguardando el paso de la Carreta Fantasma, debe ser acreditado a la maña concertadora de este escritor, a su capacidad de sugerir, más allá de los límites de su mero lenguaje literario.

Pero hay un traslado todavía más sutil. En *El astillero*, Onetti emplea una técnica que hasta ahora había sido monopolizada por los poetas. Un poeta suele partir de sobreentendidos; suele dar por obvios ciertos episodios que sólo él y su sombra (en algunos casos, tan sólo su sombra) conocen; suele referirse, en las entrelíneas, a esa propiedad privada, como si fuera *vox populi* y no *vox Dei*. Otros novelistas han precedido a Onetti en la adopción de ese truco, pero —desde Max Frisch hasta Lawrence Durrell— todos han sido víctimas del prejuicio de explicarse; siempre concluyen por brindar las claves que al principio trataron de escamotear. Onetti, en cambio, realizando también en su obra esa vocación de solitario (y, a veces, de prescindente) que lo ha mantenido tercamente al margen de grupos, revistas, compromisos y manifiestos, siempre se guarda algún naipe en la manga, la baraja que en definitiva no va a ceder a nadie, esa que seguramente romperá en pedazos, en estricta soledad, ni siquiera frente al espejo. Detrás de los sobreentendidos, el lector vislumbra la presencia de un creador que no quiere darse nunca por entero, que cree en esa última, inútil reserva, como si allí pudiera concentrarse y justificarse un magro desquite contra ese sinsentido de la vida que constituye su obsesión más firme, su pánico más sereno y sobrecogedor.

En las líneas generales, en la esfumada superficie, *El astillero* es increíblemente simple: sólo la fantasmal empresa de un tal Petrus, sólo un astillero situado junto a la conocida Santa María, que Brausen había definido en *La vida breve* como *una pequeña ciudad colocada entre un río y una colonia de labradores suizos;* un astillero ruinoso que no tiene ni trabajo ni obreros ni clientes, sólo un Gerente Técnico y un Gerente Administrativo, que llevan sin embargo planillas e improvisan el cobro extraoficial de sus gajes mediante la malbaratada venta de antiguos materiales. A ese anexo santamariano llega Junta Larsen (el mismo Larsen que había aparecido en las primeras páginas de *Tierra de nadie*, el mismo Junta del penúltimo capítulo de *La vida breve*), Larsen el proscripto, el gordo, cínico cincuentón que, junto a sus agrias composiciones de lugar, todavía conserva una última disponibilidad. Está condenado, claro, porque es de Onetti; admitámoslo de una buena vez para que no nos siga exasperando. Pero antes de alcanzar su condena, antes

139

de tragarla como una hostia, como un indigesto espíritu santo, Larsen deberá recorrer su periplo, deberá sorprenderse frente a Kunz y Gálvez (los gerentes de biógrafo), besar la frente perdida de Petrus, rehusar la comunicación con la mujer de Gálvez, intentar la seducción de la semitarada Angélica Inés, pero deberá también acostarse con Josefina, la sirvienta, o sea la mujer genérica, universal, usada.

Con el abandono del barroquismo, con la consciente sobriedad de *esta aventura de este hombre* llamado Larsen, ha quedado en evidencia un Onetti que hasta ahora sólo había sido intuido, adivinado, a través de promesas, símbolos, fisuras. En *Para esta noche* escribió Onetti unas palabras introductorias que definían aquella novela como *un cínico intento de liberación. El astillero,* ¿será algo de eso? En opinión de Díaz Grey (ese comodín de Onetti que a veces es él mismo, otras veces es sólo Díaz Grey, y otras más es alguien tan impersonal que resulta Nadie), Larsen puede ser definido así: *"Este hombre que vivió los últimos treinta años del dinero sucio que le daban con gusto mujeres sucias, que atinó a defenderse de la vida sustituyéndola por una traición, sin origen, de dureza y coraje; que creyó de una manera y ahora sigue creyendo de otra, que no nació para morir sino para ganar e imponerse, que en este mismo momento se está imaginando la vida como un territorio infinito y sin tiempo en el que es forzoso avanzar y sacar ventajas".* Antes, en *La vida breve,* Junta Larsen había tenido *"una nariz delgada y curva y era como si su juventud se hubiera conservado en ella, en su audacia, en la expresión imperiosa que la nariz agregaba a la cara".* Y más lejos aún, en *Tierra de nadie,* Larsen había avanzado, *"bajo y redondo, las manos en el sobretodo oscuro",* o había estado esperando, *"gordo y cínico".* Sí,

Larsen fue desde siempre, desde su origen literario, un cínico, pero cuando arriba al Astillero ya está gastado, maltratado, pobre, tan débil y doblado que se resigna a la fe, una fe crepuscular, deshilachada ("*entonces, con lentitud y prudencia Larsen comenzó a aceptar que era posible compartir la ilusoria gerencia de Petrus, Sociedad Anónima, con otras formas de la mentira que se había propuesto no volver a frecuentar*"); es un Larsen que ha perdido dinamismo y capacidad de menosprecio, que ha perdido sobre todo la monolítica entereza de lo sórdido, que se ha dejado seducir por una postrera, tímida confianza. No importa que el pretexto de esa confianza esté tan sucio y corrompido como el imposible futuro próspero del Astillero; al igual que esos ateos inverecundos que en el último abrir de ojos invocan a Dios, Larsen (que no usa seguramente a Dios) en su última arremetida tiene la flaqueza de alimentar en sí mismo una esperanza.

Por eso, si bien *El astillero* es también, como *Para esta noche*, un intento de liberación, no es empero un cínico intento. Larsen ha sido tocado por algo parecido a la piedad, ya que el autor no puede esta vez ocultar una vieja comprensión, una tierna solidaridad hacia este congénito vencido, hacia este vocacional de la derrota. Pasando por encima de todos los cínicos, de todos los pelmas, de todos los miserables, que pueblan el mundo de Onetti novelista, el personaje Larsen tiende un cabo a su colega Eladio Linacero, que en *El pozo* había formulado una profecía con apariencia de deseo: "*Me gustaría escribir la historia de un alma, de ella sola, sin los sucesos en que tuvo que mezclarse, queriendo o no*". Onetti ha ejecutado ahora aquel deseo de una de sus criaturas. Aquí está escrita la historia del alma Larsen; y hasta ha sido escrita *sin* los sucesos (sencillamente porque no hay sucesos).

También aparece con mayor claridad (debido tal vez a que, sin barroquismo, todo se vuelve más claro) que Larsen, más definidamente aún que Linacero, o que el Aránzuru de *Tierra de nadie*, o que el Ossorio de *Para esta noche*, o que el Blanes de *Sueño realizado*, no es una figura aislada, un individuo, sino El Hombre. En un reciente artículo, Ángel Rama señalaba la vertiente simbólica, pero es posible ampliar el hallazgo. Onetti va de lo particular (Larsen) a lo general (El Hombre) pero después regresa a lo particular, y El Hombre pasa a ser además *todo hombre*, cada hombre, Onetti incluido. En el castigo que, desde antiguo Onetti viene infligiendo a sus personajes, hay algo de sadismo, pero al cerrarse el circuito Larsen-El Hombre-Onetti, el viento ya ha cambiado la dirección del castigo y éste pasa a llamarse autoflagelación. Una autoflagelación que también tiene cabida en el obsesivo tratamiento de la virginidad, de la adolescencia.

Allí ha estado, para muchos personajes de Onetti, la única posibilidad de pureza, de última verdad. En *El astillero*, el creador castiga triplemente a Larsen: la virgen (Angélica Inés) que a los quince años "se había desmayado en un almuerzo porque descubrió un gusano en una pera", tiene alguna anormalidad mental ("está loca", dice Díaz Grey, "pero es muy posible que no llegue a estar más loca que ahora"); la mujer de Gálvez, que representa para Larsen la única posibilidad de comunicación, aparece ante sus ojos corrompida, primero por el embarazo, luego por el alumbramiento, volviéndose por lo tanto inalcanzable; sólo Josefina es asequible, pero Josefina es la mujer de siempre, su igual, hecha de medida no ya para la comunicación, sino para que él tenga conciencia de que se halla "en el centro de la perfecta soledad". Por eso es triple el castigo: la virginidad (Angélica Inés) está desbaratada por la locura, la comprensión (mujer de Gálvez) está vencida por el alumbramiento, la posesión (Josefina) está arruinada por la incomunicación.

Entonces uno se da cuenta de que esta suerte de odio del creador hacia sí mismo (o quizá sea más adecuado llamarle inconformidad) fue más bien una constante a través de los nueve libros y los veintidós años; sólo que estuvo hábilmente camuflada por un verbalismo agobiador, por una visión de lupa que al lector le mostraba el poro aunque le hurtaba el rostro. Fue necesario llegar a *El astillero* para encontrar un Onetti que empuña por primera vez una segura franqueza (¿brutal? ¿químicamente pura?), un Onetti que por primera vez supera, al comprenderlo, al transformarlo en arte, ese sentimiento de autodestrucción y de castigo, un Onetti que por fin se inclina sobre ese Larsen que (para él) es todos nosotros, y es también él mismo, a fin de sentirlo "respirar con lágrimas".

¿Aventura del hombre? Por supuesto que sí. Pero sobre todo la aventura del hombre Onetti, que a través de los años y de los libros ha venido afinando artísticamente su actitud solitaria, corroída, melancólica, deshecha, hasta convertirla en este sobrio diagnóstico de derrota total que es *El astillero*, hasta reivindicarla en una depurada y consciente piedad hacia ese ser humano, que para Onetti es siempre el derrotado. Ni el abandonado Astillero sirve ya para reparar barco alguno, ni el abandonado individuo sirve ya para reparar ninguna de las viejas confianzas. Pero en mi ejemplar de *El astillero*, allá en la página 77, quedó subrayado sin embargo un amago de escapatoria, un sucedáneo de la esperanza:

143

"*Lo único que queda para hacer es precisamente eso: cualquier cosa, hacer una cosa detrás de otra, sin interés, sin sentido, como si otro (o mejor otros, un amo para cada acto) le pagara a uno para hacerlas y uno se limitara a cumplir en la mejor forma posible, despreocupado del resultado final de lo que hace. Una cosa y otra y otra cosa, ajenas, sin que importe que salgan bien o mal, sin que no importe qué quieren decir. Siempre fue así: es mejor que tocar madera o hacerse bendecir; cuando la desgracia se entera de que es inútil, empieza a secarse, se desprende y cae*". Ahora que Onetti, con *El astillero*, ha cumplido en la mejor forma posible, esperamos que su anuncio tenga fuerza de ley; esperamos que en la lobreguez de su vasto mundo de ficción, la desgracia se entere de que es inútil, y empiece a secarse, y se desprenda, y caiga.

III

Después de leídos y releídos los doce libros de Juan Carlos Onetti, uno tiene la impresión de que en algún día (o año incompleto, o simple temporada) del pasado, este autor debe haber concebido no sólo la idea de una Santa María promedial y semi inventada, sino también la historia total de ese enquistado mundo, con los respectivos pobladores y el correspondiente tránsito de anécdotas. Uno tiene la impresión de que únicamente después de haber creado, distribuido, correlacionado y fichado, ese universo propio, Onetti pudo empezar calmosamente a escribir su saga. Sólo a partir de una organización y un orden casi fanáticos, es posible admitir la increíble capacidad del narrador para hacer que sus novelas se crucen, se complementen, y hasta recíprocamente se justifiquen. Sólo a partir de esa trama general, concertada y precisa hasta límites exasperantes, es posible comprender que la historia narrada en *Juntacadáveres* (1964) ya estuviera bosquejada en una novela de 1959, *Una tumba sin nombre* (págs. 29 a 31); que, en *El astillero* (1961) la peripecia que ahora es desarrollada en *Juntacadáveres* significara un mero episodio en el pasado del protagonista; que el cuento *El álbum*, incluido en *El infierno tan temido* (1962), estuviera atravesado por varios personajes que reaparecen en la novela más reciente; y, sobre todo, que en el penúltimo capítulo de *La vida breve* (1950) ya apareciera, como un misterioso diálogo marginal, la misma conversación que, quince años más tarde, sirve de cierre a *Juntacadáveres*. Recomiendo al lector un tranquilo cotejo de estos dos diálogos. Se verá que algunas frases son textualmente reproducidas; otras en cambio, reaparecen con una leve variante, como si el autor hubiera querido dejar constancia de la inevitable erosión que, de recuerdo en recuerdo, soportan los palabras.

Páginas atrás destaqué, con referencia al cuento *Mascarada*, cierta condición de adelantado de la novela objetiva que podría ser reclamada para Onetti. Pero ahora veo más claramente otro rasgo afín. Piénsese que una de las novedades introducidas por Robbe-Grillet *(Le voyeur)* o Michel Butor *(L'emploi du temps)* fue la omisión de un hecho fundamental dentro de la minuciosa construcción de una novela. Pues bien, Onetti se ha pasado *omitiendo* hechos importantes, pero en vez de confiarlos eternamente a la vocación remendadora del lector cómplice, con tales elusiones ha escrito nuevas novelas, en las cuales por supuesto también hay sectores omitidos (algunos de ellos ya desarrollados en novelas anteriores; otros, a desarrollar probablemente en novelas futuras).

Presumo que, para algún erudito de 1990, representará una desafiante tentación el relevamiento de un índice codificado que incluya todos los personajes onettianos, sus cruces y relaciones, así como las anécdotas de cada novela que aparecen imbricadas en las demás.

Pese a todos los presupuestos (mundo único, encerrona del hombre, derrota total) que el lector de Onetti está dispuesto a admitir y reconocer en su obra, *Juntacadáveres* significa un viraje, aun cuando, de una primera y apresurada lectura, pueda inferirse una confirmación de aquellos presupuestos. Si *El astillero* era una historia virtualmente despojada de sucesos, *Juntacadáveres* en cambio es una historia con sucesos. Larsen (el personaje que hiciera, creo, su primera aparición en *Tierra de nadie)* ahora abre y regentea un prostíbulo en Santa María, pero la fructuosa empresa es sólo un pretexto para enfrentar al farmacéutico y concejal Barthé con el histriónico cura Bergner. Como consecuencia de la despiadada pugna, el único derrotado es Larsen, cuyo apodo Juntacadáveres recaba su origen de una demostrada capacidad para conseguir que *gordas cincuentonas y viejas huesosas* "trabajen" para él. Pero esa historia, primariamente sórdida, se entrelaza con otra: la de Jorge Malabia (ya incorporado al mundo de Onetti en *Una tumba sin nombre* y en *El álbum),* extrañamente atraído por Julita, la viuda de su hermano que cada día inventa una puesta en escena distinta para su obsesión cardinal. La relación, entre tierna y monstruosa, que mantienen el lúcido adolescente y la cuñada loca, se convierte (no sé si en cumplimiento de la voluntad del autor, o a pesar de ella) en el centro narrativo de la novela. El problema del prostíbulo, la consiguiente lucha entre el cura y el boticario, el malón de tóxicos anónimos que va socavando las paces conyugales del pueblo, la ambigua intervención de Marcos (hermano de Julita) en contra y en pro de Larsen, la infaltable presencia del testigo Díaz Grey, la relación de éste con el fidelísimo Vázquez (otro conocido de relatos anteriores); todo eso pasa a un plano secundario, aunque, eso sí, descrito con gran habilidad formal y riqueza de lenguaje. El paseo por la ciudad, que las prostitutas Nelly e Irene llevan cabo en su lunes de asueto; las meditaciones de Díaz Grey sobre la tentación del suicidio y la teoría del miedo; la descripción del demagógico silencio del cura; el texto mismo de los anónimos (conviene transcribir esta obrita maestra de la ponzoña: *"Tu novio, Juan Carlos Pintos, estuvo el sábado de noche en la casa de la costa. Impuro y muy posiblemente ya enfermo fue a visitarte el domingo, almorzó en tu casa y te llevó a ti y a tu madre, al cine. ¿Te habrá besado? ¿Habrá tocado la mano de tu madre, el pan de tu mesa? Tendrás hijos raquíticos, ciegos y cubiertos de llagas y tú misma no podrás escapar al contagio de esas horribles enfermedades. Pero otras desgracias, mucho antes, afligirán a los tuyos, inocentes de culpa. Piensa en esto y busca la inspiración salvadora en la oración"*), son muestras de un asombroso dominio del oficio, incluidos los efectos puros y los impuros. No obstante, aun justificado con esa pericia, el tema del prostíbulo no puede competir con el episodio del adolescente y la loca, acaso como decisiva prueba de que los *cadáveres* metafóricos juntados por el veterano Larsen, nada tienen que hacer frente al cadáver de carne, de locura y de hueso, comprendido y querido por Jorge Malabia, ese neófito del destino que en la última página pronuncia una obscenidad, como absurda (y sin embargo pertinente) manera de reencontrarse con la dulzura, la piedad, la alegría, y también como única forma de abroquelarse contra el mundo normal y astuto que lo está esperando más allá del final. En la obra de Onetti, Julita puede ser considerada una más de las formas de pureza (un concepto que, en éste y otros casos, el autor no vacila en asimilar a la locura), extinguidas, o quizá salvaguardadas, en última instancia por la muerte. Pero ésta es acaso la primera vez en que semejante rescate por distorsión no deja como secuela la fatalizada actitud del "hombre sin fe ni interés por su destino". En este libro reciente, Onetti pone en boca de Jorge Malabia la misma palabrota que pronunciara Eladio Linacero en la primera de sus novelas. Sin embargo, y pese a la persistente influencia de Pierre Cambronne, hay una visible distancia entre una y otra actitud. El antiguo protagonista, después del exabrupto, sigue diciendo: "*y ahora estamos ciegos en la noche, atentos y sin comprender*". Jorge Malabia, en cambio, inmediatamente después de haberlo pronunciado, se baja del insulto cosmoclasta para acceder a la comprensión, a la cifra de un mundo por fin aprendido.

La verdad es que, de todos modos, para el lector y el crítico de Onetti, *Juntacadáveres* cumple una función despistadora. Por lo pronto, me atrevería a decir que esta novela es mucho más entretenida que cualesquiera anteriores. Presumo que el lector se estará preguntando si esto es elogio o es diatriba. La verdad es que frecuentemente se confunde fluidez narrativa con frivolidad, y viceversa; no falta quien considere el tedio estilístico como cuasi sinónimo de la hondura. *Juntacadáveres* es entretenida, y no me parece justo reprocharle esa cualidad. Claro que no se trata del magistral despojo, de la impecable concepción de *El astillero*; seguramente *Juntacadáveres* no llega al nivel de esa obra mayor. Conviene recordar, sin embargo, que *El astillero* es la culminación de un largo recorrido, y por lo tanto Onetti pudo volcar en ese libro lo más depurado de su oficio, los más insobornables de sus descreimientos, lo más profundo de su corroída sapiencia. Pero *Juntacadáveres* es otra cosa, otro camino tal vez, otra actitud.

Angel Rama ha señalado con razón que "no es casual que la mayoría de las obras de Onetti transcurran en lugares cerrados y en horas nocturnas, ni es extraño que sean escasas las referencias al paisaje natural, el cual tiende a manifestarse surrealísticamente en estado de descomposición alucinatoria". Pero ¿se ha fijado alguien en el paisaje, en el aire libre de esta nueva novela? Compárese el alucinado, pero también neblinoso y sucio alrededor, de *El astillero*, con esta descripción insólitamente aireada, incluida en la nueva novela: "*El olor de los jazmines invadió a Santa María con su excitación sin objeto, con sus evocaciones apócrifas; fue llegando diariamente, como una baja y larga ola blanca...*", y luego: "*Noviembre se llenó de asombros triviales por el exceso de jazmines y en su mitad fue un noviembre normal, reconocible, con precios y cifras de las cosechas, con renovadas discusiones sobre puentes, caminos y tarifas de transportes, con noticias de casamientos y muertes*" Tengo la impresión de que tanto la cualidad amena como el enriquecimiento del alrededor, responden a un cambio sustancial en la actitud de Onetti. Una transformación que no es tan visible, porque el tema elegido (la instalación del prostíbulo, frente al plúmbeo puritanismo, frente a la hipocresía provinciana) lleva implícitas tan sórdidas connotaciones, que el lector ingresa en la novela esperando la agotada cosmovisión de siempre. No la halla, al menos como gesto totalizador, y el chasco puede automáticamente convertirse en desconfianza, como si la (todavía tímida) vitalidad que respira la novela, fuera una suerte de traición a la ya veterana complicidad del lector, a su demostrada baquía en los meandros del

149

mundo onettiano. Reconozco que *Juntacadáveres* es una novela desigual, que aquí y allá deja personajes y cabos sueltos, con zonas varias de decaimiento literario; pese a ello, no puedo avalar el diagnóstico negativo emitido por otros críticos. Después de *El astillero* y su veta gloriosamente agotada, la reciente novela me parece una nueva apertura que puede deparar formidables sorpresas. Hasta *El astillero* inclusive, tuve la impresión de asistir, como lector, a un proceso (notablemente descrito) de deterioro. Pero ahora, frente a *Juntacadáveres*, me parece reconocer un Onetti renovado. Como si después de la madurez, no fueran obligatorios el desgaste, la corrosión. Todo pronóstico parece aún prematuro, pero *Juntacadáveres*, con su estrenada y prometedora inmadurez, podría ser también un punto de partida, el comienzo de un buen talante creador. Sin abandonar los temas y los ambientes que desde siempre lo obseden, sin reconciliarse con el absurdo llamado destino, sin exiliarse de sus viejos pánicos, Onetti parece haber trazado dos rayas sobrias y conclusivas debajo de la suma de sus consternaciones, para abrir de inmediato una cuenta nueva, una revisada disposición del ánimo. En *Juntacadáveres* hay, como siempre, seres fatigados, prostituidos, deshechos; pero lo nuevo es cierta tensión vital, cierta capacidad de recuperación, cierto impulso hacia adelante y hacia arriba. No es mucho, pero acaso *Juntacadáveres* sea el primer desprendimiento de la desgracia. Por algo vuelven al diálogo los temas políticos, las nomenclaturas sociales, que no aparecían desde las novelas de la primera época.

La recorrida curiosa, ingenua, biendispuesta, de Nelly e Irene; la sólida capacidad de comunicación de María Bonita; el duro aprendizaje del amor que realiza Jorge Malabia; la plebeya lucidez de Rita; sirven para

150

verificar que Onetti ha escapado, o está escapando, a la tentación del circular y obsesivo regodeo en la fatalidad. "*Volvió a sentir*", dice el autor refiriéndose a Díaz Grey, "*con tanta intensidad como cinco años atrás, pero con una cariñosa curiosidad que no había conocido antes, la tentación del suicidio*". Esa puede ser también la actitud del actual Onetti, ya no frente al suicidio sino frente a lo fatal: una cariñosa curiosidad. Pero la curiosidad y el cariño no forman parte de la muerte sino de la vida. Y eso se nota. Santa María y sus hechos no han variado en su aspecto exterior. No obstante, cabe recordar, como fue dicho en *El pozo*, que "*los hechos son siempre vacíos, son recipientes que tomarán la forma del sentimiento que los llene*". Eso es lo que ha variado: el sentimiento. Y es de esperar que el cambio ayude a Onetti a convertir su vieja derrota metafísica en una nueva victoria de su arte.

(1951-1965)

l. s. garini y su mundo entre comillas

El escritor que se esconde bajo el semiseudónimo L. S. Garini, nació en el departamento de Soriano, fue estudiante de abogacía y arquitectura, residió dos años en Francia y tiene escritas cuatro series de relatos, pero *Una forma de la desventura* (1963) es su primer libro. No obstante, Garini no pertenece a la promoción de jóvenes narradores aparecidos a partir de 1960, y en realidad es algunos años mayor que los escritores del 45.

Una forma de la desventura junta quince relatos, algunos de ellos brevísimos. Cuesta bastante acostumbrarse a la rara mezcla de estilo despojado y sensación de pesadilla, que singulariza los relatos de Garini. "*A él no le importaban ni esas leyes, ni ese orden*", escribe en pág. 46. "*A él le importaba su propio orden, el de su casa con su gato y sus costumbres; y estaba dispuesto a defender ese orden suyo, particular*". También Garini, como autor, tiene su orden particular y está dispuesto a defenderlo.

La principal dificultad radica en que son escasos los datos que el lector recibe para sacar sus propias cuentas, para formular su propia interpretación, para saber realmente qué es lo que está pasando. No faltan datos, en cambio, para quienes tienen la obsesión de pasarlo todo por el filtro del psicoanálisis. Es seguro que, para éstos, el libro de Garini (con su atmósfera onírica, bien provista de gotas de sangre, lechos, redes, carnes rojizas, aves de patas gruesas, gatos, caballos, mechones de pelo y otras tantas contraseñas de simbología erótica) ha de ser un manjar de los dioses. Sin embargo ni aun con el falible socorro del psicoanálisis, es posible introducirse verdaderamente en las últimas intenciones de estos cuentos oscuros. Se intuye que, por debajo de la palmaria simbología, de cierta cáscara verbal casi impenetrable, de una precisión obsesiva e implacable para describir los objetos (convertidos a menudo en presencias casi monstruosas), existe una actitud única, cuya esencia permanece en el misterio.

Existe en Garini una curiosa mezcla de afán de narrar y designio de ocultar, como si la presencia inevitable del lector fuera para él estímulo a la vez que estorbo. Uno se explica que *Una forma de la desventura* haya sido precedida por tres series de relatos inéditos, ya que Garini parece sobre todo escribir para sí mismo. O quizá algo más insólito aún: escribir para sus personajes. Entre el autor y los personajes, hay seguramente un lenguaje en cifra, una complicidad destinada a que el lector quede poco menos que al margen.

Claro que, en tanto que el lector puede quedar afuera sin remordimientos, el crítico en cambio debe esforzarse por hallar y emplear su propia ganzúa. Hay en los cuentos de Garini tres o cuatro rasgos que permiten otras tantas aproximaciones. Uno de ellos es su predilección por los etcéteras. *Tendría que volver, etc.*, es el título de uno de los cuentos. Otro de los relatos, precisamente el que da título al volumen, termina con la palabra *etcétera*. Pero, además, ésta aparece constantemente en el libro, aun en los sitios más inesperados y chocantes. Otra constante del autor son las comillas, usadas aquí (además del empleo funcional en los diálogos) para destacar o apartar palabras, y a veces para desprestigiarlas, para desmontarlas de su significado ortodoxo. Por último, todos los relatos están escritos en tercera persona. (La excepción sería *El accidente o la libertad*, pero aun ésta es una versión crítica y, en definitiva, exterior.)

El empleo abusivo de los *etcéteras*, parecería indicar por lo menos dos cosas. Por un lado, cierta convicción (tal vez heredada de Borges) de que en algún instante, en algún sitio, en algún punto, todo vuelve a empezar, a reiniciarse. En ese mundo de recurrencias, cada *etcétera* sería así la mera indicación de que comienza un nuevo ciclo. Pero hay otra interpretación posible. Llega un instante en que el escritor se vuelve escéptico con respecto a la eficacia, a la profunda validez de la palabra, y entonces corta repentinamente el hilo verbal. En este último sentido, cada *etcétera* sería simplemente un tijeretazo, un *no va más*. En esos momentos, Garini parece formularse una doble pregunta: ¿A qué seguir, si de todos modos el lector no entiende? ¿A qué seguir, si no me importa que el lector entienda? Y el etcétera es la respuesta simple a la pregunta doble.

Más importante, a los efectos de obtener algún dato, parece el otro empleo abusivo: el de las comillas. Por medio de ese inocente signo ortográfico, Garini logra poner distancia entre sus personajes y el resto del mundo. Seres y cosas no aparecen con su real aspecto, sino distorsionados, entre comillas. Para el protagonista de *La forma nueva*, por ejemplo, la ciudad es sólo la "ciudad"; el de *Los papeles* proyecta quejarse, no a las autoridades sino a las "autoridades"; en el último relato, el hombre del caballo (sin comillas) no se enfrenta a un señor, sino a un "señor". Los personajes de Garini están tan encerrados en sí mismos, tan encarnizadamente solos, que ven el resto del mundo como a través de un vidrio esmerilado; no ven exactamente la realidad tal cual es, sino una "realidad" confusa y desprestigiada *(El objeto desprestigiado* es, precisamente, el título de uno de los cuentos), una realidad que por lo general lleva descuentos e impurezas. Acaso Garini utilice la carga peyorativa de las comillas para dar a entender que es apenas una parodia de realidad la que adviene a sus cuentos; pero también puede ser que, al poner virtualmente al mundo entre comillas, quiera simplemente llamar la atención sobre su condición subsidiaria, sometida, lamentable parodia de algo que no existe. Frente a nosotros no está el Mundo sino el "mundo", presencia mediocre, anodina, sin sentido. Por algo se habla en los cuentos, de un ex-caballo, de una ex-casa, que es otro modo de decir que se trata de una realidad que ha dejado de ser tal, para reducirse a una bastarda "realidad" entre comillas.

En cuanto al último rasgo (el relato en tercera persona) común a tantos narradores, en Garini parece tener un significado anexo. En rigor, es otra manera de dejarlo solo al personaje, de no estorbarlo. El autor no le concede al lector la mínima ventaja; por lo tanto, renuncia a colocarse él mismo dentro del personaje, desiste de contarle lo que el personaje piensa o cavila. Un lector apresurado puede creer que no es así, ya que en algunas ocasiones el autor da a entender que está registrando los *pensamientos* de su personaje. Adviértase, sin embargo, que esos aparentes pensamientos son sencillas aprehensiones de objetos, o, para colmo, de objetos deformados. De ese modo, la realidad pasa por dos filtros: primero la distorsión en el tránsito objeto- perso-

155

naje, y luego, el distanciamiento (en un sentido no demasiado distinto de la teoría de Brecht) en la relación personaje-autor.

Aunque *Una forma de la desventura* es algo así como un Felisberto Hernández sin picardía y por lo tanto más opaco y hasta monótono, los relatos de Garini tienen un impulso y un modo personales, una mezcla de vigilia y pesadilla, que les confieren un sello muy particular. No obstante, la empresa que se propone el autor es tan árida y tan ardua, que el libro no alcanza a ser una obra literariamente satisfactoria. El mejor nivel está dado posiblemente en cuentos como *La lucha* (muestra fascinante de una dinámica del asco) o *El accidente* o *la libertad*, donde el autor llega a dar un impulso lírico a la frustración y a la derrota. Pero en la mayor parte de los relatos, y particularmente en los tres que clausuran el volumen, la cuota de misterio se vuelve gratuita y uno tiene la impresión de que al autor se le fue la mano en el desinterés.

Para ser un arranque tan inclemente y negativo, quizá le falte a esta serie de relatos una más espeluznante agresividad, un odio más indeclinable, un horror más puro, y sobre todo una más clara enunciación de su impertérrita iracundia. El lector, ya que está obligado a quedarse afuera, quiere de todos modos conseguir algún dato-clave que le permita imaginar si le hubiera gustado estar adentro. Tal como ahora existe, el libro es la obra de alguien que ve con claridad su propio caos, su propio conflicto, sus propios reflejos sensibles, pero que no puede (o más probablemente no quiere) usar esa lucidez para ayudar a que otra mirada, curiosa y ajena, llegue a entender los verdaderos términos de ese conflicto y esa sensibilidad; negativa a la que, en última instancia, el escritor tiene pleno derecho, y que si bien puede llegar a ser otra forma de la desventura, sirve para otorgar al libro una cualidad autodefensiva que lo convierte, de buenas a primeras, en un testimonio dramáticamente personal.

(1964)

operación rescate de un montevideo perdido

En menos de un año han aparecido dos novelas uruguayas (*La ventana interior*, de Asdrúbal Salsamendi, y *La casa de los cincuenta mil hermanos*, de Roberto Fabregat Cúneo) que enfocan aproximadamente la misma época de Montevideo. Para quienes a veces se quejan de la uniformidad de nuestra vida ciudadana, vale la pena recomendar la lectura de estos dos libros, vecinos en tiempo y lugar, pero distantes en impulso y anécdota. Detrás de la uniforme fachada, hay mundos impensados, rostros insospechables. Pero son todos esos rostros los que forman una ciudad en cualquiera de sus instantes.

Fabregat Cúneo no es un recién llegado a la literatura, aunque lectores de última hora puedan creer que su trayectoria empezó con *Metro* (1962). En realidad, hace más de treinta años que Fabregat Cúneo viene entregando una obra ensayística y literaria, que incluye títulos como *Investigaciones de Lógica Social* (1943(, *La dialéctica del conocimiento* (1944), *Filosofía de la propaganda* (1946), *Caracteres sudamericanos* (1950) y *Propaganda y sociedad* (1961), en el género ensayo; las obras teatrales *La dama del retrato* (estrenada en 1950 en Buenos Aires), *Como por arte de magia* (estrenada ese mismo año por la Comedia Nacional de Montevideo), *Luces de cine* y *La verdad llega de noche* (editadas en 1952); y, en géneros más específicamente literarios, *Wavell* (1936), *Los encuentros de Andrés* (1947) y el ya mencionado *Metro* (1962). La vocación de Fabregat ha estado preferentemente canalizada hacia el ensayo sociológico, pero en los últimos años este escritor parece sentirse más cómodo en la narrativa.

Metro es un relato fantástico de indudable calidad. Menos artístico que el mejor Felisberto Hernández, más áspero en sus recursos humorísticos, el libro de Fabregat Cúneo tiene sin embargo un ritmo inventivo, una nerviosa sucesión de absurdos, que en cierto modo lo sitúan más cerca de los creadores anglosajones de *science-fiction* que de los autores ya clásicos en la fantasía literaria. En ese libro, el mejor hallazgo de Fabregat Cúneo fue haber dado con un punto sutilmente equidistante del sueño y la vigilia, de la alucinación y la realidad, y sobre todo haber creado, a partir de ese punto, una ficción francamente entretenida.

Hay una diferencia sencilla, pero capital, entre *Metro* y *La casa de los cincuenta mil hermanos*. Mientras que la primera funcionaba como un ejercicio de alucinada invención, en el que si bien los distintos elementos parecían reales, lo fantástico estaba representado por su relación mutua (algo así como una realidad que padeciera un desenfoque y basara en él toda su sorpresa), en *La casa de los cincuenta mil hermanos* existe una comarca real, que es a la vez lo suficientemente extraña, pintoresca e inusitada, como para que el autor pueda transformarla en literatura sin necesidad de solicitar grandes préstamos a su imaginación. Es la región de los seguidores de diversas filosofías de Oriente (vasta denominación en la que caben innumerables variantes de teosofía, naturismo, ocultismo, espiritismo, superpsiquismo, clarividencia, mediumnidad, etc.) que entre los años veinte y treinta congregaron en Montevideo el disponible interés de mucha gente inconforme, escrutadora, inquieta, o simplemente curiosa, novelera, snob.

Desde el prólogo, Fabregat advierte que ha mantenido, hasta donde le fue posible, el criterio de la fidelidad. *"Cuando se parte de una base cierta resultan innecesarios artificios y ficciones. No hay fábula que supere en interés la más tímida verdad de lo visto y lo vivido. Lo sucedido es la mejor de las novelas, como la historia es el más sorprendente de los relatos, inigualable en sus efectismos y contrapuntos".* Es ésta, por cierto, una opinión bastante discutible, pero cuando Fabregat Cúneo reduce su vigencia (*"Un autor que entrase a temas de misterio y seudo-misterio para fantasear a su vez, haría evaporar su particularísima y esquiva esencia"*) a la franja que específicamente le interesa, refuerza considerablemente la viabilidad de su teoría. La innegable atracción de *La casa de los cincuenta mil hermanos* se asienta precisamente en su constante credibilidad, en su fluidez testimonial. El autor aprovecha su segura versación en estos tópicos, pero sobre todo su innegable conocimiento del material humano, para construir un relato en que la anécdota es rescatada sin necesidad de intermediarios. Fabregat Cúneo ha procedido con infalible intuición al verter esa experiencia en un estilo directo, despojado, sin vericuetos literarios. Sólo en un pasaje construye un episodio que, real o inventado, suena a mera literatura. Es sólo un amago de idilio, pero alcanza para que, en esas pocas páginas, el relato pierda transitoriamente su interés: la verdad es que una noviecita no puede competir con el Más Allá.

Es curioso que en ese capítulo, tal vez el más débil, el autor trate aparentemente de ajustar la narración a un protagonista. El resto de la novela tiene un rostro colectivo: es algo así como el género humano (o mejor dicho, los hombres y mujeres de un lugar preciso, en una época concreta) que se arrima, con temor y esperanza, al misterio y la explicación de su propia existencia. Es entonces que la novela funciona mejor y adquiere su más adecuado clima de tensión y de asombros, su insólito recuento del Más Allá.

Como ningún otro de sus libros anteriores, *La casa de los cincuenta mil hermanos* muestra que en Fabregat Cúneo hay siempre disponible un travieso sentido del humor. Pero aquí también el autor revela una actitud autocrítica. El tema se prestaba para los más fáciles sarcasmos, para la burla despiadada. Pero Fabregat no cae en la tentación, y, gracias a esa austeridad, salva su libro. Aquí y allá el humor hace su aparición: en un adjetivo estratégico, en ironías casi imperceptibles, en el rápido trazo de un rasgo físico. Pero el tono general es de simpatía, como si el autor mirara por sobre el rasgo más o menos ridículo, hasta encontrar y registrar la comprensible curiosidad, la patética expectación frente a lo desconocido.

En este mismo 1963 que es también el año nonagésimo segundo de la era proustiana, otro uruguayo ha salido públicamente en busca de su Montevideo perdido. Se trata de Asdrúbal Salsamendi (nacido en Montevideo "al iniciarse la primera postguerra"; locutor de la BBC durante la guerra mundial N.º 2; actual funcionario de Naciones Unidas) y su búsqueda se llama *La ventana interior*. A diferencia de otros narradores uruguayos de su promoción, Salsamendi no ha usado los recuerdos de infancia y adolescencia para incorporarlos, más o menos transfigurados, a una estructura deliberadamente novelesca. Tal vez el único libro que podría soportar un fugaz cotejo con *La ventana interior* sería *Recuerdos de Treinta y Tres*, de Julio C. da Rosa [1]; no obstante, aunque las intenciones confesadamente autobiográficas y las épocas evocadas, coinciden, difieren en cambio los respectivos paisajes, hábitos y prejuicios.

Salsamendi les lleva a sus lectores montevideanos una apreciable ventaja-desventaja: desde hace veinte años vive en el extranjero. De modo que, aunque en ese largo lapso haya venido por breves temporadas al Uruguay, la ciudad que él evoca es una suerte de instante puro, incontaminado por los años que siguieron y siguen dejando su marca. Todos tenemos recuerdos de ese mismo Montevideo, pero para nosotros, residentes más o menos estables e ininterrumpidos, el recuerdo no es absolutamente puro, ya que las diversas capas de acontecimientos, de reacciones, de inhibiciones, de tabúes, de goces, que vinieron después, se fueron depositando frente a nuestros ojos. Para Salsamendi, en cambio, la imagen está intacta y renace con una sorprendente verosimilitud. Si alguien supo alguna vez un idioma y luego dejó de hablarlo, acaso piense que lo ha olvidado; pero si un día comienza a oír nuevamente las palabras que forman ese idioma, de inmediato percibe que estaban simplemente dormidas. También sucede así con la lectura de *La ventana interior*; muchos de los detalles que creíamos olvidados, despiertan ante la escueta mención que de ellos hace este memorioso de la UN.

Por eso, como lector contemporáneo de Salsamendi, disfruto más cuando él evoca al Marqués de las Cabriolas o "un *vaso de aluminio que se estiraba como un*

(1) Ver, en este mismo volumen: *Los morosos relatos de Julio C. da Rosa.*

telescopio", que cuando relata minuciosamente la Doma en el Prado. Aunque para el expatriado autor se trate de tres recuerdos igualmente lejanos, para mí, como lector, la Doma sufre el descuento de que hoy siga siendo aproximadamente el mismo espectáculo que hace veinte años, y por lo tanto el recuerdo no haya tenido ocasión de adquirir su prestigiosa pátina. No hay que descartar, sin embargo, que para un hipotético lector del futuro, las tres evocaciones puedan ser igualmente disfrutables.

A un libro que, desde su prólogo, declara su propósito autobiográfico, corresponde considerarlo en el nivel que reclama para sí. En ese nivel, *La ventana interior* es una obra simpática, y —con excepción de algún matiz anglicista en el uso de los verbos *haber* y *estar*—, correctamente escrita. Por supuesto que un narrador con propósitos confesadamente literarios, podría haber sacado mejor partido de la materia prima que allí se exhibe, pero es evidente que Salsamendi no tenía esas intenciones; por otra parte, no es seguro que, con una mayor elaboración literaria, el libro hubiese conservado su evidente frescura, su reconstruido candor, su fuerza evocadora. No obstante, la literatura vigila el relato como una sombra tutelar, ya que el narrador no cuenta indiscriminadamente, sino que lo hace con un claro sentido de la fluidez narrativa, de la elección y el relevamiento de episodios, de los efectos estratégicamente distribuidos. La realidad no es presentada en su textual substrato sino que viene pulida por el recuerdo, un recuerdo que no se compone exclusivamente de anécdotas propias, sino también de notables memorialistas leídos (la abuela y la niñera, por ejemplo, son personajes montevideanos que seguramente pasaron por Balbec).

Hay asimismo un gusto literario en la elección de detalles reveladores (los objetos de la vitrina y las luces en tres tiempos, en pág. 27), en la morosa descripción de interiores (cap. II y pág. 178), en el certero comentario que rodea los lugares comunes ("*lágrimas de sangre*", en pág. 69), en las reseñas de la vestimenta o en la comprobación de gestos característicos ("*yo tenía que caminar solo y lo primero que me sucedía era que me sobraban las manos*"), en los toques de humorismo verbal (la respuesta del protagonista: "Soy insoluble", frente al soldado que le ordena: "Disuélvase") o en la gracia de ciertas situaciones (el proyecto estudiantil de paralizar la arremetida de los policías, mediante el recurso de entonar el himno a fin de que los agresores se vean obligados a cuadrarse y hacer la venia).

Junto a tales aciertos, hay también caídas al mal gusto ("*la primavera nos hace guiñadas por los ventanales*") y comparaciones desafortunadas ("*llevábamos la ropa tan apretada que parecíamos tubos de aspirina*"; "*nadie más que yo llevaba calzoncillos de lana largos y con ellos parecía una sota de la baraja*"), pero el relato, sin llegar a extraer todo el jugo posible del estupendo material evocado, salva casi siempre la presión de lo cursi, una amenaza que desde la página inicial está planeando sobre el tema.

La primera parte es sin duda la mejor, pero ello quizá se deba a que la infancia, con su mundo cerrado, su imaginería tan peculiar, permite al autor una reconstrucción más fervorosa y concentrada que la que después le será consentida por la adolescencia y su inevitable dispersión. Curiosamente, el relato de varias actitudes políticamente románticas, o quizás románticamente políticas, a las que diera lugar la dictadura que empezó en 1933, constituye la zona narrativamente menos válida del libro. Precisamente allí, y no en otros capítulos de apariencia más vulnerable, es donde brota un poco de sensiblería. Conviene anotar, sin embargo, que desde ese entonces hasta hoy, el presente y el pasado inmediato han colaborado para desmoronar algunos énfasis, para comprobar inconsecuencias varias, para clarificar ciertos orígenes.

Con todo, aun en la segunda parte hay dos páginas excelentes. La primera: el descubrimiento que el narrador hace de su propia cara el día en que debe permanecer largo rato entre espejos, mientras el sastre toma sus medidas para un traje de pantalones largos. La segunda: la admisión indeliberada y pública del primer enamoramiento, a través de un personaje literario, Dulcinea, descripto en clase por el narrador. En esos dos pasajes, el mero cronista trepa ágilmente a la literatura. Es de esperar que (con o sin sus recuerdos) allí se quede.

Si se las lee una a continuación de la otra (no importa el orden preferencial), la novela de Salsamendi y la de Fabregat Cúneo aparecen como dos mundos aparentemente separados y ajenos. Quizá el único punto de contacto sea la extraña mención que hace el autor de *La casa de los cincuenta mil hermanos* de la figura de Terra. Pero es posible que, pese a todo, aquella casa de innumerables hermanos tenga (vergonzante y forzosa) su ventana interior. Y no sería improbable que, asomados a ella, todos, autores y lectores, nos reencontráramos en un mismo paisaje.

(1963)

arturo sergio visca y la contemplación activa

*"Amar a nuestra realidad, integrarla a nosotros, re-
ligarnos a ella, ¿es que todo eso inhibirá el goce de la
facultad de enseñar, de recrear lo real, de llenarlo de
vuelos que le den una dimensión fantástica o poética?";
"¿Qué realidad no puede ser reordenada, desde qué realidad no podemos partir para llegar a lo maravilloso?".*
Desde esas preguntas que le formula al lector, y se formula a sí mismo, Arturo Sergio Visca está definiendo
cuál será la actitud que habrá de asumir y desarrollar
a través de los diecisiete ensayos que componen su
obra [1]. Ya desde tales preguntas, Visca está tomando
partido y virtualmente no le deja al lector la posibilidad de la duda; desde el fondo de su interrogante, se
está decidiendo por la re-creación y el reordenamiento de
lo real. Más que un ensayista (o sea, un intérprete),
Visca intenta ser un pensador y un sentidor de su mundo,
un hombre que vuelca sobre las cosas su personal concepción de la vida.

Por eso, éste es un libro difícil de medir y de juz-

---

(1) *Un hombre y su mundo*, Montevideo, 1960, Ediciones Asir.

gar. Rechazarlo o aceptarlo significa rechazar o aceptar el enfoque subjetivo de su autor. Porque Visca, a través de sus ensayos, permanece fiel a sí mismo; el lector puede no compartir el sentido particular de su cosmovisión, pero en cambio no podrá acusarle de claudicaciones con respecto a ella. *"Tocar al mundo en cualquiera de sus puntos es hacerlo revibrar todo entero del mismo modo que resuena la campana entera y no sólo el sitio donde la hemos golpeado"; "En ese estado en que destilamos nuestra vida sobre las cosas para reabsorberlas en nosotros, sentimos como algo concreto, jugoso como un fruto, esa relación entre lo lejano y lo cercano. Las cosas toman el tamaño del universo, el universo se radica en las cosas"*. De ahí que, cuando Visca se enfrenta a un paisaje o a un autor, su reacción frente al tema siempre hace resonar la campana entera, es decir, se inscribe en su actitud indeclinable.

En rigor, esa actitud no es sólo la de Visca; más bien pertenece a un grupo de escritores: el que se mantuvo unido alrededor de la revista *Asir*, y que integraron, entre otros, Dionisio Trillo Pays, Domingo Luis Bordoli, Washington Lockhart, Líber Falco, Julio C. da Rosa y Guido Castillo, aunque probablemente sea Visca el que mejor haya sabido codificar las aspiraciones y convicciones del grupo. Bordoli, Trillo y da Rosa concentran sus intereses en lo narrativo; Castillo y Lockhart atienden zonas claramente delimitadas de lo literario (recuérdese el agudo ensayo de Lockhart sobre *El humorismo de Wimpi*); Falco fue el poeta del grupo. Visca, en cambio, que también escribió cuentos, hace ya algunos años que ha encauzado su labor literaria en una suerte de estudio creador que no excluye por cierto la investigación objetiva, erudita, desarrollada en sus estudios sobre Morosoli [2], Viana [3] y Quiroga [4], que no han sido incluidos en este volumen.

Sin llegar a ser exactamente el ideólogo del grupo, Visca ha representado y representa una preocupación por determinados problemas que ha sido común a casi todos los escritores que lo integraron. En el período de madurez y eclosión en que la mayoría de ellos se encuentran, es lógico que comiencen a hacerse más notorias las diferenciaciones, pero de todos modos todavía hoy es posible encontrar un evidente parentesco, una espontánea afinidad, entre las reflexiones de Visca junto a su ventana, cierta estática asunción del medio que a veces aparece en algunos personajes de da Rosa, y la piadosa disponibilidad, la extraña inocencia, que campea por los cuentos de Bordoli.

No obstante, y debido tal vez a su vocación ensayística, Visca se distancia un poco de sus compañeros de revista, en la adopción de cierta postura combativa, iconoclasta. *El repentismo en el rioplatense,* sin duda el mejor ensayo del volumen, es un esclarecedor y amargo diagnóstico sobre un grave aspecto del carácter rioplatense: la tendencia a la improvisación, al estallido sin arraigo, en que ha venido a parar el exceso de individualismo que caracteriza al hombre latino. *"No tenemos ya, quizá lo hubo en algún momento, un estilo propio de vida, ni en lo material ni en lo espiritual. Nuestro carácter general es el amorfismo, es decir: la*

---

(2) *Juan José Morosoli, un narrador,* revista *La Licorne,* Nº 5-6, Montevideo, setiembre de 1953.

(3) Prólogo a *Gaucha,* en Biblioteca Artigas, Ministerio de Instrucción Pública y Previsión Social, Montevideo.

(4) Prólogo a las *Cartas inéditas de Horacio Quiroga,* Instituto Nacional de Investigaciones y Archivos Literarios, Montevideo.

carencia de formas definidas. Carencia que se expresa entre nosotros por una monstruosa mezcla de formas dispares que no han logrado armonizarse. (Mal agravado en nuestros días por la aparición en ciertos sectores, de un falso estilo deportivo, de vida, de filiación norteamericana, y por una malsana ansiedad de lo espectacular, de idéntica filiación). Poseedores, por simple importación, de riquezas espirituales que no hemos contribuido a crear, no sabemos hacer uso de ellas ni penetrar en su intimidad. Estamos, en realidad, desubicados frente a los valores culturales. Por eso es tan frecuente entre nosotros ver aparecer al bárbaro bajo las apariencias del hombre civilizado, y por eso no poseemos ni la espiritualidad del primitivo, hecha de inocencia, ni la del cultivado, hecha del dramático esfuerzo por superar conservándola, esa 'inocencia' ".

Para Visca, la inteligencia del repentista es una inteligencia boomerang, ya que "el pensamiento, arrojado como un proyectil mental, describe una trayectoria en el aire y vuelve al punto de partida. Y vuelve tal como había partido: sin traer nada". Por la agudeza de sus observaciones, por el eficaz relevamiento de rasgos autóctonos en los que todos de algún modo, participamos, por la originalidad de sus conclusiones, este ensayo de Visca merecería una amplia difusión y una constructiva polémica, ya que se trata de uno de esos enfoques removedores y provocativos que permiten al lector tomar conciencia de sus límites, sus carencias, y, por ende, de sus esperanzas. Siempre es mejor tener los ojos abiertos frente a nuestros hábitos vergonzantes.

Compartible en su planteo, aunque no tanto en los nombres con que ese planteo se ejemplifica, es el otro ensayo importante del volumen: Nuestros mitos literarios. En los casos en que existe una evidente desproporción entre el valor real de una obra literaria y la estimación que el público y la crítica hacen de ella, esa obra se convierte para Visca en un *mito literario*. Basa esa acertada opinión en dos nombres, que, sin embargo, y por razones distintas, no alcanzan a confirmarla. Uno de ellos es Magariños Cervantes, quien *"sigue siendo, aunque pocos conozcan sus obras, algo así como una gloria nacional nominativa. La desproporción entre el valor real de la obra y su valorización, desproporción que da lugar al mito, adquiere en este caso la forma de un absurdo: se sabe que el valor de la obra es nulo y sin embargo se actúa como si no se supiera"*. También hay desproporción en el enfoque de Viana, al elevar a Magariños Cervantes a la categoría de mito. Se trata de un autor absolutamente depreciado, de un nombre definitivamente juzgado por la crítica [5] y que sólo figura en los manuales y panoramas literarios a modo de imprescindible referencia histórica. Que exista una calle montevideana con el nombre Caramurú (detalle citado por Visca) no significa por cierto que haya en el ambiente intelectual (ni siquiera en el escolar o el liceal) una sobrevaloración de Magariños Cervantes ni que pueda ser aplicable a su caso la teoría de los mitos.

(5) Zum Felde, por ejemplo dice de Magariños Cervantes: "Era un ciudadano muy honorable y un caballero muy correcto, pero nunca se alzó sobre el nivel intelectual y moral de la medianía (...) Desgraciadamente, parece que en la literatura no basta la fe: es menester, también el talento; y acaso le faltó eso a Magariños, al menos en la medida suficiente para infundir algún valor positivo a su obra. Sus versos carecen, amén de toda maestría estética, de toda inspiración emocional y aún de toda elocuencia" (*Proceso Intelectual del Uruguay y crítica de su literatura*, Montevideo, 2ª edición, 1941, Editorial Claridad, páginas 113 a 116).

El otro ejemplo es el Viejo Pancho: *"La guitarra de El Viejo Pancho tuvo sólo dos cuerdas que se reducen, casi, a una. Cantó para lamentar una traición de amor; cantó para lamentar la desgracia del viejo gaucho crudo y sus hábitos de vida (que personalmente no conoció) ante la aparición del 'cajetilla' y del 'gringo'"*. Sin duda están bien vistas esas limitaciones de José Alonso y Trelles; sucede, sin embargo, que esas dos únicas cuerdas sonaban armónicamente, decían cabalmente su mensaje, establecían una innegable comunicación entre el poeta y su lector. Después de todo, no fueron las muchas cuerdas las que hicieron la justa celebridad de poetas como Becquer o Baudelaire. No creo que el Viejo Pancho sea un gran poeta; pero sí que sea un poeta estimable, de frecuentes intuiciones líricas. Visca señala que ha habido una *"monstruosa hipertrofia de los escasos valores de la obra"* y *"una obstinada ceguera ante los aspectos negativos de la misma"*. Es probable que eso sea parcialmente cierto, pero también puede haber acontecido que los aspectos negativos no hayan sido tan importantes como para empalidecer esos "escasos valores". De todos modos, el Viejo Pancho no es un mito; por lo menos no lo es en el sentido que postula Visca (desproporción entre valor real y estimación pública), ya que si bien, a diferencia del caso Magariños Cervantes, *Paja Brava* es un libro apreciado por crítica y lectores, ese aprecio no excede la justa medida y nadie reclama para Trelles una desmesurada corona de laureles.

Visca prolonga su actitud iconoclasta en varios artículos que se refieren a composiciones aisladas de algunas figuras del Novecientos: Sánchez, Quiroga, Herrera y Reissig. Aquí también es preciso hacer un deslinde. Los tres análisis críticos son ajustados y certeros (aunque el de Herrera y Reissig es quizá un poco ingenuo y elemental); son perfectamente admisibles como estudios particulares, aisladamente referidos a los títulos que considera. Pero Visca intenta algo más, y es encasillar en esos ejemplos una interpretación general de Sánchez, de Quiroga, de Herrera y Reissig. Donde menos funciona la trasposición es en el caso de Quiroga. La transcripción y el examen del cuento *Los cazadores de ratas*, aún desde el punto de vista esteticista que mantiene Visca, no habilita a extender las consecuencias de ese análisis a otras zonas de la narrativa quiroguiana.

Lo que más importa del estudio sobre mitos, es su implícita invitación a la constante revisión del pasado mediato e inmediato de nuestras letras. Su aplicación exhaustiva a figuras más cercanas que las ya consagradas del Novecientos (hipertrofiada o no, no es posible negar que una promoción que contó con Vaz Ferreira, Delmira Agustini, Rodó, María Eugenia, Reyles, Quiroga, Sánchez, Viana, Herrera y Reissig, ha sido hasta ahora la más importante de nuestro breve itinerario cultural) seguramente provocaría la caída más o menos estrepitosa de algunos ídolos y autoídolos.

Puede en cambio suscribirse en todas sus líneas el excelente ensayo sobre Líber Falco. La afectuosa aproximación del crítico, a quien fuera la máxima voz poética del grupo *Asir* y a la vez uno de los poetas más personales y conmovedores de nuestra lírica, no perjudica en absoluto el examen literario. Visca desentraña y explica con inteligencia y sensibilidad algunos de los poemas más incanjeables y representativos del autor de *Tiempo y tiempo*. Su juicio se sintetiza con justeza en esta frase breve: *"En su poesía nada vale más que nada"*.

172

Tanto en sus ensayos que buscan comunicarse con la obra de algunos creadores (hay otro, consagrado a María Adela Bonavita, de menor interés que los mencionados anteriormente), como en los reunidos en la primera parte bajo la denominación genérica de *Resonancias*, Visca plantea, defiende y justifica una actitud que podríamos llamar de *contemplación activa*. No es un dejarse estar, un dejarse invadir por el alrededor; más bien se trata de una actitud receptiva y creadora. *"En la contemplación los objetos acrecientan nuestra vida interior a la vez que nosotros acrecentamos la vida de las cosas. Ellas y nuestra alma se comportan como vasos comunicantes".*

La literatura latinoamericana, a diferencia de la europea, no abunda en estos esbozos de prosa semiconfesional, siempre subjetiva, que trata de poner orden en las propias sensaciones y de poner nombres a ese mismo orden. Naturalmente, algunas de estas resonancias pecan de monótonas, tropiezan en recurrencias, se vuelven a veces herméticamente privadas, sin posible clave que conduzca a la revelación. Parecidas o iguales objeciones podrían hacerse a otros *resonadores*, desde Rusquin hasta Azorín, desde Amiel hasta Miró (cuatro autores que no siempre me tientan a su relectura, pero que construyeron un lenguaje original y fueron fieles a su expresión). Cuando el pensamiento, a propósito de un poema ajeno o de un pasaje propio, trabaja en hondura, no tiene la obligación de ser entretenido. Le basta con ser vital.

(1961)

martínez moreno en busca de varias certidumbres

Hace unos diez años, Carlos Martínez Moreno publicó esta aspiración confesional: *"Tendido, irrepetible, irreversible, razonablemente elíptico pero no enrarecido, impulsado, mentalmente perseverante, distraído con nobleza del espejismo de los efectos parciales y del efecto demostrativo final —'indemostrativo' como un matizado estado mental, en suma; ése es el libro que hoy más me tentaría hacer"* [1].

Frente a *Los días por vivir*, que reúne seis cuentos ya publicados entre 1950 y 1959, si bien no puede afirmarse que Carlos Martínez Moreno [2] haya cumplido puntual y absolutamente con esas reglas de su arte poé-

(1) *Notas al pie*, en revista *Número*, N.º 13-14, Montevideo, marzo-junio 1951.

(2) En 1963, este autor había publicado dos volúmenes de relatos: *Los días por vivir* (Montevideo, 1960, Ediciones Asir) y *Cordelia* (Montevideo, 1961, Editorial Alfa), y una novela: *El paredón* (Barcelona, 1963, Seix Barral), que fue finalista del Concurso Biblioteca Breve 1962. Su importante relato *Los aborígenes* apareció, además, integrando el volumen *Ceremonia secreta y otros cuentos de América latina premiados en el Concurso Literario de Life en Español* (Nueva York, 1961, Ediciones Interamericanas, Doubleday & Company, inc.). Sólo a esos títulos

tica, cabe tildar en cambio dos comprobaciones. La primera: que cuatro de los relatos incluidos en el volumen (*Los sueños buscan el mayor peligro, Los días escolares, La última morada* y *El lazo en la aldaba*) tienden inexorablemente al cumplimiento escrito de aquel programa; más aún, *La última morada* acaso lo realiza por entero. La segunda: los dos cuentos restantes (*El salto del tigre* y *El simulacro*) que significativamente son los más recientes, permiten reconocer que ese emblema ha experimentado, o está en vías de experimentar, importantes variantes y, sobre todo, algunos agregados.

En aquellas esclarecedoras *Notas al pie* de 1951, decía también Martínez Moreno: "*La equívoca pobreza mental de nuestra literatura se ha disfrazado por demasiado tiempo de estremecimiento, de confesionalismo, de fervor sensible*", y agregaba: "*Necesitamos, también en literatura, un poco de asepsia antidemagógica; en literatura, lo demagógico es la indiscriminada sensibilidad*". Hay que situarse en ese punto de partida para entender el impulso inicial de esta narrativa. Así como, para comprender la rabiosa anticursilería de la Generación del 45, es útil el previo examen del trauma estilístico que había dejado en esos escritores el empalago de algunos poetas que intercambiaban ditirambos por escrito, y diatribas por la vía oral, así también, para aproximarse a la obra de Martínez Moreno, conviene no perder de vista contra qué empieza combatiendo este escritor. Emir Rodríguez Monegal dejó constancia [3], hace años, de que en sus

---

me refiero en esta aproximación (que reúne cuatro notas publicadas inicialmente en *La Mañana*, de Montevideo) a la obra narrativa de Martínez Moreno.

(3) En *Otra forma del rigor: Las ficciones de Carlos Martínez Moreno,* en revista *Número*, Nros. 15-16-17, julio-diciembre 1951.

primeros cuentos sobre temas de infancia, Martínez Moreno era *"implacable en su denuncia de lo prestigioso, de lo poético a priori"*. Es ese afán, tan demoledor de los falsos valores como encarnizado en su faena, el que sostiene y otorga unidad a los cuatro relatos que agrupo más arriba.

A mi entender, ello no significa que este escritor *odie a sus personajes*, diagnóstico superficial que algunos críticos han empezado a trasmitirse de reseña en reseña, con una especie de fervor pielroja. (En todo caso, y si así fuera, no dejaría de tener ilustres antecedentes, cuya nómina podría encabezarse con Dante y culminarse con Faulkner). Lo que ciertamente repugna a Martínez Moreno es la hipocresía de ciertos ejemplares humanos, la máscara mediocre de prejuicios y fingimientos, la sórdida perseverancia con que la miseria prima es manufacturada hasta convertirla en virtud de exportación. Hay que reconocer no obstante, que ese espectáculo humano —como pasaba con su admirado Flaubert— a la vez que lo aflige, lo fascina; pero también que ese asco opera como obvia demostración de que está creyendo en algo mejor, de que su índice apunta a algo más alto.

Cuando se señala que este escritor odia a sus personajes, se olvida acaso que el Yo de las narraciones también es personaje. (¿O acaso vamos a caer, a esta civilizada altura del oficio de leer, en la ñoña simplificación de suponer que el relato en primera persona ha de ser inexorablemente autobiográfico?) Obsérvese que, por lo general, ese personaje cuenta con la adhesión del autor, quien pone a su servicio toda su carga de lucidez, toda su disponibilidad de desafío, para *abrirle los ojos*, para defenderlo frente a las arremetidas de lo falso. Cuando el protagonista es, en sí mismo, un mezquino —como en *La última morada* o en *El lazo en la aldaba*—

el narrador lo vierte en tercera persona, que en este caso particular tal vez signifique no tomar partido por él. Pero cuando el personaje es rescatable, cuando el drama existencial se desarrolla sobre un fondo de inocencia o de salud moral —como en *Los sueños buscan el mayor peligro* o en *Los días escolares*, y aun en el capítulo II de *El salto del tigre*— entonces el lector se da cuenta de que el autor tiene apoyada su mano protectora en el hombro (que, por cierto, no padece encogimientos) de esos yoes que se debaten, cada uno con sus propios medios, cada uno en su propio mundo.

Los primeros relatos de Martínez Moreno —de los cuales, sólo dos sobreviven en este volumen— eran algo así como ventanas abiertas al pasado. Al cuento entraba el aire, penetraba el paisaje. Esas incursiones por el esclarecedor mundo de la infancia incluían verdaderos prodigios de metáforas y sirvieron para demostrar que el esteticismo y la psicología no siempre han de estorbarse. En *La última morada*, el narrador parece ansioso de descubrir los matices más sutiles de sus criaturas, por efectuar en ellos algo así como cortes transversales que muestren con abrumadora perfección de estilo, pero también sin compasión, imprevistos estratos de la humana vulgaridad. En esa constante amonestación de lo mediocre, la peripecia, sin llegar a ser la cenicienta del relato, desempeña empero una función aneja. Lo esencial no es el suceso en sí, sino sus condicionantes; no el diálogo, sino los antecedentes de cada frase suelta; no la anécdota desnuda, sino la biografía completa. En esos cuatro cuentos del primer grupo, el diálogo no siempre funciona a la perfección. A menudo el lector siente como si el autor —tan ameno conversador él mismo— se sintiera inhibido para hacer que sus personajes abandonen el buceo interior, para otorgarles también su chance coloquial.

La aparente variante que significan —como se dijo más arriba— *El salto del tigre* y *El simulacro*, se basa en que estos relatos, decidida y directamente, cuentan algo. Más que la obsesión de lo mediocre, el autor siente aquí la fascinación del acontecer, de la peripecia en estado natural. No más ventanas abiertas al pasado; ventanas y puertas se cierran sobre un hecho, confinan al lector a una intimidad comprometida y comprometedora, a una anécdota única que es desarrollada mediante un ritmo clásico, con un estilo concentrado y tenso, y hasta con un efecto final casi maupassantiano. Sin perjuicio de reconocer que *La última morada* es el mejor relato del volumen, creo francamente que esta segunda manera es el mejor camino para un Martínez Moreno cada vez más urgido, en varios órdenes, por el tiempo y el lugar en que vive. Insistir en su primera etapa de infrangible análisis, de un tenso estilo que a veces descendía a lo hermético y a lo torturado (por más asombrosamente exitosos que hayan sido algunos de esos ejercicios) hubiera significado el estiramiento de una propensión literaria, más allá de toda posibilidad creadora.

En uno de sus primeros relatos, no incluidos en *Los días por vivir*, escribió Martínez Moreno: "*Transcurrido el minuto de furor, ese minuto de incomunicación, él oponía a todo aquello un fondo de calma, un convencimiento durable. Estamos aquí y éstas son nuestras angustias, una forma de precio*". Para este narrador, el "minuto de incomunicación" (si es que alguna vez existió) ha transcurrido. Queda el fondo de calma, el durable convencimiento. Por una vez, la angustia ha dado buenos dividendos.

178

En la confrontación mental de dos recomendaciones ajenas, uno de los personajes de *Cordelia* reconoce "*el mismo instinto fundamental del disimulo*". En *El invitado*, frente a un sorpresivo incidente, dos personajes eligen el recurso de suprimirlo ("*han hecho voto de abolir el incidente de la sopera, y atenderme por encima de los candelabros; un tic, por supuesto*"). *La pareja del Museo del Prado* es, en sí misma, una viñeta de simulación.

En cualquiera de las tres narraciones, reunidas en el segundo libro de Martínez Moreno, el autor parece fascinado por la presencia del disimulo, por el despotismo de la apariencia. Es, dentro de su obra, una fascinación antigua, que ya había servido para sostener un relato tan sutil y corrosivo como *La última morada*, o para arreciar la infamia de algún personaje aislado, en otros de sus cuentos.

En los relatos del segundo libro (y sin olvidar que *Cordelia* data de 1956, mientras que los otros dos son de reciente factura) es reconocible, con respecto a aquellos antecedentes, una diferencia de actitud por parte del creador. Pongamos provisionalmente al margen *La pareja del Museo del Prado*, cuyo acontecer es —en la letra al menos— madrileño, y detengámonos en los otros dos, rodeados de un casi verificable contorno uruguayo. En *Cordelia*, sobre la base de un accidente aéreo ("*episodio dado por la realidad*" advierte la nota), Martínez Moreno se dedica intermitentemente a dos enfoques situacionales: la jeremíada de los deudos frente a los funcionarios de la Compañía Aérea, y también la historia personal de uno de tales deudos, Mario Robledo, un mujeriego viudo que ha perdido en la catástrofe a su única hija.

El invitado tiene dos partes: en la primera, el narrador cuenta en tercera persona el fin de una velada en casa de los Andueza (Alberto y Celia); en la segunda, el propio Alberto Andueza relata, en primera persona, una cena de jueves en que él y su mujer ya no son los anfitriones sino los invitados de Juanito Stubbs, *"un anglo-uruguayo, antiguo discípulo del British"*.

En ambos relatos está denunciada esa hipocresía que desde siempre escuece a Martínez Moreno narrador. No se trata de la hipocresía como plaga universal, sino de la hipocresía como atributo del montevideano, una hipocresía que incluye además un rasgo original: no ser reconocida por el hipócrita. Es un juego más bien tosco de las apariencias; tosco y provinciano, pero también espectacular. *"¡Dios mío, ayúdalos y a nosotros no nos desampares! ¡Yo te pido mi muerte a cambio de la de ellos!"*, dice una madre en las oficinas de la Compañía Aérea, y las admiraciones provocan instantáneamente en el lector una vergüenza: la de ser involuntario testigo de una hipérbole del dolor, de una inflación de intimidades. Eso es, por otra parte, lo que el autor ha buscado: desarbolar el lugar común, aislar premeditadamente los estribillos de la mediocridad, del falso énfasis, a fin de que el lector (un montevideano más) llegue a encontrarse con su saludable, perdida vergüenza.

Este enjuiciamiento de una realidad, o mejor dicho de aquella de sus parcelas que tiene un estilo frívolo para manejar los más profundos presupuestos, ya era reconocible en *La última morada*, absorbente historia de una mezquindad, sin posible catarsis. Pero en *Cordelia* hay un más sensible trabajo en profundidad, una aproximación más entrañable, y menos inconmovible, al protagonista de esta nueva historia de muertes. Quizá se deba a que Robledo no es exactamente un mediocre, sino —más bien— un mediano, pero lo cierto es que en *Cordelia* hay siempre una serena intención de comprender al personaje y hasta una franca piedad hacia su afán postergador de un destino, que es *"soledad sin nadie, y una parálisis y una cama para morir, y el cáncer o el síncope nocturno o un feroz y eterno insomnio final en una pieza"*.

El autor no ha caído en la tentación de simplificar a su personaje, de asimilarlo tendenciosamente a la mezquindad. El final de *Cordelia*, con esa presencia mujeril que se hace notar a bocinazos, es apenas un modo de camuflar una comprobación menos rígida, más reveladora: es posible que alguien se rodee de un mundo frívolo, aturdidor, y sienta no obstante cómo sobrevive en sí mismo la titubeante llamita del dolor, éste sí verdadero, éste sí solitario y callado. El autor le hace dudar a un personaje: *"Pero no había ningún título suficientemente íntimo para acercarse ahora a Mario y preguntarle si sufría o impostaba la nota del sufrimiento, si tenía credulidad e inocencia y entrega, o culpa y asco de sí mismo y también inocencia, o si sencillamente era un partiquín en el bocadillo mudo, hasta que el telón lo ocultase del público y saliera corriendo para liberarse en el mutis"*. También el narrador parece preguntarse si Robledo sufre, o simplemente imposta el sufrimiento. Pero las dos últimas páginas de *Cordelia* trasmiten —como pocas veces lo ha logrado el tenso, casi abrumador estilo de Martínez Moreno— una preferencia por la más decisiva sinceridad, una última invitación a decirnos lo que somos.

La gran peripecia que subyace en *Cordelia* es la muerte accidental de la hija. La pequeña peripecia que asoma en *El invitado* es una sopera volteada por la sirvienta. Si aquella muerte es un motivo, este incidente en cambio es un pretexto. Como todo pretexto narrativo puede dar lugar a un buen ejercicio de estilo, y, en *El invitado*, Martínez Moreno no desperdicia la ocasión.

La conversación que precede y acompaña la cena, es un ameno repaso de las posibilidades coloquiales del esnobismo doméstico. Sin embargo, es un relato al que parece faltarle decisión, justamente ese tipo de decisión que no sólo salva a *Cordelia* sino que la convierte en una narración estupenda. *El invitado* es un retrato, deliberadamente superficial, de varios superficiales; quiere ser eso y nada más. Pero la presencia final de Ponciano, el enorme perro negro y lustroso, que estornuda y resopla sobre la sopa de espárragos y la porcelana quebrada, está mostrando, a partir de un entreguionado del propio autor ("¡oh *querida veracidad!*"), la posibilidad mayor y más rica que existía en el relato. Es un tema tocado con pinzas; el lector tiene la impresión de que ese mismo tema habría rendido más y mejor si el autor hubiera previamente calentado esas pinzas al rojo blanco.

Puse deliberadamente aparte el último cuento del volumen: *La Pareja del Museo del Prado*, de una brevedad inusual en la producción de Martínez Moreno, quien por lo común prefiere aproximar sus relatos a la longitud de la nouvelle. En su pequeña dimensión consigue cuanto se propone y lo logra sin violentar el ritmo conversacional ni hacerle trampas al lector; tiene un final de económica sorpresa, pero ésta engrana perfectamente con la psicología entre ingenua y gastada de la parejita que *"paseaba lentamente de una maja a la otra, las manos entrelazadas y con un aire distante y extralúcido"*. Ellis, un montevideano que califica los museos europeos según una escala de luces y temperaturas, pero que también recuerda los ventanales del antiguo Tupí sobre la Plaza, es el destinatario de cierta ambigua confesión, obrita maestra del disimulo, pero el disimulo en términos europeos, el disimulo en dimensión creadora. Es obvio que esos adolescentes (no españoles; vagamente nórdicos) tienen, a su espaldas, siglos de diplomacia, maquiavelismo, sutileza.

No deja de ser revelador que Martínez Moreno haya unido este excelente y breve relato a sus otras dos narraciones, que, en distinto grado y desigual eficacia, tienden a denunciar la hipocresía vernácula. ¿Estará diciéndonos, con esa aproximación, que nuestro estilo de disimulo carece de la originalidad, la madurez, la tradición y hasta la inocencia que en cambio tiene el Viejo Mundo detrás de las más (y las menos) solemnes de sus fachadas?

III

En su Introducción a *Ceremonia secreta y otros cuentos de América Latina* premiados en el *Concurso Literario de Life en Español* uno de los integrantes del jurado, el novelista venezolano Arturo Uslar Pietri sintetiza así el asunto de *Los aborígenes*, relato de Martínez Moreno que obtuvo el segundo premio: "*Un hispanoamericano de raíz indígena formado en los libros europeos confronta en Roma las diferencias atávicas americanas que pugnan en él con las afinidades culturales que puede sentir por Europa*". Me parece una pobre síntesis ya que se conforma con el pretexto de la historia. Más que la confrontación de su atavismo americano con su cultura europea lo que el protagonista Primitivo Cortés coteja desde Roma y desde el presente es —para decirlo en términos semicontables— su *destino exigible* con su *destino fijo*.

Desde su cargo diplomático en Roma, ya sea viendo caer la tarde desde los Orti Farnesiani, ya sea en el salón gris de la embajada, Primitivo Cortés, nacido en un innominado país latinoamericano que —en algunos de sus rasgos— se parece sospechosamente a Bolivia, repasa aquellos capítulos de su vida que dejaron huella en él: las uvas con éter de Ilse, la cena de gala en que conoció a Leonor (hoy su mujer), el estallido de la bomba que transformó el rostro de Leonor en una *mascarilla contraída y dolorosa*, el conocimiento accidental y la posterior amistad con Cándido Lafuente (actual hombre fuerte de su patria), el negociado de los durmientes de ferrocarril que le permitiera financiar el viaje de Leonor a los Estados Unidos y la quirúrgica adquisición de un nuevo rostro "*terso y tirante, de sonrisa perenne*".

En el relato siempre está presente una connotación simbólica, desde el nombre mismo del protagonista hasta el accidente de la bomba. El propio narrador explica: "*Ese Primitivo Cortés había quedado como la cifra de sus contradicciones: su achaparrada figura de indio, su alquitarada deferencia doctoral*". Es "*hijo de Primitivo Cortés, —médico, profesor, diputado y ministro—, nieto de Serapio Morillo, con estatua en una de las plazas de su ciudad natal (como mártir, protomártir o lo que fuera)*". Pero las sucesivas instantáneas de su vida servirán para demostrar que, en su caso, "lo Cortés" le quita lo valiente. El narrador no ha querido, sin embargo (y éste es uno de los más claros aciertos del relato), caer en las simplificaciones políticas que tienden a dividir el mundo en villanos y mártires, en inmolados y verdugos. Aun el soborno, aun la traición, aun el cinismo declarado, suelen ser, vistos desde el alcor de la conciencia, superficies irregulares, complejas, escabrosas. Así, en Primitivo Cortés lo venal despunta contemporáneamente con lo piadoso. El negociado del ferrocarril presiona sobre sus escrúpulos con el argumento de la dispendiosa posibilidad de una nueva cara para Leonor. Es cierto que, de todos modos, sus escrúpulos no tenían pasta de inconmovibles, pero ¿quién puede asegurar cuántos de los más publicitados honestos habrían de sucumbir ante la primera tentación que importe? Los filósofos de café suelen sostener que "la cosa es dar con el precio". Para Primitivo Cortés, el precio fue la lástima, pero eso no significa que no hubiese otros precios posibles. De cualquier manera, el estallido de la bomba tiene también un valor simbólico. En primer lugar, para Primitivo: *"El también tenía un rostro Después-de-la-Bomba, ¡qué diablos! Cara a cara, ahora era posible gozar una fortuna de lúgubre alivio: el de que se sintieran aislados en el corazón de lo cierto, el de que pudieran mirarse sin necesidad de mentirse, conscientes de la cruda fealdad de la vida"*; y, en segundo término, para su país. Todo estallido cambia el rostro de un país y a veces permite que sus problemas se instalen "en el corazón de lo cierto". Nadie sabe, ni siquiera el lector, la filiación del hombre que tiró la bomba (*"¿un indio, un anarquista, un mestizo?, se había preguntado después la gente, como si el anarquismo fuera una raza y excluyera toda otra posible filiación"*), pero de todos modos fue alguien con fe, un voluntario del sacrificio, alguien que estaba resignado a ser eliminado por la guardia, una suerte de austral Rigoberto López.

Aunque, en cierto modo, *Los aborígenes* represente una excepción en la producción de Martínez Moreno (es virtualmente la primera vez que sale al exterior para buscar su tema), el relato tiene, en materia de estructura narrativa, mucho de común con algunos de sus títulos anteriores. Esa revisión del pasado, llevada a cabo desde un presente inmóvil, ya la había empleado Martínez Moreno en cuentos como *La última morada* y *Cordelia*, que precisamente figuran entre sus más logrados. Es evidente que este narrador se siente particularmente a gusto en el empleo de un recurso narrativo que le permite rodear los hitos pretéritos con la amarga —y a la vez nostálgica— sabiduría de lo actual. Es claro que, con ese expediente, la anécdota pierde inmediatez, directa comunicabilidad, empuje pasional. Pero es imposible tenerlo todo. Antes de escribir, el narrador debe decidirse: su testimonio llegará desde la entraña misma de la anécdota, o desde una distante y sabia pericia. En *Los aborígenes*, Martínez Moreno ha elegido esta última actitud, que por otra parte se corresponde admirablemente con el ritmo lento, cansino, de las sucesivas evocaciones. Cuando en la última línea aflora a la voz de Primitivo el español gutural, "*ligeramente cantarino, que había oído hablar desde su infancia y estaba enterrado bajo pesadas capas de peregrinaje y cultura*", y desvalidamente dice: "*Pues sí, liiinda ¿qué va a ser de nosotros hoy día?*", pesan en ese desamparo las decisivas claudicaciones, las inermes debilidades y las tentativas de conciencia, que han ido formando el auténtico pasado, ese que deja arrugas en el rostro, pero también deja trazas en el alma.

El relato empieza, se desarrolla y termina, en el mismo ritmo de tranquilo desaliento, de amarga lucidez, que emplea el diplomático de sesenta y dos años para efectuar el tardío balance de su vida. Pero no se llame a engaño el lector frente a tanta apariencia de serenidad: así como Primitivo Cortés cierta vez empezó a escribir un libro llamado *Los aborígenes* ("*algún crítico del futuro tal vez descubriera que había querido escribir una encarnizada tentativa de autobiografía étnica, una forma*

186

de *disolución del propio ser en el ser de la raza*"), así también este relato, titulado asimismo *Los aborígenes* y efectivamente escrito por Martínez Moreno, puede ser reconocido por algún crítico del presente como una encarnizada tentativa de desfogar la preocupación personal, el compromiso político de su autor, y hasta como una forma de disolución del ser uruguayo en el ser de América Latina. En tal sentido (méritos literarios aparte), bienvenido sea.

IV

Uno de los previsibles malentendidos que puede originar, desde su título y su sobrecubierta, la última obra de Carlos Martínez Moreno, *El paredón*, es que se trata de un libro sobre Cuba. Por supuesto, éste es el tema externo y tangible. Sin embargo, el propio autor, en el curso de una conferencia de prensa convocada por el distribuidor montevideano, llegó a afirmar que, aunque más de la mitad del relato transcurriera en La Habana, en realidad el tema de la novela era siempre el Uruguay. Además, en un reportaje, Martínez Moreno reconoció haber querido "*dar salida a una explicitación vital de nuestra ubicación en un país con el que no estamos conformes y con una realidad americana que vemos adulterar o falsificar a nuestro alrededor, de un modo que no puede gozar del consentimiento de nuestro silencio*" [4].

_____

[4] En *La Mañana*, 3 de mayo de 1963: "Siete preguntas a Carlos Martínez Moreno".

En esta época de casi inevitables prejuicios y simplificaciones (más de un probable consumidor entró en librerías con la pregunta: "¿Es *pro* o es *contra*?") la primera sorpresa para el lector desprevenido será no encontrarse con un libro panfletario, aunque sí humanamente comprometido. El novelista utiliza la eclosión y hasta el espectáculo revolucionarios como elementos catalizadores de una realidad uruguaya (ese "*dechado de instituciones en reposo*"), como provocación irreversible, consumada, para tratar de comprender lo propio, de valorar un panorama como el nuestro, sin trágicos contrastes pero con una esparcida zona gris, color de frustración. Antes (págs. 7-102) y después (págs. 263-286) del episodio cubano, el protagonista (Julio Calodoro) enfrenta el instante uruguayo en base a dos acontecimientos claves: las elecciones que el 30 de noviembre de 1958 ganaron los *blancos* y la noticia de que su padre tiene cáncer. O sea que asiste al repentino acabamiento de dos mitos: uno nacional (la invencibilidad de un partido que estuvo casi cien años en el poder) y otro personal (esa inevitable aura de inmortalidad con que los hijos, en una clandestina postergación del tema de la muerte, suelen rodear la presencia de los padres). Si a ello se agrega la aventura habanera, que además del impacto político, incluye una conmoción sentimental, se verá que toda la novela es la historia de cuatro sacudidas, que sin embargo no alcanzan para alterar "el orden irretocable", la casi folklórica desgana (tanto más inhibitoria cuanto más lúcida) del muy uruguayo protagonista, cuyo último pensamiento transcripto es, sintomáticamente, el extremo quietista de una publicitada alternativa electorera: "*que todo siga como está*". (Ya ha sido señalado que el apellido del protagonista, Calodoro, puede ser un anagrama de "colorado". Yo agregaría algo más: la redistribución de las letras parecería corresponderse con un desacomodamiento, en el actual *coloradismo*, de los principios que en el pasado guiaron su conducta política).

El mejor hallazgo de *El Paredón* es previo a la novela, y en lo fundamental depende de haber visto la ocasión de enriquecimiento narrativo que podía surgir de la mera confrontación de una situación estallante con otra enviciadamente estática. Vale la pena comparar una cita de la pág. 24 (*"Todos padecían de aquel quietismo paradisíaco, todos ofrecían el orden, la sensatez, la austeridad, el equilibrio y la cordura. Nadie prometía el progreso; el progreso parecía allí una noción imposible"*) con otra, de la pág 268, acrecida de cercanos recuerdos y referida a una "clarividencia impotente" (*"Era nada más que inercia, irrealismo, falta de pasión y, en resumidas cuentas, una credulidad ilusa y desentendida, que apostaba a que el derrumbe del orden social es algo que no nos conviene individualmente, algo que milagrosamente nos excluirá de sus efectos si tenemos la coartada mental, la precaución inteligente de darlo por supuesto, la contraseña que nos permita probar —llegado el día— que ya lo sabíamos, que estábamos esperándolo, que incluso lo deseábamos"*). La experiencia vital, el contacto con una urgencia de justicia que olvida matices y razones formales, la perturbación que significa haber asistido como testigo a crepitaciones irremediables, todo ello marca la distancia que va desde la displicente comprobación intelectual de la primera cita, al dramático sentido de culpa que impregna la segunda.

En la segunda parte, los recuerdos uruguayos se proyectan sobre la realidad cubana; en la tercera, los recuerdos cubanos se proyectan sobre la realidad uruguaya. Por eso la primera parte es la más neutra, la más opaca en lo vital, la más barroca en el estilo; es, simplemente, el Uruguay descarnado, cotidiano, inhibido, a través de la versión inteligente y ombliguista (en págs. 32-33 es excelente la glosa nostálgica de un conocido verso de Liber Falco) de ese intelectual sin sentido de lo inmediato que es Julio Calodoro antes del viaje. Creo sin embargo, que esas cien páginas de apertura son el verdadero soporte de la novela y las que mejor demuestran la madurez narrativa a que ha llegado Martínez Moreno. De ahí parte el sentido de todas las comparaciones, de todos los cotejos, de todas las vislumbres que vendrán después. Es cierto que esa primera parte no alcanza —ni aspira— a ser un gran fresco de nuestra realidad, y es probable que al lector extranjero, que necesariamente ha de permanecer ajeno al cándido enigma doméstico de ciertas imágenes y evocaciones, sólo llegue a parecerle una colección de postales sociológicas. Pero ¿acaso nuestra realidad liliputiense (entiendo por tal no sólo la minimización de méritos y deméritos sino también la falta de osadía y a veces hasta de coraje cívico) no está más cerca de las postales que del fresco? No creo que las limitaciones de esa primera parte encierren un mensaje, pero sí estoy convencido de que incluyen un juicio. Y la figura de Menárquez, ese pintoresco uruguayo de extramuros, que es casi como decir de extraparedones, ese exquisito cultor de la hipérbole y la pornografía, ese vociferante conmovedor, ese tenaz histrión de repentinas y sinceras timideces, cumple idealmente en la novela su misión de exagerado vocacional. Con este personaje (que, "por debajo de esas formas de extrañamiento y rebuscamiento para decir, es todavía uruguayo en el buen sentido de sus nostalgias, de sus lucideces y de sus preocupaciones, en el mal sentido de lo complejo, lo suntuario *y lo sofisticado de sus alarmas de muerte personal"*) parece decirnos Martínez Moreno: "A esto está destinado todo uruguayo que se salga de su postal para ingresar al fresco". Y, comprensiblemente, sus preferencias parecen indecisas entre ambos extremos.

Ahora, con *El paredón* a la vista, es más fácil distinguir un probable defecto de los relatos breves de Martínez Moreno, quien parecía tener demasiadas cosas para decir sobre cada tema. Se trataba a veces de una opulencia de significados laterales que, paradojalmente, llegaba a empobrecer el sentido o la clave de la peripecia central. En *El paredón* sobrevive esa abundancia (las dos primeras partes, sobre todo, son constantemente atravesadas por evocaciones y cotejos), pero la dimensión novelesca permite que cada tema lateral se disuelva normalmente en la narración e incluso la enriquezca. Tanto el estilo como la complejidad de enfoques, tan característicos en Martínez Moreno, venían requiriendo indudablemente la distensión verbal e intelectual, la libertad de estructura y hasta de montaje, que sólo la novela puede proporcionar. La diferencia se hace evidente sobre todo en los diálogos, que si en los cuentos no disimulan una tensión intelectual, casi un inconsciente prejuicio hacia lo coloquial, ahora en cambio se desarrollan (particularmente en la segunda parte) con impecable fluidez.

En el tránsito de una realidad a otra, el autor no ha olvidado la funcionalidad del lenguaje. En la primera parte, el estilo todavía se demora en exquisiteces, en descubrir palabras, en reivindicar las situaciones opacas mediante giros brillantes. El autor parece recordarnos que el *stock* uruguayo de osadías es simplemente verbal (alguna vez exagera, como en pág. 38: "ya no retocaría el sitio del episodio en la memoria, *por no su-*

pliciarlo en las avaricias de la escritura"). Pero luego, en la segunda parte, especialmente en el notable relato testimonial del juicio a Sosa Blanco, el estilo se contagia de la urgencia de la realidad, y se vuelve directo, ágil, aliviado de exquisiteces. En la tercera, obediente otra vez a los comandos creadores, el estilo no tiene inconveniente en opacarse, ya que la nueva visión de la realidad recuperada no dependerá de destellos verbales sino de una recién estrenada madurez.

En *El paredón* (una de las mejores novelas que se han escrito en este país y sin duda el punto más alto en la producción de Martínez Moreno) hay una eficaz integración entre el testimonio político y el conflicto humano, entre la visión documental y la trama novelesca. Si bien, además de su obvio sentido, la palabra *paredón* representa en la novela un símbolo de la incomunicación entre dos realidades latinoamericanas, la actitud del novelista es en sí misma un tremendo esfuerzo de comprensión, de inminente liquidación de prejuicios. En otras palabras: un sincero esfuerzo por que la *comunicación* (no la de los *slogans* inevitablemente epidérmicos, sino la que deriva de una común raíz de idioma, subdesarrollo y mediatización) sea restablecida. Por eso es tan importante en la novela la difusión osmótica de ciertos elementos de una realidad en los de la otra. Aunque el lector pueda no percibirlo en una primera lectura, siempre habrá un vínculo subliminal entre el recuerdo infantil de un ajusticiamiento de botellas (*"volvieron de allí con unas caras aliviadas y se miraron sin culpa, rejuvenecidos como nadie puede imaginarse que lo estén alguna vez los niños"*), narrado en las primeras páginas, y la *"porfiada, discutida, regateada"* ejecución, magistralmente contada casi al final del libro. Ahí la comprensión viene de lejos, de un impulso propio empotrado para siempre en la memoria, de una precoz experiencia de rejuvenecimiento.

Pero la confrontación está siempre al alcance del lector. Una reunión de intelectuales y *snobs* montevideanos tiene su contrapartida en una fiesta de sus equivalentes cubanos, donde las diferencias se basan sobre todo en la temperatura, en lo que se come o se bebe; es decir, se basan mucho más en esos detalles exteriores que en una distancia dada por la fe o la militancia. "*La raza universal de los snobs* —reflexiona Calodoro— *una raza intacta y resistente, que podía pasar a través de las revoluciones como la salamandra, sin quemarse ni purificarse*". Pero si los *snobs* son aquí y allá aproximadamente los mismos, la muerte y el amor se dan en cambio, para el estupor de Calodoro, en distintos, inéditos niveles, y el lector adivina que la percusión de una y de otro constituirá, aun después del adecuado regreso a la moderación y a las concesiones, un perpetuo latido en el laxo vivir del protagonista, un latido que acaso pueda ser identificado con la vieja inquietud de la conciencia. La muerte, constante presencia en el libro, cambia también de color y de lenguaje: allá se muere de violencia, aquí de cáncer. Pero aun así, aun con esas diferencias de estilo, la muerte es el agua lustral en que se igualan y purifican dos modos de vida tan extremos.

No obstante, el elemento que mejor sirve (en lo humano, en lo individual) para establecer y calibrar la distancia entre los dos mundos en juego, es nada menos que el amor. La vertiginosa y condenada relación amorosa entre Julio y Raquel no es un comodín literario, acercado por el narrador para convertir en *novela* algo que sólo era *testimonio*. En ese amor de dos seres adultos que "*conlleva un sentido neutro de compañeris-*

mo", el novelista hace rebotar el momento revolucionario a que asiste (ese *"picnic de la emoción colectiva"*), pero también hace rebotar todo su pasado de conformismo, de timideces, de frustraciones, incluso de inmaculado civismo. La sombra de Matilde —la mujer que lo espera en Montevideo, la mujer cuyo principal y apodíctico mérito es la rutina compartida— se inclina, segura de su triunfo final, sobre las primicias y las angustias de ese idilio imposible. Matilde es *"el pan con manteca"*; Raquel, en cambio, es algo tan sensual, singular e incanjeable como el *"consentimiento pleno"*. En cualquier otra novela, la desganada, casi inexplicable preferencia final de Julio por Matilde (ni siquiera tiene con ella obligaciones conyugales) podría parecer una gratuidad narrativa, o por lo menos una caprichosa hostilidad hacia el *happy end*. Pero en esta novela de esencia tan uruguaya, aquella aparente gratuidad adquiere de pronto una conmovedora verosimilitud y pasa a convertirse en una alegoría de nuestra irresolución, de nuestras cortedades, de nuestras mañas civilizadamente fallutas, de nuestra fanática sumisión al *confort*, y, paralelamente, de nuestra oscura conciencia de que el coraje es siempre inconfortable. De ahí que la elección final del protagonista (*"que todo siga como está"*) pueda ser entendida como el emblema de una frustración colectiva, pero también como el alerta de un despertador. Sentido de conservación mediante, será preferible elegir esta última acepción. Es decir: será preferible, siempre y cuando, además, nos despertemos.

(1963)

194

luis castelli, narrador de soledades

Hace catorce años que Domingo Luis Bordoli (nombre verdadero que ha dejado de esconderse bajo el semiseudónimo Luis Castelli) publicó su primer cuento: *La pradera*, que obtuvo el primer premio en un concurso organizado por el semanario *Marcha*. Desde entonces a la fecha, Bordoli ha ido formando lentamente una obra de narrador que por primera vez es reunida en volumen bajo el título *Senderos solos* [1].

Esta es, evidentemente, una oportunidad, pero también un riesgo para medir a Bordoli. El cuento es un género difícil de juzgar. Publicados de a uno y a través de un período relativamente extenso, los relatos pueden tener —o aparentar— una vigencia que, después, ya juntos y comunicados entre sí por demasiado visibles conductos, suele ser cuestionada. ¿Cómo sobrelleva la obra de este narrador (doce cuentos, la mayoría breves) el riesgo de mostrarse en conjunto?

Tal vez se esté dando aquí un caso —singular en nuestra narrativa— de accesibilidad engañosa. Porque los cuentos de *Senderos solos* están escritos en un estilo tan directo, tan al alcance de cualquier lector, que

_____

(1) Montevideo, 1960, Ediciones Asir.

195

pueden ser comprendidos en una lectura inaugural. Más difícil de captar es la calidad peculiar de esa narrativa, la intención recóndita de esa aparente facilidad de comunicación.

Por eso resulta explicable que a un lector acostumbrado a los brillantes esquemas estructurales en que abunda la narrativa contemporánea, este libro le choque un poco y hasta le caiga mal. También el crítico está más amenazado que de costumbre por la tentación del juicio tajante y apresurado. Nunca, como en este caso, el apuro en juzgar puede ser tan perjudicial para un autor: en realidad, es el mismo Bordoli quien, con su estilo desmañado, con su estructura vulnerable, está construyendo la trampa para que un juicio así parezca inapelable.

Las dudas acerca de esa inapelabilidad comienzan cuando el crítico hace la prueba de repensar por un instante los cuentos de Bordoli, imaginariamente traducidos a una estructura compleja, a un estilo de sostenida agudeza intelectual, a un notorio prejuicio anticursi. Comprobará entonces que ese aparato técnico y conceptual, en este caso no podría ser un éxito; ese traslado representaría una empresa tan suicida como contar un tema de Morosoli con la técnica de Onetti, o viceversa. Cada creador tiene un lenguaje propio y a veces le cuesta descubrirlo. Bordoli ha descubierto el suyo; nos guste o no, no podemos exigirle que nos hable con una voz ajena.

Juzgado pues el libro en lo que Bordoli quiere que sea, cabe señalar que la calidad de los doce cuentos tiene notorios altibajos. Quizá el más grave reproche que pueda hacerse al autor, es que no se haya resignado a dejar fuera del libro, cuentos como *Calle Ellauri* o *Una madrugada*, en los que la intención espiritual (que, evidentemente, cuenta mucho para Bordoli) está lejos de verse literariamente realizada.

Sin embargo, aun esos dos cuentos se inscriben sin violencia en las motivaciones del autor. Tal vez sea necesario comprender que todo relato de Bordoli es una especie de cuento-metáfora. Cada una de esas estampas de pueblo chico, almas de frustrada pureza, anécdotas de una sensibilidad dulzona y casi cursi, tiende a metaforizar la soledad, verdadero *leitmotiv* del libro. Más que "senderos solos", se trata de senderos que conducen a la soledad. Bordoli tiene el valor de no avergonzarse de lo cursi, de ostentar su vecindad con la ternura. Además, tiene un modo muy peculiar de presentar, con rasgos muy simples, personajes que suelen ser extremadamente complicados. Se trata de una forma literaria, difícil de gozar en su plenitud por el lector desprevenido, pero en esa dificultad no todas las culpas son del narrador.

Hace diez años, el crítico Emir Rodríguez Monegal vio con acierto que Bordoli no dominaba su materia narrativa: "Con tacto finísimo ha limitado el territorio auténtico de su arte y ha preferido abandonar lo que no le era propio y trabajar en profundidad con lo conocido. Se ha acercado a sus temas y a sus hombres con el rigor del espíritu, buscando únicamente lo verdadero. Pero no ha procedido con la misma exigencia frente a la materia verbal. Esto no quiere significar que Castelli no maneje bien la palabra. Puede hacerlo y, en muchos casos, lo hace con insuperable emoción. Pero no pone el mismo cuidado en la composición total de cada cuento" [2].

---

(2) *Otra forma del rigor*, (en *Número*, N.º 9 julio-agosto 1950, Montevideo, págs. 430-432.

En 1960, Bordoli sigue sin dominar su materia narrativa; es probable que nunca llegue a dominarla, más aún, acaso ni siquiera lo pretenda. Aparentemente, le alcanza con mantenerse fiel al espíritu que anima sus narraciones. Las mejores de éstas (*La pradera, La voz interior, Trago amargo, El entierro*, y, sobre todo, *Mundo verde y rojo*) muestran que Bordoli, a través de catorce años de oficio literario, ha ido brindando diversas versiones, renovados rostros, de un hombre sustancial y módicamente desolado, que se aferra a su infancia como a una tabla de última salvación y que necesita del marco de la naturaleza para sufrir (y disfrutar) de su mansa tristeza.

Es claro que la estructura de los cuentos no siempre coincide con la más estricta tradición del género. Pero, hoy en día, ¿quién sería capaz de exigir, para algún género literario en particular, una sola fórmula, inamovible y rígida? Es obvio que Bordoli es un cuentista de registro limitado. Pero eso no significa necesariamente una carencia, ya que también es cierto que ese registro tiene originalidad y una sincera vibración humana.

(1961)

testimonio y creación de mario arregui

No es lo más frecuente, pero cuando un creador indaga en el devenir de otro creador, puede, sin quererlo, proporcionar algunas claves para que los demás pesquisen en su propia labor. Por lo pronto, no es lo mismo considerar *La sed y el agua* (1964), libro en el que Mario Arregui (nacido en Montevideo, 1917) ha reunido todos sus cuentos menos dos, que auxiliarse en el juicio con la tentadora vecindad de otro libro de este autor, aparecido casi simultáneamente: *Líber Falco* (1964).

Aunque el autor aclara que este último no es un libro crítico ni una biografía y sí *"mi testimonio sobre un amigo que fue un hombre singularísimo y un hondo y memorable poeta"*, la circunstancia de que Arregui sea un narrador y Falco un poeta, crea entre sus respectivas producciones un puente muy particular por donde transitan algunas actitudes, no siempre compartidas pero con frecuencia mutuamente contaminadas. Si bien ellas contribuyen a iluminar ciertos sectores de esa insólita persona llamada Líber Falco (alguien que no ha dejado discípulos pero sí un grupo de amigos firmemente dispuestos a custodiar su recuerdo) sirven mejor aún para iluminar algunas zonas de la obra narrativa del propio Arregui.

"Creo que no es demasiado difícil ser bueno", dice

Arregui al comienzo de su libro sobre el poeta; "*alcanza, me parece, con llegar a un entendimiento tranquilamente hostil con los demonios personales*". ¿Quién podría formular una mejor definición de los cuentos de Arregui? Un entendimiento tranquilamente hostil con los demonios personales. Eso ha de ser lo que se propone más de un personaje de Arregui cuando se tiende boca arriba en algún lecho y fuma un cigarrillo próximo a su final (así al menos fuman los respectivos protagonistas de *Las formas del humo* y de *La sed y el agua*). Pero estas criaturas son tranquilas y hostiles no sólo cuando fuman. El mundo de Arregui está pendiente de una agresión serena, calculada; ese doble ingrediente comparece, por ejemplo, en relatos como *Mis amigos muertos*, donde la hostilidad fantasmal asume la forma de un silencio; en *Los ladrones*, donde el pasajero construye la materia de su placer solitario con una suerte de vindicatoria tenacidad: en *La sed y el agua*, donde Pablo, con "*una voz íntima y asordinada*", agrede a Vita mediante la sosegada reactualización de un pasado que le excluye; y, por último, en *Tres hombres*, donde Maciel, "*con un movimiento casi ceremonioso*", arroja su cuchillo a los pies de Velasco.

Sin duda hay algo que distingue a Arregui de los otros descriptores del medio rural. Sus relatos acontecen por lo general en el campo o en pueblos del Interior (tal vez en Flores), pero nadie osaría incluirlos en un rango de literatura campesina o gauchesca o nativista. Aunque a veces hablen con términos o modulaciones camperas, los personajes de Arregui no viven de ese colorido; el folklore rinde en ellos escaso dividendo. ¿A alguien se le ha ocurrido imaginar cómo sería un personaje de Espínola, visto y oído por Borges? A mí me parece que se parecería bastante a algunas de las criaturas de Arregui. ¿Esteticismo? Quizá. "Lúdico afán literario", ha anotado Visca, y el dictamen me parece justo pero sólo con respecto a una parcela de la obra de Arregui, seguramente la menos importante. Sería el caso de *Un cuento de fogón*, donde hay una juguetona intención de enredar y enredarse en la madeja de la superstición; en *El viento del sur*, cuento redactado con verificable fruición literaria y un exagerado regusto en el acoplamiento de palabras artísticas a priori, pero flojísimo en su sustancia narrativa (¿cómo no sustituirlo por *Diego Alonso*, inexplicablemente eliminado del tomo por la razón de que figura en la antología de Visca?) y quizás también el de *La casa de piedras*, probablemente el más invadido por la sombra curricular de Borges. Pero en la mayoría de los cuentos el estilo, jamás descuidado, está al servicio de una eficacia legítimamente narrativa. Arregui no trampea a su lector; le da los elementos necesarios, y sin embargo luego lo sorprende. Eso sucede en *Unos versos que no dijo* (anécdota menor, pero bien desenvuelta y mejor culminada), *Los ladrones* (el casi religioso pudor que los improvisados rateros sienten ante una ajena soledad, por abyecta que sea, es una imprevista lección de cómo salvar un tema que parece de antemano condenado), *Un cuento con el diablo* (pese al cóctel de posibilidades guiñolescas, el autor rescata lo que podría denominarse el *alma* del cuento mediante una sensación de náusea que también compromete al lector), *Las formas del humo* (un relato de formidable economía, enriquecido al final por un reclamo, revelador de que en Arregui, además de un desvelo estético, existe un infalible instinto de narrador) y sobre todo *Tres hombres*, donde se nota, más que en ningún otro relato, la mano

segura del creador que conoce su rumbo y además es
consciente de cómo interesar a su lector.

Ya ha sido suficiente y acertadamente señalada (por
Angel Rama en *Marcha* y Ruben Cotelo en *El País*, además de la advertencia estampada por el autor en la
nota que precede a los cuentos) la presencia, en el relato que da título al libro, de ciertos gérmenes de la
soledad, y su inevitable *partenaire* la muerte, temas
poco menos que constante en la obra de Arregui. Pero
es justamente a propósito de esa comprobación que
debo volver a Falco.

El poeta de *Tiempo y tiempo* es algo más que un
tema para Arregui. Por lo pronto escribió: "¿Sabes lo
que es estar solo, solo, / volver a casa a las dos de
la mañana, / mojar un pan mohoso, triste y duro / roerlo
solo, / y sentado en la orilla del mundo, / ver a los
astros que rutilan / y no saber qué preguntar ni qué
decir / y confundir las hambres, y roer solo tú allá /
un pan mohoso, triste y duro?". Falco publicó este poema más o menos por la misma época (acaso, un año
antes) que la primera versión de *La sed y el agua*. Con
esa aproximación es posible comprender mejor a un
Arregui que pone en labios de su personaje esta confesión: "*Nunca me he sentido tan solo, tan irremediablemente solo*", y luego: "*Nunca fui más yo mismo que en
aquella noche terrible*". Porque Arregui aprendió de
Falco (o compartió con él) que el hombre es eso, soledad, un ser incrustado en su destino; por si ello fuera
poco, el propio Falco se lo comunicó directamente en el
tenso poema *(Reposo)* que le dedicara: "Nada alcanza en
la tierra, y todo es triste". Casi diez años más tarde
Falco y Arregui vuelven a compartir preocupaciones, y
mientras Falco publica el poema *A Picatto*: "Oscuro de
silencios, la boca manándote negrura", Arregui concibe

el cuento fantástico *Mis amigos muertos*, donde el narrador, ya muerto, se encuentra con otro difunto llamado Pedro (igual que Picatto) pero éste *"no me miraba; seguía silencioso, serio"*. Y mientras Falco pregunta: "Pero ¿por qué no hablas? / ¿Es preciso acaso que no hablen los muertos?", el personaje de Arregui relata: *"Quise hablarle, pero ¿de qué hablarle?, ¿qué tenía que decirle? ¿para qué hablar?"*. Esta no es una constancia erudita. No me importa saber quién precedió a quién, sino sencillamente destacar que había un área de desvelos en que dos tipos aparentemente tan distintos como Falco y Arregui, se cruzaban, y (así fuese momentáneamente) coincidían. El testimonio del narrador sobre el poeta no llega a constituir un gran libro. Fragmentario, algo desordenado, con páginas escritas apresuradamente a pocas horas de la muerte de Falco, y que no ensamblan idealmente con otras posteriores, de más lenta maduración, tiene sin embargo (además de pasajes de prosa impecable, como los consagrados a la figura del poeta Pedro Picatto, o francamente divertidas como las que pormenorizan la fraternidad de los maragatos, auténticos y espurios) un valor esencial: brinda la imagen humana, incanjeable, de un poeta que dejó hondamente marcados a quienes le rodearon. Personalmente, sólo una vez (en la antigua librería Salamanca) hablé unos minutos con Falco, de modo que mi desventaja es aproximadamente la misma que la del lector corriente; quizá por eso no tenga que hacer al libro retoques de testigo, pero tal vez por la misma razón pueda entrever que la afectuosa reconstrucción proporciona al lector de hoy un *Falco par lui-meme* que se hace merecedor de su propia poesía.

En el poema antes mencionado que dedicara a Mario Arregui, escribió Falco: "Sin embargo, con urgen-

cias de ahogado / uno pregunta y llama, y otros nos
oyen: / porque es preciso juntos, enterrar la muerte".
Una vital exhortación a la que, después de tantos años,
el destinatario ha sido maduramente fiel.

(1965)

armonía somers y el
carácter obsceno del mundo

"No hay nada más obsesionante para el hombre que eso que ha convenido en llamar el paraíso. No tanto porque lo imagine hermoso e interminable. Aunque se persista en decir lo contrario, nadie piensa que pueda existir algo que supere a la tierra, aun en la precariedad del tránsito". La cita pertenece a un antiguo cuento de Armonía Somers [1], y su sentido sigue planeando sobre los relatos de *La calle del viento Norte* (1963), obra con la que esta narradora reanuda su labor de creación, después de un silencio que duró diez años. *"Nadie piensa que pueda existir algo que supere a la tierra"*; acaso esta frase represente una clave para entender, apreciar, y también sufrir, las implicaciones metafísicas de esta extraña literatura. Porque esa exclusividad, ese precario monopolio que Armonía Somers reclama para la vida terrenal, paradójicamente no sirve para prestigiar esta residencia sino para comprobar su definitiva condición miserable.

Los horrores de este mundo podrían ser dignificados y hasta sublimados por la presencia de Dios, pero Somers parece descartar aquella presencia, para admitir

---

(1) *La puerta violentada*, incluído en *El derrumbamiento* (1953).

en todo caso la existencia de un destino ciego que deja al hombre absolutamente a la intemperie, a solas consigo mismo. Es entonces, sólo entonces, que los horrores del mundo se convierten en un perverso absurdo, en una crueldad sin justificación. Ya que Somers define la vida como *"un juego olvidado de la muerte"*, este libro vendría a ser, por lo menos en uno de sus sentidos, un memorándum destinado a reparar ese olvido.

Armonía Somers es sólo un seudónimo tras el que se oculta una investigadora, ampliamente conocida en el plano del magisterio. Su obra narrativa se inicia con *La mujer desnuda* [2], largo relato que, a pesar de sus rengueras literarias, mostraba una confusa fuerza dionisíaca. Tres años más tarde, en El *derrumbamiento* (1953), la autora reúne cinco cuentos, en los que ya se anuncia cierta pesadillesca visión del mundo, cierta oscura, visceral asunción de un caótico y protervo azar. En esos relatos comparecían, en abierta pugna, virtudes y defectos. Por una parte, Somers se mostraba como una artista cabal, poseedora del difícil don de contar; por otro, la estructura de los cuentos era a veces tan débil y confusa que su sentido esencial se desdibujaba; el caos, el delirio de temas y personajes, llegaban a afectar el estilo y a quitarle al lector los asideros mínimos de la atención. En aquel momento, ese desajuste pudo parecer una *pose* del narrador, una mala digestión de lecturas riesgosas y seductoras, y así lo señalé [3].

El nuevo volumen de cuentos tiene un doble efecto:

_____

(2) Apareció por primera vez en la revista *Clima*, Nº 2-3, 1950, y en 1951 como apartado de la misma revista. En 1967 fue reeditada por Arca.

(3) En una reseña publicada en la revista *Número*, año 5, Nº 22, 1953.

no sólo representa un logro en sí mismo, sino que además significa, con respecto a *El derrumbamiento*, una retroactiva justificación. Ahora, frente a un narrador que ha adquirido un claro dominio de su instrumento literario; que ha madurado en la concepción de su propio laberinto; que construye sus cuentos sobre estructuras mejor armadas y sobre diseños menos deteriorados por el caos; ahora sí es posible comprobar que los cuentos de aquel libro de 1953, aunque no totalmente *realizados* como la literatura que pretendían ser, no se inscribían en una pose literaria sino en una auténtica angustia metafísica. Justo es reconocerlo, aunque sea a diez años de distancia.

Si fuera obligatorio invocar algún nombre para señalar una afinidad con los extraños cuentos de *La calle del viento norte*, habría que salir de la literatura y acordarse de Ingmar Bergman; especialmente, de los films de su última trilogía. Al igual que el notable realizador sueco, Somers experimenta simultáneamente rechazo y fascinación ante lo demoníaco, ante el horror y las perversiones de lo humano. Su mundo es infernal y está poblado de seres crueles e incomunicados, que reservan la palabra solidaridad para el puntual ejercicio del odio. Pero donde Somers está más cerca de Bergman es en su relevamiento de la ausencia y el silencio de Dios ("*Dios, yo nunca te tuve*", dice la protagonista de *El hombre del túnel*, "*al menos en esa forma de cómoda argolla de donde prenderse en casos extremos, ni siquiera como la cancelación provisoria del miedo*"). Toda su concepción de lo demoníaco, de la horrible atracción de lo abyecto, de las misteriosas segregaciones del Mal, parecen apuntar a una más oscura y profunda convicción: el carácter obsceno del mundo todo.

En el cuento que da título al volumen, el viento empieza "a retorcerse puerta adentro, como si lo que a él le ocurría no tuviese nada que ver con los entredichos de aquellos pigmeos sostenidos por milagro en sus dos patas. El era parte de algo demasiado enorme que se había gestado mundo arriba, una preñez de cielo grande desvinculado por completo de los vientres mortales, apenas receptivos de su inmundo lastre". Aquí el viento es casi un sucedáneo de Dios; o sea que, aun en el caso de que Dios existiera, habría en El una actitud tan ajena, tan poderosa, tan egoísta, tan sola, que automáticamente la vida humana como miserable excrecencia de Dios, se convertiría en algo obsceno, en "inmundo lastre". Pero si Dios además, no existe, o por lo menos no comparece para, con su presencia, otorgar sentido a seres y cosas, entonces su ausencia origina el absurdo, y ese absurdo es igualmente obsceno e igualmente horroroso.

Tal vez a esta altura el lector saque sus propias cuentas y deduzca que los de Armonía Somers no son cuentos agradables. Estará en lo cierto. Un loco que cierra un portal para que no pase el viento; dos niños celosos de su hermano muerto, que llegan improvisada pero conscientemente al crimen; un alacrán que oficia de azaroso verdugo; la insólita subasta de un sepulcro; cierta muchacha que persigue afanosamente la imagen de un violador. Estos son los temas de los cinco cuentos. Uno de ellos, *Muerte por alacrán*, administra su dosis de terror con un ritmo y una precisión notables; es un título que no podrá faltar en ninguna antología del cuento uruguayo. Pero, con excepción de *La subasta* (pobre de lenguaje y, además, sostenido por una fantasmagoría demasiado obvia), los otros cuentos también consiguen, en su envase de violencia o de espanto, desarrollar una imagen de la crueldad que unas veces es absorbente y otras es sólo intimidatoria, pero que siempre impresiona por su fuerza innegable, por su capacidad de invención, por su tensión y su misterio. A un relato como *El hombre del túnel* ("cuento para confesar y morir" es el subtítulo) se le podrían acoplar numerosas interpretaciones, pero no es por ellas que va seguramente a sobrevivir sino por su declarada, vibrante obsesión, por la doble corriente de ternura y de asco que lo recorre y justifica.

Para asombrar con su propio asombro, Armonía Somers ha encontrado ahora un estilo severo, áspero, que a menudo incluye repentinos hallazgos verbales y una adjetivación particularmente imaginativa; un estilo que se corresponde como nunca con su visión desgarrada y distante, y que contribuye poderosamente a brindar una oprimente sensación de pesadilla. Frente a este libro insólito, singular, el lector (al igual que la autora frente a las diversas formas del Mal) podrá sentir rechazo o fascinación; pero es seguro que no ha de permanecer indiferente. Es cierto que *La calle del viento norte* es una obra sin optimismo y probablemente sin mensaje; pero también es el testimonio de una estupefacción, a partir de los grandes ojos abiertos con que alguien ve (o imagina, que es un modo doloroso de ver) los horrores de este mundo y la desesperanzada muerte de ese horror.

(1964)

idea vilariño o la poesía como actitud

Poemas de amor [1] es el último libro de Idea Vilariño. Su publicación me parece el mejor de los motivos para examinar retrospectivamente toda la obra (nada extensa, por cierto) de esta escritora, cuyo aporte significa uno de los más altos niveles (sino el más alto) de la poesía uruguaya contemporánea.

Idea Vilariño lleva publicados hasta ahora seis delgados conjuntos de poemas: *La suplicante* (1945), *Cielo cielo* (1947), *Paraíso perdido* (1949; reúne poemas de los anteriores y sólo agrega el que le da título); *Por aire sucio* (1951; hay una primera edición, no venal, de 1950), *Nocturnos* (1955), *Poemas de amor* (1958; edición manuscrita, de escasos ejemplares, que virtualmente no salió a la venta). Al margen de su obra lírica, publicó en 1952 un estudio sobre Julio Herrera y Reissig, y las páginas de *Clinamen, Número, Marcha* y *Asir*, acogieron en diversas oportunidades sus estudios sobre letras de tango, además de poemas, traducciones, notas críticas e investigaciones sobre ritmos en poesía.

Hoy, a los diecisiete años de haberse publicado su primer cuaderno, hay que reconocer que la aparición

---

(1)   Montevideo, 1962, Editorial Alfa.

de Idea significó un hecho insólito en la poesía uruguaya, no sólo por el soplo renovador que, en materia de ritmo y de lenguaje, casi desde su arranque representó su obra, sino también —y principalmente— por la desolada, sincera, patética visión del mundo que, en versos de buena ley, trasmitía esa voz nueva e implacable.

Idea Vilariño no es hoy, ni ha sido nunca, un poeta fácil; pero quizá lo haya sido menos en sus primeros poemas. De ahí que el lector demorara en acercarse a su obra. Acaso haya querido el público verificar primero si, debajo del envase más o menos hermético, no existía el mismo vacío a que lo tenía acostumbrado un inacabable jubileo de versificadores domésticos.

Algunos críticos (recuerdo por lo menos a Emir Rodríguez Monegal, Carlos Ramela, Isabel Gilbert de Pereda), relevaron sin embargo la obra de Idea Vilariño, con un entusiasmo que no sólo era franca y pensada adhesión a una actitud literaria y humana, sino también rechazo y censura hacia el pretendido lirismo de tantos otros, invalidado desde sus raíces por una incurable frivolidad. En un instante en que la poesía femenina uruguaya (estaban, claro, las honrosas excepciones de Esther de Cáceres, Sara de Ibáñez, Clara Silva) parecía confortablemente instalada en un territorio que pretendía ser Arcadia conceptual pero no pasaba de ser aburrida y árida *tierra de nadie*, una nueva promoción de escritoras (Idea Vilariño, Orfila Bardesio, Ida Vitale, Amanda Berenguer, Silvia Herrera), sin integrar virtualmente un grupo, ni mostrar mayores afinidades estilísticas o temáticas, coincidió sin embargo en una actitud autoexigente y existencial, y demostró (con diversos lenguajes y en distintos niveles de calidad) que su poesía no era un mero pretexto. En realidad tenían algo que decir, algo que comunicar.

Creo que, dentro de esa promoción, Idea Vilariño es la que ha calado más hondo en su propio mundo, y, por consiguiente, la que da una visión más original e incanjeable del mundo exterior. Sus breves poemarios muestran a un escritor de circuito cerrado, a alguien que gira desveladamente alrededor de sus angustias. Pese a las dificultades de comunicación que muestran los primeros poemas, Idea tiene en última instancia la fuerza y el ritmo necesarios para establecer la inevitable, obligada comunicación con su lector.

En el momento de su aparición, los cinco poemas de su primer libro (*La suplicante*) pudieron ser tomados como la transcripción de una plenitud. Un lenguaje pródigo, rico en imágenes ("*Transparentes los aires, transparentes / la hoz de la mañana, / los blancos montes tibios, los gestos de las olas, / todo ese mar que cumple / su profunda tarea, / el mar ensimismado, / el mar, / a esa hora de miel en que el instinto / zumba como una abeja somnolienta*"), atravesado de naturaleza ("*Vas derramando oro, / vas alzando ceniza, / vas haciendo palomas de los tallos sensibles, / y hojas de oro caliente que se incorporan desde / y nubes de ceniza que se deshacen sobre / la caricia que crece*"), de exigente osadía, de todavía inmune intrepidez ("*Concédeme esos cielos, esos mundos dormidos*"; "*Tú, el negado, da todo*"), proponían, acaso inconscientemente, el retrato de un poeta seguro de sí mismo, abrigado en sus negaciones, protegido por sus certezas, bien plantado en sus influencias. Al cabo de cinco títulos posteriores (desde *Cielo cielo* hasta *Poemas de amor*), y después de haber reconocido, verso a verso, el atormentado proceso creador que en ellos comparece, *La suplicante* parece sólo un balbuceo, aunque (justo es reconocerlo) se trate de un balbuceo brillante y prometedor.

Sin embargo, al considerar la poesía posterior de Idea, ya no será lícito hablar de brillo. A partir de *Cielo cielo*, el énfasis se opaca, como consecuencia de que también se opaca la visión del mundo. Paradójicamente, es en esa pérdida de brillo imaginero, es en la niebla de dudas que va a cubrir la cada vez más despojada (en lo formal) y desamparada (en lo espiritual) poesía de Idea, donde va a estar el núcleo de su eficacia, el secreto de su fuerza y comunicabilidad. Los ajenos legados, buenos y malos, que recogía el primer cuaderno, las breves caídas en la comprensible tentación del lujo verbal, la esplendidez del ejercicio rítmico, han de pasar por dos horcas caudinas: el ascetismo formal y el sufrimiento físico.

De ahí que, con respecto al primer cuaderno, *Cielo cielo* testimonie una vacilación verbal, una perplejidad (aún no dominada) frente al instrumento literario recién descubierto. El poeta desciende de su intrepidez, de sus certezas, de su invulnerabilidad. *"Estoy temblando"*, dice en el primer verso de *Callarse*, y más adelante: *"El sol no existe aquí más que en palabras"*. El cotejo entre las versiones de una misma imagen (la boca), tal vez sirva para medir la diferencia. Dice el poeta en el primer cuaderno: *"Cuando una boca suave boca dormida besa / como muriendo entonces / a veces, cuando llega más allá de los labios / y los párpados caen colmados de deseo / tan silenciosamente como consiente el aire, / la piel con su sedosa tibieza pide noches / y la boca besada / en su inefable goce pide noches, también"*. Pero en *Cielo cielo* la imagen regresa con un lastre tremendo de amargura, de hastío recién inaugurado: *"boca de piel de ah de vida hastiada / renegada de cuanto no le es boca / llena de hastío y de dolor y de / vida de sobra / dada tirada así llena de llanto / de música o lo mismo /*

de *materia de aire pesado y dulce / de canto temblor*
pánico /de hastío sí / de espanto sí de miedo triste".

Cuando en 1949 publica Idea Vilariño su *Paraíso perdido*, en realidad reúne (y reordena) cuatro poemas de su primer cuaderno y dos del segundo, agregando sólo el que da título al volumen. En el camino quedan tres poemas de *Cielo cielo* (que habrá de recoger provisoriamente en 1950, en la primera edición de *Por aire sucio*), uno titulado *El mar* (ciertamente, lo más flojo y retórico de su producción) del primer cuaderno, y cuatro versos del poema *La suplicante*, que asimismo sufre un trastrocamiento de imágenes en su parte III. A esta altura, Idea se ha decidido por la eliminación casi total de los signos de puntuación, despojo éste que contribuye a la penitente austeridad, infligida por el poeta a su propio verso.

Aun considerando la distancia, sobre todo formal, que media entre el primer cuaderno y el segundo, conviene destacar que, en *Cielo cielo*, el dolor, la repulsa trágica de las apariencias, la sobrecogedora instalación del hastío, más que como experiencias, estaban dados como intuiciones. El amor y la muerte siempre rondaron el temario de este poeta, pero al principio sólo significaron una amalgama intelectual, pensada literalmente antes que vivida en carne propia. La dramática promiscuidad de esas dos palabras en la poesía de Idea, su mutua atracción, su emulsión lírica, sobrevendrán después, y subsistirán hasta los más recientes *Poemas de amor*.

En realidad, la madurez expresiva de Idea, se inicia a partir del poema *Paraíso perdido*. En esta pequeña obra maestra no sobra ni falta nada, y, pese a su rigor, a su ascética forma, compromete al lector en la revelación, en el hallazgo de una nostalgia conmovedora. *"No*

quiero ya no quiero hacer señales / mover la mano no
ni la mirada / ni el corazón. No quiero ya no quiero /
la sucia sucia sucia luz del día. / Lejana infancia paraíso cielo / oh seguro seguro paraíso". Aquí inicia el poeta su larga negación, su temerario y a la vez desvalido
enfrentamiento del absurdo destino.

Cuando Idea Vilariño llega a las dos ediciones (1950
y 1951) de Por aire sucio, no sólo viene de la enfermedad y el sufrimiento; viene también de la incomunicación y la clausura, del abandono total, del arrabal de
la muerte: "Solo como un perro / como un ciego un loco / como una veleta girando en su palo / solo sola
solo / como un perro muerto / como un santo un casto /
como una violeta / como una oficina de noche / cerrada / incomunicada / no llegará nadie / ya no vendrá
nadie / no pensará nadie en su especie de muerte". Lo
que antes era vislumbre e intuición, ahora es recuerdo
y llaga. Después del abandono y los fantasmas, es otro
ser el que retoma el mundo. "Lo que era sólo lucidez
premonitoria en los primeros versos", escribió hace unos
años Emir Rodríguez Monegal a propósito de aquel libro, "es ahora experiencia. El poeta ha mudado de piel.
Y aunque la vida vuelva a sus cauces, aunque el amor
y las estaciones vuelvan, aunque la luz no sea ya sólo
el amarillo de afuera, le poeta no puede esconder las
cicatrices del dolor, el poeta no puede ya mentirse".

La muerte se ha alejado, los fantasmas se han que-
mado en un mero azar, pero su letal ceniza ha contaminado el aire. Desde el vibrante *transparentes los
aires transparentes*", que compareció en la primera línea
de su primer cuaderno, y aun después de que el poeta
rechazara, o intentara rechazar, *"la sucia sucia luz del
día*" (Paraíso perdido), sobrevino la pesadilla física y
moral, el roce casi obsceno con la muerte, y desde en-

tonces el ser, el aparentemente recuperado ser, debe transitar *"por aire sucio"*. Del aire transparente al aire sucio; de la plenitud, al abandono; de los seres que *"se miran con miradas de eternos"* (*La suplicante*) al otro ser lacerioso, *"incomunicado / solo como un muerto en su caja doble"*. Se fueron los fantasmas, pero queda el abandono clavado en el futuro. Por eso es otro ser el que regresa: con memoria, pero sin ilusiones. Sabe que un azar cualquier alejó el sufrimiento, sabe que los fantasmas pueden ser fácilmente convocados, sabe que la muerte tiene el puño en el aire, listo, levantado. ¿Cómo gozar de la vida cuando a ésta se la ve tan frágil, tan absurdamente frágil, cuando se la ve transcurrir como una aleatoria postergación de la muerte? Para conjurar tal sordidez, tal fatalidad, este poeta se halla más inerme que otros. Carece de ese raído paño de lágrimas que se llama Dios. No obstante, posee un impulso, un sucedáneo de poder: quiere dar testimonio de una sombría visión, de su infierno particular, de su buceo en la conciencia, de su legítima y condenada aspiración a una lejana, borrosa felicidad. Quiere comunicarse con el lector, ese Alguien, y acaba por jugar a tal única cifra toda su posibilidad de salvación. En lo cual hace bien, porque se salva.

Poco a poco este ser vuelto a la vida, desdeñoso de su resurrección, irá precisando, definiendo, los contornos de su ansiedad, de sus negaciones, de sus ascos, de su decepción. En *Nocturnos* (el más importante, el más logrado de sus libros), publicado en 1955, el estremecido grito parece transformarse en voz serena. Pero la diferencia es más de envase que de contenido, y tiene que ver particularmente con una mayor madurez expresiva. En gesto exigente y autocrítico, Idea ha querido despojar su poesía de todo lo superfluo, de toda palabra canjeable, de toda emoción parásita. Se ha quedado con la esencia de sus torturas, de sus nostalgias, de su cruenta franqueza, de su más solitaria soledad.

De ahí que este libro resulte el más penetrante, el más hondo, el más certero. Cuando uno lee los cinco primeros versos del segundo nocturno ("Si alguien dijera ahora / aquí estoy y tendiera / una mano cautiva que se desprende y viene / la tomaría / creo"), no puede ser insensible a cierta serenidad que ellos propagan. Pero bastará levantar los ojos hasta el título: Andar diciendo muerte, para advertir que el círculo de temas es el mismo. Sólo que en esta vuelta el trazo está más firme, más seguro de la propia cicatriz que recorre. Entonces todo le sirve al poeta para documentar su rechazo de la estructura en que se halla inscripto: desde los seres queridos ("Quienes son quiénes son. / Qué camada de muertos para el suelo que pisan / qué tierra entre la tierra mañana / y hoy en mí / qué fantasmas de tierra obligando a mi amor") hasta la pasión ("Noche cerrada y ciega / sin nadie / en la locura / de una pasión entera fracasando en la sombra"), desde la presencia humana ("dame la soledad / la muerte el frío / todo / todo antes que este sucio / relente de los hombres") hasta el sueño que espera ("Habrá que continuar / que seguir respirando / que soportar la luz / y maldecir el sueño").

En el curso de su obra poética, Idea ha tratado de desbaratar las apariencias, ha querido siempre alcanzar la motivación más profunda de los seres y de las cosas. Es especialmente en ese sentido que el símbolo y el ámbito de la noche le sirven como forma de concentración, le impiden distraerse en rostros y esperanzas: "la tierra por la noche / el cielo por la noche / sin palabras sin hombres / en lo azul en lo abstracto / inmóvil

217

sin un soplo / *sin respirar* / *estando* / *con majestad con aire* / *con limpieza infinita*". La noche se convierte así en la no-presencia, en el espacio ideal para pensar y re-pensar a solas sobre la comprimida, empalizada, agredida soledad. Y entonces sí es posible arribar al sereno diagnóstico: "*No hay ninguna esperanza* / *de que todo se arregle* / *de que ceda el dolor* / *y el mundo se organice*". A partir de *Nocturnos*, las influencias literarias (Juan Ramón Jiménez, Pedro Salinas, Raymond Queneau) que habían acompañado, a prudente distancia, diversas etapas de la poesía de Idea, quedan como lejanas sombras en el horizonte. El poeta encuentra su mejor lenguaje, el exactamente ajustado a su intención más honda, el que menos deforma su sentido, su esencia.

Quien haga un inventario superficial, exterior, de los temas de Idea Vilariño; quien escoja (no precisamente al azar) un poema aislado y no representativo; quien se fije más en las meras palabras que en los contextos, podrá acaso concluir, como el crítico Hugo Emilio Pedemonte [2] que "de todo esto no queda una imagen de poesía". Pero sucede que este poeta no puede ser asumido en una lectura salteada, presurosa, frívola; sus poemas no son simples arranques, abruptos estallidos, sino que están inscriptos en un mundo, amargo sí, y tal vez excesivamente desolado, pero siempre coherente.

Curiosamente (y éste quizá sea el rasgo más difícil de reconocer en una poesía tan tensa, tan rigurosa), en el cimiento espiritual de ese ser que niega, que rechaza, que sufre, que no olvida, ha existido una constante aspiración a la dicha, una última esencia de amor

---

(2) *Nueva poesía uruguaya*, Madrid, 1958, Ed. Nueva Cultura Hispánica, pág. 216.

—y hasta de ternura— que ha sido guardada como un fondo de reserva, como una extrema justificación de la existencia. Tal disponibilidad ha subyacido en todas las etapas de su obra, pero es en su último libro, *Poemas de amor*, donde se hace más evidente y definida. "*Estoy aquí / en el mundo / en un lugar del mundo / esperando / esperando*", dice en uno de los poemas más breves. Cuando la espera culmina, cuando el amor adviene, las palabras imitan (consciente, deliberadamente) la felicidad: "*Un pájaro me canta / y yo le canto / me gorjea al oído / y le gorjeo*", pero el ser íntimo, el último reducto de la verdad, sabe que el amor es una abundancia transitoria ("*Amor amor jamás / te apresaré*"; "*Qué lástima que sea sólo esto / que quede así / no sirva más*"; "*Puedo sólo sufrir / por los días perdidos / por lo imposible ya / por el fracaso*") durante la cual no es posible ahorrar para el mezquino futuro; sabe que la soledad sólo provisionalmente admite su derrota: ("*sos un extraño huésped / que no busca no quiere / más que una cama / a veces. / Qué puedo hacer / cedértela. / Pero yo vivo sola*"); que, más allá de esa pobre tregua llamada amor, la soledad retomará las riendas de la vida. En el último poema de *Nocturnos*, ya había sido mencionado "*ese vacío / más allá del amor / de su precario don / de su olvido*".

Esa inclemente perspectiva, esa condena a cumplir, ese futuro cerrado, no impiden sin embargo la plenitud del amor; más bien la intensifican, la dramatizan. Es una plenitud a corto plazo, siempre amenazada, pero con ella construye Idea tres o cuatro poemas, en los cuales lo erótico, lo romántico, o hasta lo puerilmente doméstico del amor, se inscribe en una capacidad de comunicación raras veces reconocible en nuestra copiosa poe-

sía femenina. Me refiero a los poemas Carta I, Carta II,
No te amaba y Ya no. Transcribo este último:

> Ya no será
> ya no
> no viviremos juntos
> no criaré a tu hijo
> no coseré tu ropa
> no te tendré de noche
> no te besaré al irme.
> Nunca sabrás quién fui
> por qué me amaron otros.
> No llegaré a saber por qué ni cómo nunca
> ni si era de verdad
> lo que dijiste que era
> ni quién fuiste
> ni quién fui para ti
> ni cómo hubiera sido
> vivir juntos
> querernos
> esperarnos
> estar.
> Ya no soy más que yo
> para siempre y tú ya
> no serás para mí
> más que tú. Ya no estás
> en un día futuro
> no sabré dónde vives
> con quién
> ni si te acuerdas.
> No me abrazarás nunca
> como esa noche
> nunca.
> No volveré a tocarte.
> No te veré morir.

No todos los poemas del volumen alcanzan esta altura. En realidad, me parece que *Poemas de amor* es un libro menos riguroso, menos autoexigente y concentrado que *Nocturnos*, al que sigo considerando el punto culminante de la poesía de Idea. Curiosamente, algunos de los poemas más breves (*Estoy aquí; Yo quisiera; Estoy tan triste*) dejan un flanco, que si no llega a ser de debilidad formal, es por lo menos de una menor fuerza expresiva. Al parecer, la medida actual, el ritmo interior de la poesía de Idea, se desenvuelve mejor en más espacio, en desarrollos de más prolongada tensión. Justamente, los poemas que menciono más arriba como más logrados, son de los más extensos del último libro.

Aun con estas objeciones menores, *Poemas de amor* resultará siempre un libro fundamental en la trayectoria de este poeta, ya que testimonia virtualmente la única apertura (todo lo transitoria que se quiera) de su mundo aherrojado, oprimido, perplejo. Una apertura que no sólo permitió al poeta expatriarse momentáneamente de su soledad, sino que también permite al lector echar un vistazo al fondo humano y conmovedor de un ser que busca, con más o menos desesperanza, lo que todos buscamos. No importa mayormente que, desde ahora, la puerta vuelva a cerrarse. La comunicación ha sido establecida.

(1962)

los morosos relatos de
julio c. da rosa (1)

I

Para un narrador 'que en la normal evolución de su gusto y de su oficio se encuentra de pronto con que ha sobrepasado las miras estéticas o la fórmula técnica de un relato escrito varios años atrás, tiene muy diverso valor si ese mismo trabajo está recogido en un volumen o simplemente se halla semioculto en una publicación irrecuperable. En el primer caso, la nueva toma de posición tiene un signo estimulante (hay que demostrar que eso está superado); en el segundo, representa una inhibición (no es frecuente que un escritor se haga cómplice de los propios errores, mediante la publicación de trabajos propios que ya no merecen su visto bueno).

Por todo ello, resulta de gran utilidad (para el lec-

---

(1) Bajo este título he reunido dos artículos que publiqué, en distintas épocas, sobre la obra literaria de Julio C. da Rosa. El primero es de 1956 y abarca los dos libros iniciales de da Rosa: *Cuesta arriba* y *De sol a sol*. El segundo es de 1961 y se refiere a los dos últimos títulos de este narrador: *Recuerdos de Treinta y Tres* y *Juan de los desamparados*. Por razones que no fueron críticas sino de circunstancia, quedó fuera de este trabajo un tercer volumen de cuentos: *Camino adentro*, publicado en 1959.

tor, para el crítico, para el mismo creador) cuando alguien como Julio C. da Rosa reúne periódicamente sus cuentos en un libro, establece voluntariamente un orden en su producción y pone su firma (o sea, su tácita aprobación) a lo que en cada presente considera como válido, aunque en un próximo o lejano futuro sobrepase esa misma validez con otros logros, con otras tentativas.

En el caso expreso de da Rosa, sus dos colecciones de cuentos permiten comprobar un sensible progreso en su arte de narrar, una sentida propensión hacia ciertos temas y una cada vez más sólida validez literaria de sus criaturas y de su estilo.

Cuando apareció *Cuesta arriba* (1952), señalé que una tercera parte de los cuentos que integraban el volumen demostraba que el autor podía y debía tener mayores exigencias consigo mismo. Justo es reconocer ahora que los siete cuentos que integran *De sol a sol* demuestran que su autor ha madurado, que su estilo se asienta, que ahora es él quien gobierna el relato y establece su rumbo.

En *Cuesta arriba* era evidente que el narrador había hallado excelentes temas de cuento en la realidad que lo circundaba, pero —con excepción de unos pocos títulos— no había encontrado el resorte, el giro verdaderamente creador que convirtiera en literatura aquella realidad tan prometedora. Da Rosa se contentaba las más de las veces con brindar tres o cuatro rasgos (*Solterón* es el ejemplo más ilustrativo), sin inscribirlos convenientemente en una situación o desarrollarlos en una anécdota. En *De sol a sol* (1955), en cambio, no se limita a ese mero apunte; cada personaje es *alguien*, se mueve en un clima que sin ser demasiado ostensible, brinda el marco adecuado al retrato. Porque los cuentos de da Rosa son eso: el retrato moroso, el enfoque simpático de un hombre característico. Las más de las veces el protagonista lleva consigo una especie de atributo externo (una flauta, una esquina, una volanta), algo que lo justifica frente al mundo y constituye el surtidor virtual de sus anécdotas.

Arturo Sergio Visca, en su útil introducción a *De sol a sol*, menciona el válido reproche que se ha hecho a da Rosa sobre la falta de estructura en sus cuentos, y agrega: "No obstante, creo que en su manera de narrar es fiel a aquel respeto por la realidad que señaló como normativo de su labor literaria. Como la vida no tiene 'argumento', no quiere inventárselo a sus personajes. Deja que ellos se viertan en el cuento con la misma espontaneidad con que viven y el arte de da Rosa consiste en seguir fielmente el hilo de sus vidas".

Aunque no por las mismas razones que Visca, creo que ese reproche (que yo mismo hice alguna vez a da Rosa) no alcanza a los siete relatos de *De Sol a sol*. Aquel primer volumen, *Cuesta arriba*, probaba que el respeto por la realidad no alcanza para desarrollar exitosamente un cuento. No siempre es cierto eso de que la vida no tiene argumento. Más aún, la vida (como la imaginación) acaso tenga buenos y malos argumentos. Los malos sirven para el folletín o el episodio de radio. La literatura, en cambio, usa (debe usar, al menos) los buenos argumentos de la vida con la misma eficacia con que utiliza los buenos argumentos de la imaginación.

Ahora da Rosa ha combinado su antiguo respeto por la realidad, con un nuevo respeto por la literatura, y ese mestizaje ha favorecido notoriamente su modo de narrar. En la mayor parte de los cuentos de *Cuesta arriba*, los personajes se vertían espontáneamente, es cierto, pero eran ellos quienes gobernaban el relato. Y, pese a Unamuno, pese a Pirandello, pese a todos aquellos creadores que fingieron ser gobernados por ese dócil personaje, que ellos mismos dirigían más férreamente que nunca, pese a todas esas cortinas de humo, el personaje nunca ha sido un escritor de nota. Ahora, en *De sol a sol*, los personajes de da Rosa también son espontáneos, pero es el autor el que administtra su carácter y su trayectoria, el que construye, con manifiesto arte, su espontaneidad.

Probablemente Ansín, el hombre-flauta, provenga de un fragmento de realidad, pero en ese caso sería, no cabe dudarlo, uno de los *buenos argumentos* de la vida; y tanto el golpe de vista para hallar ese personaje y destacarlo, como el toque poético y el proceso melancólico que lo marginan, eso es literatura y de la buena.

Presumo que da Rosa habrá de conseguir sus mayores aciertos, no precisamente cuando intente inyectar artificio a un tema natural (como en el desenlace de *Crispín de las manos*) sino cuando elija, a priori, una anécdota a la que la misma realidad se haya encargado de crearle una estructura. Su aporte literario al asunto en sí es más de gusto y de intuición que de recreación imaginativa.

Desde el punto de vista de la técnica narrativa, da Rosa no ha impuesto ningún viraje decisivo a su modo de narrar. Todas las cualidades de estilo que caracterizan este segundo volumen, estaban ya anunciadas en *Cuesta arriba*; sólo que ahora el autor confía más en sus propios medios, ha adquirido una buena experiencia, y puede permitirse ciertos alardes de habilidad que favorecen el ritmo y el interés de sus cuentos.

Los diálogos de da Rosa siempre fueron eficaces, pero, en cambio, los relatos en tercera persona de *Cuesta arriba* mostraban una notoria indecisión. Cuando la historia debía comenzar mediante un relato más o menos impersonal, el lector tenía la impresión de que el escritor vacilaba entre verterla en su propio estilo o contarla en el estilo de alguien que hablara como sus personajes. Aun cuando, en *De sol a sol*, todavía aparecen rastros de esa antigua vacilación, es evidente que el autor se ha decidido por el habla campesina. Esto no sólo tiene la ventaja de una mayor y recíproca adecuación entre el tema y su representación en un lenguaje peculiar, sino que también sirve para equilibrar las posibilidades literarias de da Rosa con su demostrada y permanente atención a lo escuetamente humano. Cabría reprocharle, eso sí, cierta arbitraria infidelidad ortográfica —como el uso de la *b* por la *v*— que para ser válida no debería dejar, como en realidad deja, ningún resquicio por el que pudiera colarse la corrección gramatical.

Sólo ahora aparece definido lo que Domingo Luis Bordoli ya anunciaba como una cualidad extraída de *Cuesta arriba:* "Una conversación sin exclamaciones ni afirmaciones rotundas, con un entusiasmo moderado, y entre gente que ya se ha puesto de acuerdo en muchas cosas. Lo más agradable es la fisonomía moral que se adivina detrás de esa conversación. Ni censuras, ni elogios, ni discrepancias. Si alguien se equivoca, apresura a corregirse con alegría, hallándolo tan natural como si hubiera olvidado algún objeto. Una conversación donde se habla poco, de cosas sustanciales, y con espíritu de ocio, de modo que entre frase y frase dejemos sitio al silencio para que entre por allí el espíritu del lugar"[2].

Es más fácil que el *espíritu del lugar* entre por ese silencio cuando las frases que lo marginan concuerdan con el paisaje, con el clima, con el carácter de los oyen-

(2) Ver: Prólogo a *Cuesta arriba*, Montevideo, 1952, Ediciones Asir.

tes. Ahora da Rosa es un personaje más, un contador de cuentos que habla a sus iguales, sin que necesite entrar en demasiadas precisiones, porque él y sus lectores-oyentes (son, evidentemente, cuentos de impulso y cadencia orales) "ya se han puesto de acuerdo en muchas cosas".

Con dos volúmenes frente a sí, el crítico ya puede establecer ciertas constantes en el modo narrativo de da Rosa. En primer lugar, los temas. Rara vez da Rosa se atreve con el amor, las mujeres o el sexo. *Sirvienta*, que integra *Cuesta arriba*, es el único entre veintitrés relatos de ambos libros, que tiene por figura central una mujer. Cierto imponderable recato, nunca forzado, impide a da Rosa manosear esos temas tan caros a la narrativa contemporánea. Cuando toca el punto, lo hace al pasar, con una timidez muy campesina, y su estilo de inmediato se avergüenza.

Por lo general, los temas de da Rosa son la soledad, la amistad (la amistad varonil, hecha de lealtad y pocas palabras) y el tiempo. Los dos primeros, aunque en apariencia opuestos, aparecen a menudo complementándose. A menudo se trata de hombres solitarios, que en una ocasión, por pura casualidad, entran en relación y se hacen amigos. Los personajes de da Rosa no buscan la amistad, pero cuando ésta llega se aferran a ella tenazmente. El tiempo, en cambio, tiene en su obra un significado y un tratamiento muy particulares.

Es muy frecuente que el hombre de da Rosa llegue a viejo sin sentirlo, sin arribar a nada; que espere —como José María en *Solterón*— cincuenta años para amenazar su virginidad con una oferta a Valentina; que aguarde —como Severino en *Trota-sierras*— a parecer un "güey" para atreverse con la China; que se asombre —como Miraballes en *Mala cabeza*— ante la invasión de los motores y se resigne a salir en su volanta los domingos de tarde; que se dedique, ya viejo —como Ansín, en *Hombre-flauta*— a vender números de lotería y abandone durante el día el instrumento de sus éxitos, mostrando a todos *"su permanente cara de asombro, como de gurisito, a quien, de golpe, le quitan el chupete"*.

El tiempo, en los cuentos de da Rosa, tiene vida independiente, casi subterránea, pero un día surge a flor de tierra y sin previo aviso, golpea al personaje y lo convierte en viejo, lo marca con tanta dureza que lo deja inerme frente a la muerte.

También en su estructura los cuentos de da Rosa conservan una uniformidad casi monótona. Es raro el cuento que no sigue esta norma: primero un pormenor actual o casi actual, luego la historia anterior, el retrato aproximado del personaje, y, finalmente, el retorno al presente o al pasado inmediato, a fin de exponer el desenlace. Casi no existe cuento de da Rosa en estricta línea recta.

Los aciertos de lenguaje, los toques de buen humor, los virajes sorpresivos, las situaciones graves y sencillas, contribuyen a que el segundo libro de da Rosa sea francamente inteligible para el lector (con excepción tal vez de *Crispín de las manos*), aun para el no habituado al trajín literario.

Inaugura el volumen: *Hombre-flauta* (con amplio margen, el mejor de los cuentos publicados hasta ahora por da Rosa), en el que se refleja nuestra mejor tradición nativista: la del Espínola de *Raza ciega*, la del Morosoli de *Los albañiles de "los Tapes"*. Ansín, el protagonista, un tuerto "medio anormalcito" que vacila entre el mundo y su madre, siempre con la flauta en la boca, es uno de los personajes más simpáticos de nuestra narrativa; da Rosa simplemente describe a su *tuertito*, nos cuenta sus anécdotas, incluso se burla sin crueldad de su simpleza, de su carrera singular, de su modesto e inevitable ocaso. Lo cierto es que Ansín sale del cuento, redondeado, completo, como si al lector no le quedara nada más que aprender de su trayectoria, y su trayectoria fuera eso: simpatía. Desde el exabrupto de la madre (*"Lo que siento, no es la vista que le falta; ¡es que sía tuerto, pobrecito!"*) hasta el divertido "Pañuelito blanco", el cuento abunda en detalles que van conquistando la anuencia del lector. Su moderada tensión está perfectamente regulada; en ningún pasaje la técnica sofoca al personaje ni éste se escapa de lo literario como en los primeros cuentos de da Rosa.

Ninguno de los otros relatos del volumen llega al nivel de este excelente *Hombre-flauta*, pero ninguno de ellos es un notorio fracaso. Tal vez los más flojos resulten *Una casualidad* (estirado más de lo prudente y con una escisión que viene a dividirlo en dos relatos independientes) y *Crispín de las manos*, cuyo final demasiado ambicioso y bastante confuso malogra un planteo inicial muy prometedor. Pero aun en éstos, los menos felices, es posible hallar acertados rasgos de ambiente (*"porque en la cocina tiene que haber algo viviente, con qué rezongar; si no, agota"; "cada vez que se daba una vueltita por la patrona, la encontraba 'de calostro'"; "Crispín Artigas debe haber sido uno de los hombres más completos en cuestión trabajo bruto"*). El diálogo vivaz y el tratamiento del detalle, entre poético y satírico, constituyen, por otra parte, notorias virtudes de da Rosa.

En este sentido es necesario destacar a *Solito*, que asciende de simple anécdota a la categoría de cuento mediante el hallazgo de un resorte que presta su impulso a todo el desarrollo: Solito Pérez se pega a una esquina con tal obstinación que *"la mayor parte de la gente no hubiera podido figurarse la esquina sin él por allí,*

ni a él sin la esquina haciéndole fondo". Tan inseparables llegan a ser el hombre y su esquina, que cuando
Cuarto Litro, bastante borracho, lo encuentra en una can-
cha de taba al descampado, llega a desconocerlo por
falta de la esquina. Después de ese hallazgo el cuento
decae, es cierto, pero termina antes de que se apaguen
en el lector las resonancias de ese evidente acierto, y
por eso se salva, por eso existe.

Menos importancia tiene para otro cuento la frase:
"Me siento hecho un diputau, en estas pocas" que pronuncia el protagonista de *Jaulero*, aunque sirve para pa-
liar el relativo empalago de esta otra, laxa y dulzona, que figura siete líneas después: "Lujo para de cuando en cuando era el de ponerse a mirar, bombilla en
boca, aquel mar de soledad que le hacía olas hasta la
puerta".

En *Trota-sierras*, este intercambio de definiciones:
"Ust'es un tigre, Saberino"; "Yo soy un burro, don Isabel"; así, aislado, parece facilongo y vulgar, pero metido
en el cuento es un oportuno pantallazo que vivifica el
relato y completa nuestra visión del personaje. El clima
es siempre extremadamente importante en da Rosa y no
sólo cada diálogo en particular está inevitablemente unido al resto del cuento, sino que cada relato se aprovecha de su vecindad con los demás que integran el volumen.

Mala Cabeza es, probablemente, el cuento menos
ambicioso de los que integran *De sol a sol*, y, además, el
menos personal. Es el único en que el aporte de Morosoli
pesa demasiado, o, para decirlo más exactamente, pesa
en el sentido en que menos beneficia a da Rosa. Por lo
general, da Rosa no escribe a la manera de Morosoli,
lo cual sería funesto para su cohesión narrativa como
ha sido funesto para tantos principiantes el escribir a la

230

manera de Espínola. Da Rosa extrae de Morosoli una actitud básica: la intención de llevar a la narrativa una visión propia de nuestra realidad campesina, y, por añadidura, querer decir algo con ese material. Es decir, hereda del mayor, no la visión misma, sino el modo de llegar a su propia visión personal. Da Rosa ve con sus ojos, no con los de Morosoli, y esto, dicho en relación con nuestros narradores, es más importante de lo que parece. La realidad circundante puede ser la misma en ambos escritores, pero en cambio no se confunden ni la consecuencia moral ni el enfoque humano que uno y otro elaboran sobre esa base común. A partir de ese material, Morosoli es un cronista fiel y riguroso, un testigo sin voz y sin voto, consagrado más al cuidado estilístico que al retrato vivo de los caracteres (la excepción: *Muchachos*, libro inesperadamente ágil y vivaz). A partir de ese material, da Rosa parece afirmar que nuestro hombre de campo no es un amargado congénito, sino que está a la espera de la amistad, del amor, del viraje sorpresivo en su monótona trayectoria; que nuestro hombre de campo (no precisamente el gaucho, sino su heredero) tiene un lado alegre y una melancolía menor, que en ciertas memorables ocasiones le permiten inscribirse en el mundo que lo rodea, sin agostarse en la incomodidad o en el recelo.

Además de las diferencias que sagazmente anota Visca ("En Morosoli la estructura del cuento deja la impresión de ser más premeditada, mientras que da Rosa —sobre todo en este segundo libro— parece que fuera agrupando en el cuento, en aparente desorden, o sin orden visible, todo lo que se sabe del personaje, como quien, en una conversación, se complace en ir trasmitiendo de alguien recuerdos, anécdotas, dichos"), además de esas diferencias es posible observar en Morosoli una mayor preocupación literaria y en da Rosa, en cambio, una mayor vitalidad. Probablemente este último aspecto salve a da Rosa de las repeticiones temáticas en que ha incurrido a veces Morosoli. Parecería que el narrador de Treinta y Tres tuviera a su disposición una más extensa galería de tipos representativos.

Es claro que da Rosa no ha abolido integralmente los errores (o los que interpreté como errores) de su primera colección de cuentos. Además de los ya señalados en el curso de esta nota, siguen existiendo, aunque en menor grado, diversos tics en la manera de narrar, tales como el chiste mecánico (*"A mí, lo que me ha faltau siempr'es plata"*), la repetición a modo de inútil estribillo (la mención del caballo y el rancho en págs. 22 y 23), el tironeado retroceso en el tiempo (pág. 105), pero lo esencial, lo que vale la pena destacar en *De sol a sol* es que esta vez tales defectos no son fundamentales ni alcanzan a apagar el interés de las historias (tiernas, satíricas, vitales) que nos cuenta da Rosa.

(1956)

II

Más que un escritor nativista (en el sentido un poco gastado de la palabra), da Rosa me ha parecido siempre un escritor *departamental*, ya que todos sus relatos están nutridos de Treinta y Tres (pueblos y campos incluidos) y, sobre todo, de su nostalgia treintaitresina.

Ahora, en dos libros suyos que acaban de aparecer, da Rosa se sale del *cuento* propiamente dicho e ingresa en dos géneros anexos: las memorias autobiográficas y la novela corta. *Recuerdos de Treinta y Tres*[3] es una suerte de tributo agradecido que paga el narrador a la comarca que le ha dado temas y personajes, y a la que seguramente debe las ganas de escribir. En doce nutridos capítulos, da Rosa hace desfilar ante el lector, desde la imagen familiar del abuelo hasta la sucesión de maestritas en la escuela rural, desde las viejas retretas domingueras hasta los breves pero ruidosos carnavales, desde las serenatas (*"irresponsables y pobretonas"*) hasta la vieja quinta de Olivares, que era *"demasiado lujo para Treinta y Tres"*.

Todo el libro tiene un marcado sabor evocativo, pero no ha de constituir la mejor muestra narrativa en la obra de da Rosa. Justamente, la realidad evocada es un obligado límite y el narrador no se siente totalmente cómodo en su voluntario encierro. Cuando da Rosa encuentra, entre sus recuerdos, la anécdota con valor y peripecia independientes y, entregándose a su vocación de narrador, la brinda sin mayor preocupación por el detallismo documental, logra las mejores, las más frescas y eficaces páginas de su libro. Es el caso del capítulo titulado *Marca de pueblo*, algún fragmento de *El liceo viejo* y *Los carnavales*, y, particularmente, de *La vaca azul*, cuyo desarrollo está a la altura de los buenos cuentos de da Rosa. Pero cuando el autor se siente esclavo de la fidelidad nomencladora y enlista nombres y apellidos de incontables amigos y lugareños, rescatando del olvido rasgos y comportamientos sin suficientes méritos (narrativamente hablando) para tal rescate, entonces la vigencia del libro se achica considerablemente y pasa a reclamar un interés exclusivamente doméstico. Es probable

---

(3)   Montevideo, 1961, Ediciones **Asir**.

que da Rosa no haya tenido otra pretensión y es de todos modos una actitud muy respetable, pero desde el punto de vista del lector no treintaitresino, ello significa el traspaso de una realidad que no ha sido suficientemente elaborada, condimentada, elevada del mero registro mnemónico al nivel literario en que da Rosa (lo ha demostrado suficientemente) puede producir.

Por suerte, junto a este libro irregular en que se concede demasiadas y evitables facilidades, da Rosa ha publicado *Juan de los desamparados*[4], una novela corta que lo muestra en el mejor ejercicio de sus medios narrativos. Hace unos años, con motivo de la aparición de *De sol a sol,* segundo de sus libros, señalé que en los cuentos de da Rosa "cada personaje es alguien, se mueve en un clima que, sin ser demasiado ostensible, brinda el marco adecuado al retrato". Si en aquel libro, los cuentos de da Rosa ya constituían el retrato moroso, el enfoque simpático de un hombre característico, en *Juan de los desamparados* el procedimiento parece haber alcanzado su fórmula más exitosa. En menos de setenta páginas, da Rosa cuenta la vida de Juan Carmona, una vida que *"parecía un cuento";* la narra desde su nacimiento (*"arrancando, como quien dice de cero"*) hasta su muerte, encerrada en un pequeñísimo cajón que parecía *"un cajón de angelito".* Juan Carmona es una suerte de prototipo, que en cierto modo incluye a todos los personajes hasta ahora creados por da Rosa. Porque es un hombre bueno, excepcional y anacrónicamente bueno, pero su bondad avanza sin hacerse notar (y hasta haciéndose confundir con cualquier otra cosa), naturalmente, sin violentar ni violentarse. En Juan Carmona, la bondad es como su circulación: sin ella no podría vivir ni

---

(4)   Montevideo, 1961, Editorial Alfa.

respirar. Adopta hijos ajenos, mujeres deshonradas, viejos borrachos, muchachas lisiadas. No lo hace para ganarse el cielo, sino para obedecer a alguien que, desde su infancia, le había enseñado a querer al prójimo. Hasta la penúltima página, Juan Carmona vive amparando a los desamparados, avanzando a golpes de bondad; pero allí, en el instante en que sus "amparados" todo lo pierden, no tiene fuerzas para salvarse a sí mismo. "Como una fruta minada por la podredumbre, cayó", dice el narrador.

Es digno de destacar cómo da Rosa ha podido salvar la difícil valla que separa el cuento corto de la nouvelle (ya que a este último género corresponde Juan de los desamparados). Da Rosa comprendió (o acaso intuyó) claramente que la clave narrativa y estructural del género nouvelle es el proceso. De la concentrada peripecia, de los morosos retratos de sus cuentos, saltó sin inconvenientes al ritmo de transformación que es característico de la nouvelle. Es interesante notar, además, que da Rosa ha elegido el recurso del retrato (había sido su fuerte en la mayoría de los cuentos; recuérdese Hombre-flauta) para tentar la nueva dimensión. Juan Carmona es un personaje que vive, y trasmite su vida a lo largo del relato. Hay páginas excelentes (todo el episodio con don Anarolino, incluidos los sencillos y conmovedores diálogos entre éste y Juan, así como la relación entre Anarolino el negrito y el rubio Aligio) que, en materia de estilo, y comunicación con el lector, deben figurar entre lo mejor que ha escrito da Rosa. Es de esperar que en la bifurcación representada por los dos libros aquí reseñados, se decida da Rosa a tomar el camino (vital, riguroso, atento al instrumento literario que maneja) que le está proponiendo Juan de los desamparados.

(1961)

cuando peregrinaje no es igual a evasión

Quizá no sea aconsejable empezar un comentario crítico con una anécdota personal, pero esta vez, como el comentario ha de referirse a un ejemplar fuera de serie, también la norma puede salirse de su cauce. Fue en setiembre de 1959, en Washington. Entré en una peluquería y me senté en el correspondiente sillón giratorio. Al peluquero le dije: "Short", pero él, sonriendo inexplicablemente, me preguntó: "¿Italiano?" Sobreponiéndome a mi desánimo, le expliqué que yo no, pero sí mis abuelos. De inmediato empezó a hablar en un italiano incontenible y vertiginoso, y mientras su tijera tajeaba nerviosamente el aire, me preguntó de dónde eran mis abuelos. "De Foligno". "Umbría", completó, para agregar en seguida: "¿Sabe cómo decimos en mi pueblo? Pues decimos: Meglio avere un morto nella famiglia che uno da Foligno". Dos años antes había estado en Italia y no sentí la necesidad imperiosa de visitar Foligno. Ahora, sin embargo, cuando el peluquero extraía de su archivo mnemónico ese estribillo, rebosante de una vieja hostilidad, y yo lo comparaba con la imagen serena, barbuda y sonriente de mi abuelo, sentía por fin la retroactiva curiosidad de conocer ese punto de Umbría, de comparar mi imagen familiar con aquella otra fama cargada de burla.

236

Por eso, cuando empecé a leer *Los fuegos de San Telmo* (1964) de José Pedro Díaz, sentí que, como lector, podía ser un buen compañero de su viaje. Porque el libro de Díaz es, ante todo, un libro de viaje. Pero un viaje tan particular, tan único, que desde el primer capítulo reclama del lector una solidaridad comprensiva. No es una novela (*relato*, dice la contratapa) ni tampoco estricta autobiografía. De este último género tiene acaso los hechos, los mojones de realidad disponible, pero a su vez el autor apela a la imaginación, para juntarlos, recrearlos, compararlos, hacer un constante y recíproco trasiego de vida y nostalgias. Hay imaginación antes y después del viaje: antes, por el mero hecho de concebir la confrontación; después, por la severa operación de montaje narrativo.

En apariencia, el asunto es de una simplicidad que (en estos tiempos de búsquedas extra, anti y aliterarias) da escalofríos: un uruguayo, José Pedro, descendiente de italianos, cuando niño oye hablar a un pariente pescador, el tío Domenico, acerca de la aldea italiana (Marina di Camerota) en que vivieron él y sus mayores. Luego, ya adulto, el narrador decide viajar a Italia y visitar aquella aldea del Mediterráneo. El relato se divide en tres partes: *El puerto* (que revive los diálogos montevideanos de Domenico con José Pedro niño y que atiende simultáneamente al paisaje, directamente asumido, de nuestro puerto, y al otro paisaje, indirectamente visto a través de las evocaciones del viejo pescador), *El viaje* (que pormenoriza el recorrido italiano, a partir de Nápoles) y *Marina di Camerota* (que registra la adquisición definitiva de las imágenes que hasta ese momento el narrador sólo había tomado en préstamo).

Más que un viaje, se trata de una peregrinación. El resultado es un libro cálido, impar, escrito en una prosa increíblemente limpia, comunicativa. (En el estilo pueden rastrearse influencias surtidas, desde Azorín hasta Vittorini, pero a mí la más evidente me parece la del Mediterráneo). Es curioso que un libro que sobrelleva un paisaje tan europeo, mantenga sin embargo de principio a fin una visión tan uruguaya. Alguna vez escuché a Carlos Maggi decir de alguien: "Es tan pero tan uruguayo, que ya es casi italiano". Del libro de Díaz podría decirse lo contrario, que después de todo viene a ser lo mismo. Y es tan uruguayo por una curiosa, paradojal circunstancia. El narrador no evoca, desde Italia, la realidad, la gente o el paisaje uruguayos; evoca, simplemente, la Marina di Camerota que el viejo pescador había a su vez evocado entre realidades, gentes y paisaje montevideanos. Y ése es precisamente un rasgo poco menos que nacional: mirar con mirada prestada y sin embargo llegar a hacerla propia; tener, así sea oscuramente, la sensación de que estamos a trasmano del mundo, y arraigarnos, así sea inestablemente, en el arraigo de seres que admiramos o amamos. De ahí que este libro de viaje no llene los requisitos de evasión que el género suele reclamar, y tenga, por el contrario, más arraigo en lo esencial uruguayo que muchas novelas de puntual nomenclator montevideano. Cada uruguayo que viaja a España o a Italia, puede conocer la incanjeable experiencia de asistir a una sardana callejera en Barcelona, o a una Fiesta del Grillo en Florencia, y sentir que todo eso es algo casi suyo. Sin embargo, no lo es totalmente, y uno siempre queda al margen, como mero testigo. Esta es, por otra parte, la lección de la última porción del libro. Al integrarse breve, provisoriamente, en esa aldea donde hay seudoprimas y primas verdaderas (todas, por supuesto, con el respectivo marido en Caracas), al realizar por fin el viejo deseo de mirar con los ojos de

Domenico y hallar a las valetudinarias hermanas del pescador; al recoger "crispados, deteriorados y envejecidos, otros rasgos que yo amaba y que durante todo el viaje me habían ido acompañando"; al detectar un nuevo e inevitable olor que no constaba en el inventario de recuerdos a tildar; al encontrar que las mujeres, vestidas de negro, lo saludaban con un inmotivado gesto compungido, de duelo, "en el que también entraba un ingrediente de complicidad"; al hallarse, por fin, en la inalcanzable e idealizada Marina di Camerota, el narrador no puede evitar el sentirse provisoriamente inmerso, pero también incomunicado en lo esencial. "Todo lo que entonces y allí encontré, era exactamente como debía de ser, pero mientras algunas cosas —seres, imágenes— cobraban, por el hecho de existir, una especie de inalterable prestigio que traslucía un modo interior de eternidad y se hacían por ello diáfanas, reverberantes y traslúcidas, como el mismo cielo azul que las cubría, o el mar brillante que las acompañaba, otras, en cambio, existían de manera sórdidamente concreta, tan sumidas en una obtusa rutina provinciana que yo las sentía ya inermes y como penetradas por una gangrena sutil e implacable que dejaba aún intacta, pero como por piedad, aquella plenitud exterior de su forma en la que se advertían todavía algunos deliciosos ritmos arcaicos —el paso de una joven con un cántaro, el color de una cuerda recién tejida y todavía verde— pero que dejaba acumular en su interior —como en otros cántaros semejantes a aquéllos— su propio residuo corrompido y mortal".

El libro tiene pasajes de excelente factura narrativa (pienso en particular en toda la tercera parte, y, dentro de ella, los capítulos *El baúl verde y el pájaro negro* y *La pesca del pesce-cane*) y no hay que escatimar elogios para la sobriedad con que es esquivado el menor declive hacia el tentador abismo sensiblero. La emoción siempre está presente, pero (afortunadamente) no es publicitada por el autor. Justamente por eso, por ese ritmo y ese tono de autenticidad, es que en definitiva me choca un aspecto del libro: su relación con el ingrediente legendario. Virgilio no sólo aparece en el epígrafe; también asiste, con intermitencias, a la peregrinación. En el capítulo más débil (*Mi recuerdo se confunde con sueños y con mitos*) se cita abundantemente al poeta de la Eneida, y de inmediato la narración se intelectualiza, se congela, pierde buena parte de su interés. "*El nunca me habló de Paestum*", dice el narrador acerca de Doménico, y el lector agradece: "Lo bien que hizo". Claro que el agradecimiento no tiene nada que ver con las virtudes de Paestum; se trata sencillamente de que el viejo pescador quizá debió ser el único guía de esta excursión, el único Virgilio de este peregrinaje. El Virgilio literario es el que sobra. La historia de Palinuro, piloto del barco de Eneas, ha tenido expositores más eruditos o geniales; pero la historia de Domenico y sus bregas con el pulpo o el *pesce-cane* sólo ahora encuentra su primero y eficaz narrador. Cuando, a través de la versión del ex auditor infantil, el pescador relata cierto hallazgo de estatuas antiguas, dice tan sólo: "*Era una mujer desnuda, linda!: le faltaba la cabeza*", y uno intuye que esa exclamación (¡linda!) interpolada, le tira un cabo de vida a lo arqueológico. Por suerte para todos, la ingerencia virgiliana no es una fractura sino un intermedio. Antes o después de esa merced a su condición de intelectual, el narrador busca y rebusca, franca y tenazmente, la raíz de sus sueños, el nombre de su cepa. Como secuela, su compulsada nostalgia se vuelve contagiosa. Y a uno le vienen ganas de revisar y compulsar el equivalente personal de Marina di Camerota, ya se llame Redondela, Grossete o Albuñol. O, en mi caso: Foligno.

(1965)

carlos maggi y su meridiano de vida

A esta altura de la carrera literaria de Carlos Maggi,
cabe suponer que existe alguna razón para que su obra
haya desacomodado casi siempre a la crítica. Es probable que la causa de ese desajuste resida en la provocativa combinación de humor y gravedad, brochazos
gruesos y trazos finos, tango y metafísica, vanguardia y
tradición, legado ajeno e invención propia, que está presente en la mayor parte de sus creaciones. Hay que
reconocer que quien esté acostumbrado, por ejemplo, a
captar la vanguardia sólo a través de las irregulares
muestras del Grupo de París, puede desconcertarse peligrosamente frente a una experiencia que, como la de
Maggi, se evade de esa retórica antirretórica y habla
un lenguaje descaradamente rioplatense. Para semejante
conflicto, la solución a la vista no es seguramente que
Maggi regrese a los moldes, sino más bien que la crítica
ajuste sus radares, detecte la invención y no sienta ru-
bores de su propia sorpresa.

Claro que el fenómeno no es tan simple, y no todas
las culpas vienen de la crítica. Hace algunos años se
les reprochó insistentemente a los autores uruguayos su
predilección por los recursos de evasión, por el temario
griego, por cierto premeditado desentendimiento de la
circundante realidad, en el entendido de que esa actitud

escapista obedecía a obvias presiones del esnobismo, ese esnobismo que es presencia más o menos constante en nuestros módicos cogollitos artísticos. Conviene recordar asimismo que a partir de 1958 (año en que precisamente se estrenó *La trastienda*, pieza con la que Maggi se hizo conocer como dramaturgo), los temas del autor nacional tuvieron, en su gran mayoría, una conexión vital con nuestro medio, con nuestra gente, con nuestros conflictos. Hoy ya nadie escribe en el Uruguay sobre mitos helénicos, pero el esnobismo ha tomado otras formas. La imitación exterior, riesgosamente frívola, de las vanguardias europeas, ha dado origen a una vanguardia uruguaya sin lenguaje propio. No hay que temer, es claro, las influencias extranjeras; nadie podría objetar esa falta de temor. Pero la influencia que sirve es la que despierta un lenguaje propio en quien la recibe; la influencia que vale es la que ayuda al creador a ver claro en sí mismo; y éste es en definitiva el tono vanguardista que me parece reconocer en Maggi.

Afortunadamente, su caso es un fenómeno impuro, y quizá esa impureza contribuya a que cierta inocultable noción de vida se haga patente en su obra de dramaturgo y de ensayista. Aun en las escenas más vulnerables, aun en los más rutinarios artículos de costumbres, Maggi es suficientemente sagaz, espontáneo y bienhumorado, como para dar decisivamente en algún clavo y en consecuencia compensar con creces nuestra jornada de atención. Si bien, en ocasión de cada estreno, sus piezas teatrales han recibido moderados elogios, lo cierto es que la mayor parte de las críticas han sido coléricamente desfavorables, como si sus responsables se sintieran mortalmente agraviados cada vez que Maggi hace pública una de sus búsquedas. Por suerte hay también otros datos. Los volúmenes (*Polvo enamorado; El Uru-*

guay y su gente; Gardel, Onetti y algo más) en que Maggi ha reunido sus artículos de costumbres (Carlos Real de Azúa los incluye en la "categoría de la *estampa,* el cuadro de costumbres, la reflexión suelta con que se vierte por lo habitual el humorismo literario") han sido, y son, *best-sellers;* con escasas excepciones, el público ha convertido sus estrenos teatrales en éxitos de boletería; en ambos géneros, Maggi ha barrido con todos los premios posibles, y (un dato no despreciable y que retroactivamente viene a validar los anteriores) cada vez que alguien pregunta a un crítico quién es, en el actual teatro uruguayo, el autor más importante y talentoso, todos sin excepción nombran a Maggi.

Sobre este último punto, y en tren de fabricar explicaciones, se me ocurre que en lo que tiene que ver con un dictamen inmediato, como obligatoriamente es el de la crítica periodística, a Maggi lo perjudican varios de sus antecedentes y los fáciles prejuicios que éstos generan: notoriedad como humorista, varios años de libretista de radio, y sobre todo cierto desenfado para el uso (y a veces el abuso) de coloquialismos no demasiado exquisitos. Como la apariencia suele ser basta, a veces chabacana, el crítico decide que eso es todo lo que debe y puede registrar, y emite sin vacilación el juicio pertinente. Cuánto más conveniente y sabio sería que vacilase. Por debajo de su aparente superficialidad, hay en Maggi un creador original y coherente que (unas veces a pura intuición, y otras, a erosión reflexiva) logra sorprendentes aciertos. Presumo que son justamente esos aciertos los que, vistos con la imprescindible distancia, permiten luego que aquellos mismos vapuleadores lleguen, años después y así sea a regañadientes, a su propia y justa conclusión sobre la preeminencia de Maggi en el teatro nacional.

¿Cuáles son las referencias de este zarandeado hombre de éxito? Carlos Maggi nació en Montevideo, el 5 de agosto de 1922. Estudió en el Liceo Francés, y es abogado del Banco de la República. Políticamente es batllista, y la entusiasta y compacta fe de su militancia hace a veces sonreír a sus amigos de otras tiendas. Aparte de sus tres festejados libros de prosa más o menos costumbrista, que incluye una estampa antológica sobre la Batalla de Las Piedras, Maggi ha estrenado o publicado nueve piezas teatrales. Su primer estreno fue *La trastienda*, que en 1958 acaparó todos los premios del teatro uruguayo. Luego estrenó *La biblioteca* (escrita con anterioridad a *La trastienda*), *La noche de los ángeles inciertos*, *La gran viuda* (escrita con anterioridad a *La noche*) y *El pianista y el amor*. Ha publicado, además, cuatro títulos aún no estrenados: *Un cuervo en la madrugada*, *El apuntador* (ambas piezas están reunidas bajo el título *Mascarada*), *Un motivo* y *Esperando a Rodó*. También en cine cosechó su lauro: *La raya amarilla*, con libreto y dirección de Maggi, fue premiada en 1962 como film turístico en el Festival Internacional de Bruselas.

No me parece que la zona teatral de la obra de Maggi sea separable de sus otros títulos, en particular de *El Uruguay y su gente*, libro especialmente apto para que el lector dialogue con él. Al hablar de este país y de su gente, de nuestros hábitos, contradicciones y carencias; al tratar de reconocer cuál es el estilo (si en verdad existe alguno) de esta vida comunitaria tan inmóvil, tan marginal, tan prematuramente envejecida, Maggi usa un tono cálido, casi coloquial. Hay una serie de problemas que lo preocupan y lo escuecen; quizá uno de ellos, y no por cierto el menos importante, sea la aprensión de que el lector no tenga tantos escozores y preocupaciones. No obstante, Maggi prefiere dar por sen-

tado (y lo bien que hace) que su lector sea, exactamente
como él, alguien más o menos rabioso frente al deterioro
que presencia, alguien dispuesto a sacudir y a ser sa-
cudido.

Sin embargo, su tono no es generalmente de ácido
reproche, sino de sobrentendido, como si en el primer
capítulo reanudase una conversación poco antes inte-
rrumpida y no fuese necesario formular previamente una
puesta al día de las simpatías y diferencias, y asimismo,
como si la última frase ("Convendría que hiciéramos
algo con nosotros mismos, pienso") dejara pendiente un
vasto temario para ser tratado en próximos encuentros.
El resultado es el previsible. Si antes de abrir el libro,
el lector estaba en una línea de inquietud afín a la del
autor, sentirá de inmediato la atracción de esa voz que,
entre mate y Goethe, entre tango y San Agustín, va
pasando revista a un bien elegido repertorio de tópicos
nacionales. Si el lector era, antes del libro, indiferente
a tales desvelos, se sentirá paulatinamente obligado a
desvelarse.

Esta obra, que no es demagógica en cuanto a sus
ideas, lo es en cambio en su sobrentendido de complicidad. Podría pensarse que este preocupado, para convencer a su lector de que, pongamos por caso, el mate
es un hábito que nos vuelve mortecinos y vacuos, no
halla mejor recurso que desarrollar tal teoría mientras
él y su lector toman mate. Sin dejar por ello de ser literatura, el lenguaje no se dirige a un hombre prefabricado,
a ese espécimen social y sin grietas que figura en los
tratados, las estadísticas, las ponencias, los congresos;
el lenguaje de Maggi apunta a un ser muy tangible, muy
concreto, un tipo inevitablemente metido en su circunstancia, aunque raras veces consciente de ella; ese uruguayo, en fin, confuso, despistado, menguado, estaciona-

rio, que no cabe en las gráficas y cuadros comparativos pero que en cambio satura la realidad.

Por suerte para él y para el país, Maggi piensa con su cabeza. Conoce sin duda los esquemas heredados e importados, conoce seguramente el aporte de nuestros colonizadores sociológicos y la dócil réplica de los aquiescentes colonizados, pero afortunadamente prefiere enfrentarse al país en el ingenuo y saludable estado de ánimo de quien quiere pensarlo y sentirlo de nuevo, de quien ha comprendido que la nuestra es una realidad compleja, peculiar, intrincada, cambiante, una realidad que no siempre se aviene a los presupuestos teóricos. Es inevitable que el lector encuentre numerosos puntos en la diagnosis de Maggi que no concuerdan con la suya. Uno puede sentirse distante de su obvia (aunque no monolítica) militancia batllista; puede no compartir la alergia que le provoca la sola enunciación del nombre Rodó (por supuesto, convengo en que buena parte de la obra rodoniana no tiene posibilidad de resurrección, y hasta podría agregarse que Rodó es uno de nuestros más ilustres *valores muertos*, pero también creo que, al considerar y juzgar su obra, es injusto no ubicar a Rodó dentro de un proceso histórico); puede entender que algunas de sus críticas sean exageradas, y otras, en cambio, demasiado benévolas. Pero tampoco podría ser de otro modo, ya que, aunque la realidad y el cristal de aumento sean los mismos, no es la misma mano la que empuña y dirige las respectivas lupas.

De todos modos, prefiero un enfoque personal, sincero, provocativo, no siempre compartible y tal vez parcialmente erróneo, como el de Maggi, antes que la monótona e infalible receta, prendida con alfileres importados y refrendada con incontables empréstitos eruditos, receta que suele caer sobre este medio con un absoluto (la frase es de Eliseo Salvador Porta) "desconocimiento del hombre disponible". Para Maggi el Uruguay es un *país esquina*: Río de la Plata y Atlántico. Habría que agregar que es una esquina de tránsito intenso y complicado. Por aquí pasan todas las corrientes, informaciones, tradiciones; también pasan todos los prejuicios. Pasan, y nos quedamos quietos; pasan, y sólo nos dejan modas, manías, a lo sumo rencores; nada más que eso, porque no son *nuestras* corrientes sino las ajenas. Pero ese constante fluir que nos atraviesa, nos aliena y nos frustra como pueblo, como comunidad, deja por lo menos una serie de reflejos que van creando un clima muy particular, tal vez sin equivalente en América Latina. En cierto modo constituimos un mosaico social, pero también un mosaico psicológico; pese a la reducida superficie y a la escasez de habitantes, el Uruguay es un tablero de pequeñas realidades inconexas, de casi insignificantes pero verdaderas islas demográficas que en su totalidad componen un irregular archipiélago social. Por eso hace bien Maggi cuando procede a pantallazos en sus diversos enfoques. A veces da la impresión de que girara lentamente sobre sus talones, bien apoyados en unas pocas pero claras certezas, y su mirada fuera hallando, en cada una de esas islas humanas, en cada una de esas realidades inconexas, junto con el deterioro de una esperanza anterior, otra esperanza en la mirada que vendrá.

En cierto modo, Maggi es un escritor a la intemperie. Sus ideas no tienen sobre sí la vieja cúpula del cristianismo, ni el cielo raso y craso del capital, ni la dura alfajía del marxismo; apenas el modesto alero de un Batlle de erosión, pero a través de las páginas se va haciendo evidente que ese alero no le alcanza al escritor para protegerse de todas las garúas, sobre todo cuando éstas vienen de frente. No obstante, a ningún lector ha de caerle mal este autor de rostro empapado, estupefacto y despierto. "Un país está siempre averiguándose, investigando sus bases y calidades para apoyarse en ellas y dar testimonio auténtico de sí mismo y cumplirse y poder ser algo o alguien". Si se cambia *país* por *autor*, la cita puede servir para reconocer al propio Maggi. Acaso es superficial en un sentido estadístico. En realidad, es imposible demostrar con cifras, gráficas, porcentajes y matrículas, una opinión tan frágil y sin embargo tan verosímil como ésta: "la dosis de corrupción es una bestia que está comiendo el alma y las entrañas de otros, mientras que la dosis de libertad es una delicia para cierto grupo". Es superficial, asimismo, en cierto ejercicio del humor, que en algún pasaje suele desfibrar planteos o indagaciones. Es profundo, en cambio, cuando se enfrenta porfiadamente a las cosas y los seres y sólo accede a dejarlos tranquilos cuando les ha extraído un significado imprevisto, revelador. Maggi es, antes que nada, un intuitivo. Pero después que su intuición registra la presencia o la ausencia de algo, pone el descubrimiento al servicio de un estilo directo, programado, a sabiendas. Hay algún capítulo, construido con un ritmo y un sentido del *crescendo* verbal que parecen más cerca del poema que del ensayo; hay otro que desnuda, con un vigor satírico, a veces feroz, el lamentable fenómeno de nuestra gerontocracia. Pero todo (lugares comunes y lugares refractos, líneas y entrelíneas, ferocidad y poesía) está inserto en un propósito vocativo al que es obligatorio responder, así sea mentalmente.

Es fácil (quizá engañosamente fácil) agrupar la obra teatral de Maggi en etapas claramente diferenciadas: una, cercana al sainete y al grotesco, que abarca *La trastienda* y *La biblioteca*, y, luego de un territorio intermedio llamado *La gran viuda* (sin duda lo más flojo que ha escrito), otra última zona, la más original, que comprende: *La noche de los ángeles inciertos*, *El apuntador*, *Un cuervo en la madrugada*, *Esperando a Rodó*, *Un motivo* y *El pianista y el amor*. Dije engañosamente fácil, porque, aun en las primeras piezas, ya aparece el germen de ciertas inquietudes que serán el sostén y el incentivo de la parcela más rica del teatro de Maggi. El mero hecho de haber elegido, para esa etapa inicial, no la posibilidad naturalista o por lo menos inexpugnablemente verosímil, sino dos modalidades, como el sainete y el grotesco, que se distinguen por una primitiva desobediencia a las reglas, indica ya una intención que lo aleja de la mayor parte de los dramaturgos que escribían y estrenaban en el Uruguay de hace diez o quince años, casi todos inscriptos en una franja de actitudes que en el mejor de los casos iban de un probo naturalismo a la mera fuga sin fantasía cromática. En las primeras obras es obvio que a Maggi le seducen: del *sainete*, eso que Tulio Carella denomina "una idiosincrasia eruptiva que impone en cierto modo el acto puro, posiblemente por ser más accesible y crea —como asegura un crítico— el "*dinamismo lineal que llega a la rapidez casi abstracta de la acción*"; del grotesco, algunos de los adjetivos (disparatado, disforme, extravagante) con que definen al género los manuales. O sea que aun en los comienzos no pareció interesarle demasiado a Maggi una ominosa servidumbre de la realidad, sino más bien su extravasación o su hipérbole. Ya desde entonces la crítica dejó constancia de su desconcierto. En general, el primer acto de *La trastienda* recogió elogios, pero como en ese tiempo ya había jurisprudencia sentada, decretando que al autor nacional sólo le salía redondo el primer acto, casi nadie pareció darse cuenta de que lo más promisorio de la pieza estaba en los actos segundo y tercero, aparentemente menos logrados. Hay que reconocer que Carlos Martínez Moreno (que entonces ejercía la crítica teatral en el semanario *Marcha*) fue, dentro de una opinión promedialmente negativa, quizá el único en anotar que en esos dos últimos actos Maggi aplicaba su desenvoltura para dialogar, "a un esfuerzo más importante que el muy rutinario del primer acto".

La trastienda y *La biblioteca* son dos registros del tiempo, ese tiempo cuyo transcurso inexorable representa una de las permanentes obsesiones de Maggi. *La trastienda* es, para coincidir con otra definición del sainete, un "meridiano de vida", y establece el registro cíclico de una sordidez: José, el almacero protagonista, empieza condenando y despreciando, y acaba condenado y despreciado. Ya en esa obra imperfecta, riesgosa y dinámica (lo es aún en la anquilosis de la última escena, que sirve para testimoniar la irreversibilidad de ciertos tránsitos), Maggi muestra un seguro olfato teatral, particularmente en los finales de cuadros.

Pese a haber sido escrita antes que *La trastienda*, *La biblioteca* me parece una obra más suelta, más espontánea y en definitiva más lograda. Por lo pronto, es demostrativa de la notoria capacidad del autor para el diálogo picado, agudo, imaginativo. Así como *La trastienda* es una amonestación al plúmbeo egoísmo que aletarga ciertas formas de vida de una mezquina burguesía de uruguayísimo rango, *La biblioteca*, que entronca en García Lorca tanto como en Kafka, transforma ese doble legado en una burla, casi tierna, de ciertos estragos de nuestra hipertrofiada burocracia. "Después de trabajar unos diez años en la Biblioteca Nacional", declaró Maggi antes del estreno, "se me ocurrió escribir la historia casi infinita de su construcción nunca acabada. Pero resultó que el tema

251

se me hizo humo. Llamo humo al opio, a los fumadores y al dolor de estómago; todo al mismo tiempo; es decir, a esa enfermedad suave, a ese olor, a esa especie de vértigo, sueño y mareo que contagia cualquier órgano burocrático de cualquier país en cualquier mundo. No quise retratar a nadie, ni quise pintar un determinado ambiente ni mucho menos salir a desenvainar acusaciones; debería haber empezado por mí mismo. Sin embargo, me gustaría que *La biblioteca* mostrara, hasta hacerlo sentir, el síndrome de una enfermedad crónica —por no decir de un destino universal— que padecemos muchos. Por eso aclaro desde ya que cualquier aspecto de esta obra que no ofrezca semejanza de humo con personas u oficinas vivas o muertas de aquí o del extranjero, se debe a pura coincidencia; o a imperdonables errores del autor, que perdió a sus personajes entre cortinas de humo".

Más de una vez, y con referencia a estas dos piezas iniciales, le han sido señalados a Maggi los "ocasionales vulgarismos, sus recursos mecánicos, su repaso de las invenciones generalizadas del arte dramático", y es evidente que algo de justicia existe en el reproche. Pero la verdad es que, al margen, o por debajo, de esos defectos (que por algo son más reconocibles en la lectura que en la representación escénica) corre una savia de angustia existencial, de honda preocupación por el destino del inerme, inseguro hombre medio. El verdadero tránsito de este teatro directo a formas más elaboradas, más artísticas y en definitiva más originales, tiene lugar precisamente en el final de *La biblioteca*, donde un Orador invisible junta palabras sin sentido, pero conservando el ritmo campanudo de cualquier discurso normalmente fungoso. En esa disociación inicial está ya la semilla de las futuras y muy conscientes deformaciones, yuxtaposiciones y rupturas

252

que caracterizarán luego a *El apuntador*, uno de sus aciertos más notorios.

En la obra dramática de Maggi, no siempre el orden cronológico de los estrenos se ha correspondido con el orden de creación, y esa falta de correspondencia ha redundado en perjuicio del autor. *La gran viuda* es, sin duda, el único fracaso sin levante, pero la repercusión pública y crítica de ese malogro, habrían sido seguramente menor, si (por estrenarse con posteriodad a *La noche de los ángeles inciertos*, el punto más alto de su producción) no hubiera sido detectada como un notorio descenso, descenso que en realidad no se verificó, ya que *La noche* fue escrita con posterioridad a *La gran viuda*.

"*La noche de los ángeles inciertos y Mascarada*", ha escrito Maggi, "son lo mejor que he escrito en mi vida. No digo que sean buenas ni malas, digo que son lo mejor que pude lograr; explicado de otra manera: lo que más me interesa, lo que se parece más a mí, lo que tengo entre manos todavía, mi modo de escribir para el futuro, algo auténtico y fiel a mí mismo, aunque no sé si llegan a ser novedad para el mundo o de algún valor en sí; pero esto en realidad le interesa a los otros y nunca al autor, cuya satisfacción suprema está en expresarse y ser lo que es y no en lograr la aceptación de los demás". No hay inconveniente en suscribir esa declaración de fe. Dentro del teatro uruguayo, *La noche de los ángeles inciertos* es una de las pocas obras que habrán de sostenerse en un repertorio permanente. Todavía estamos demasiado cerca de las reticencias y pifias críticas que rodearon su estreno (con alguna excepción, como una inteligente nota de Angel Rama), pero no pasarán muchos años antes de que esta pieza se convierta en un verdadero clásico de nuestra escena, acaso el único título de calidad superior y permanente que han logrado las nuevas promociones de autores. Creo que, con esta pieza (y *El apuntador* es la estimulante confirmación de este anuncio), Maggi ha dado con éxito, uno de los saltos más peligrosos, pero también más creadores, que se le ofrecen al autor nacional: el que va desde un costumbrismo más o menos fiel, hasta la creación verdaderamente imaginativa, trascendente. Maggi no pierde su contacto con la realidad (o con el núcleo anecdótico de Francisco Espínola, que le sirve de inspiración) aunque sí llega a transfigurarla. No se me oculta que ni *La noche* ni las dos partes de *Mascarada* son productos acabados, inobjetables, pero como lector he experimentado la agradable sensación de que se abre una nueva puerta para el teatro nacional y que desde esa puerta se divisa un amplio y estimulante panorama. Es seguro que Maggi ha sido el primero en ver tal posibilidad (el acto titulado *El apuntador*, tan caótico como apasionante, es algo así como una primera salida) y muy pronto mandará noticias desde ese otro ámbito teatral que ha descubierto. Por ahora alcanza con señalar que Costita (un ex-boxeador, a medio camino entre la memez y la inocencia, entre el desamparo y la bienaventuranza, que después de tres actos de un peregrinaje destinado a obtener el anillo de oro que merece la ardua pureza de una prostituta, arriba a uno de los *happy ends* más auténticamente tristes que jamás se hayan escrito para el teatro rioplatense) es un personaje de formidable dimensión humana, una figura patética, dulzona y a la vez profunda, alguien que parece salido directamente del tango, y advenido, después de un largo vuelo sin escalas, al mejor teatro que es posible escribir sin desvirtuar una esencia nacional.

Lo curioso es que por debajo de estos experimentos, de esta franca aventura, están siempre el Uruguay y su gente, desde las influencias rectoras (Onetti, Espínola) hasta la certera intuición verbal. Cuando los personajes de *El apuntador* hablan en rigurosa incorrección rioplatense, tal vecindad de absurdo y vulgarismos, tal fricción de la norma con el desacato, producen una chispa de seguro y legítimo efecto teatral. Si este breve acto al fin se estrena, asistiremos a un imprevisto fenómeno: por primera vez en los escenarios montevideanos, los personajes de una pieza de vanguardia no hablarán como criaturas de Ionesco crasamente traducidas a un improbable y menesteroso español, sino como genuinos montevideanos; desorbitados, ilógicos, delirantes, es cierto, pero ¿por qué el personaje montevideano iba a quedar al margen del extendido, inevitable caos?

En sus piezas neoconvencionales, Maggi maneja el lugar común con un propósito nada común, y en este solo sentido podría afiliársele a Ionesco. Sin embargo, su muestrario de deliberados idiotismos verbales no suena a estribillo importado. En *El apuntador*, Esteban le dice e Elena: "Tengo planes, Elena; tengo planes. Elegí una casa sobre un acantilado cortado a pico, cien metros sobre el nivel del mar y ya encargué un transatlántico para rondar al pie de tus ventanas. Pienso escribir tu nombre con la estela de mi barco, como hacen con humo los aviones sobre el cielo. Por todas partes mi transatlántico grabará en el lomo del mar, con espuma indeleble: Elena, amor mío", y Elena responde: "Quién sabe a cuántas le escribiste frases parecidas". La última frase es el lugar común elevado a la gloria, pero adquiere su valor porque la loca imagen anterior está fabricada no sobre *L'Anglais sans Peine* que inspiró *La Cantatrice Chauve*, sino sobre nuestra propia ración de cursilería, sobre el lomo de nuestro propio mar, sobre nuestra autoconsentida costumbre de dar la espalda a América para mirar los transatlánticos, los ismos, las bogas lejanas. Hace un par de años, un poeta ucraniano me dijo algo muy inteligente sobre la poesía de vanguardia: "La vanguardia poética es como cualquier otra vanguardia. No es aconsejable que pierda contacto con el resto del ejército, porque de hacerlo así corre el riego de ser destruida". Se me ocurre que el autor de la frase no estaría desconforme con el teatro vanguardista de Maggi, ya que no está suelto ni desarraigado sino que mantiene contacto con el grueso de nuestros absurdos. Es neoconvencional porque no pierde de vista la más decisiva convención de la realidad. "Considerada desde lo absoluto", ha escrito Juan Guerrero Zamora, "nuestra realidad es una convención, por lo mismo que es contingente".

Ahora bien, para comprender *Esperando a Rodó*, hay que tener por lo menos tres cartas en la mano, y ese requisito es uno de los factores que contribuyen a su probable oscuridad; contribuye asimismo a que no pueda considerarla en el mismo grado de eficacia que *La noche* o que *El apuntador*. La primera de esas cartas, la más obvia, es la que reclama eufóricamente el título, donde un minimizado y ridículo Rodó (oh fobias de Maggi) sustituye al invisible e inarribable Godot beckettiano. No obstante, y pese a las apariencias, no es ésta la carta fundamental. La segunda es cierto conocimiento de lo que Maggi llama "los párrafos anchos de Rodó —más que armoniosos, parsimoniosos— de sus consejos por vía aérea, de sus blancos ideales situados en el espacio exterior". La tercera y última es la lectura previa de *El Uruguay y su gente*, o por lo menos de los capítulos en que Maggi desarrolla su obsesiva tesis: "Caballeros: siete llaves al sepulcro de Ariel y en marcha". Parece demasiada exigencia previa, pero la verdad es que (salvadas todas las distancias que el lector estime prudente salvar) tampoco es posible entender cabalmente la célebre pieza de Beckett sin haber pagado el correspondiente peaje para un previo tránsito por Joyce, Kafka y la segunda guerra mundial. En *Esperando a Rodó*, Maggi parece decirnos a grito pelado que no sirve esperar al que vendrá, que no sirve quedarnos inmóviles, que no basta aprontarse a "que ciertos procesos se cumplan". Sobre esta pieza, confesó Maggi en un reportaje: "Me gustó el asunto más de lo esperado, cuando me dí cuenta de que todo en el Uruguay espera lo que ya no existe, creyendo que ha de volver". Acaso haya que convencerse definitivamente de que El Que Vendrá, o mejor dicho El Que Iba a Venir, se ha quedado para siempre en el camino, tal vez porque sufrió una *panne* o simplemente porque no partió jamás a nuestro encuentro. Hay una suerte de tétrico humor en la presentación de ese enfermo (¿el país?) que en las escenas finales se acaba, se pudre, se queda, se queda, se queda. Es un tétrico humor de ojos abiertos.

Otros dos títulos forman parte de esta nueva y original manera del teatro de Maggi. Uno de ellos, *Un motivo*, parcialmente escrito en un verso muy apropiado para la dicción teatral, es un habilísimo juego de escenas que van retrocediendo en el tiempo hasta encontrar la raíz de un hecho clave. La ruptura de la ordenación lógica tiene un antecedente en *Time and the Conways*, de Priestley. Nunca ha sido representada, pero tengo la impresión de que esta obrita menor funcionaría impecablemente en un escenario.

Por último, está *El pianista y el amor*, cuyo texto, en buena parte, no pertenece a Maggi. De todos modos, vale la pena referirse a esta pieza, a mi juicio uno de los experimentos más estimulantes en los últimos años del teatro uruguayo. La idea es más original de lo que a simple vista puede parecer. Pese a la profusión de textos ajenos (los involuntarios colaboradores de Maggi son nada menos que O'Neill, Rice, Coward, Anouilh, Joyce, Ionesco y Shakespeare), en realidad es el hilo anecdótico tendido por Maggi el que otorga no sólo su coherencia sino también su último sentido. El planteo no es complicado: dentro del marco de un show de *boite* el pianista Fabián brinda intermitentemente su música y su monólogo sobre un tema, el amor, que es además ilustrado por dos actrices y dos actores, mediante escenas sueltas de autores varios. El monólogo empieza siendo frívolo y hasta ramplón, pero a lo largo del *show* va siendo cada vez más evidente que las breves ilustraciones son meros eufemismos usados por el pianista para dar, no tanto una versión textual de su propia vida, como la evolución de sus sentimientos.

La pregunta de cajón es por qué Maggi habrá usado en su mayor parte textos ajenos en vez de escribir personalmente todas las estampas, sobre todo cuando se advierte que las que efectivamente le pertenecen (escena de la *boite*; fragmento de *El apuntador*; alguno de los *Cuentos de lógica matrimonial*) engranan a la perfección con el clima que impone el monólogo. En el curso de semejante trámite conjetural, es posible llegar a una explicación verosímil. Maggi ha inventado un *pianista con intenciones*, y entre éstas figura algo así como un curioso *Verfremdungseffekt* aunque no exactamente en el sentido que postulaba Brecht. El *distanciamiento* que procura el pianista tiene que ver con el meollo de su propia existencia; es decir, quiere contar su vida pero sin que la clientela de la *boite* la acepte como confidencia. Fracasa, por supuesto, pero es justamente ese fracaso lo que convierte este insólito *collage* en indudable teatro. Admitido tal imaginario propósito de *distanciamiento* (o quizá cortina de humo), la incorporación de textos publicitadamente ajenos se convierte en un recurso legítimo y funcional. Son moldes clásicos, inconmovibles, consagrados, y por lo tanto ayudan al *camouflage* de la historia íntima. ¿A quién se le ocurre que una escena de *Ardèle*, u otra de *Otelo*, puedan servir como metafóricas prolongaciones de dos infiernos tan actuales y privados como la obligatoriedad de la convivencia y el ramalazo de los celos? Sin embargo, sirven. Incluso los textos escenificados del propio Maggi cumplen la misma función despistadora, ya que es preciso captar que, para el pianista, el fragmento de *El apuntador* o la escenita de *La boite* pertenecen a un autor tan distante y ajeno como Shakespeare o Ionesco. Claro que el pianista exagera su osadía al etiquetar con su nombre (Fabián) y el de su mujer (Isabel) a la intercambiable pareja (cuatro notas de un mismo acorde) y es esa tentación no resistida la que al final va a dejar su secreto a la intemperie. En los últimos tramos del extenso acto, el espectador (no ya el de la imaginaria *boite* sino el del teatro) no sabe exactamente si lo que está viendo forma parte del *show*, o del inconsciente del pianista.

Hay una evidente diferencia entre el Maggi-libretista que pone monólogos en boca del pianista y el Maggi-dramaturgo que se instala, codo a codo, entre sus clásicos y modernos. El primero es lineal, escaso de léxico, no demasiado espléndido en su ingenio, mero ejercitante de esa frivolidad básica que el montevideano suele esgrimir en defensa propia; el segundo suelta su fantasía, trabaja en profundidad y se vuelve auténticamente creador en la escena del aniversario. Alguna vez sostuve que el montevideano suele ser exageradamente frívolo en sus diálogos, pero extrañamente lúcido en su (mala o buena) conciencia; premeditadamente o no, Maggi está dando ese doble nivel en *El pianista y el amor*, y de esa manera el comentario del Fabián de carne y hueso, sentado frente al piano, se convierte en un socarrón, confianzudo fingimiento de la oscura vida interior que revelan los trozos escenificados. Hay zonas débiles, tanto de escritura como de efecto dramático; hay bromas que apuntan a la risa y no la alcanzan; hay por lo menos una incorporación (el fragmento de *Exiles*, de Joyce) que no se compagina con el resto; hay todavía algunas bisagras que rechinan. Pero el resultado global es francamente bueno e incluye algunos pasajes de excelente factura teatral; elogio éste que no sólo comprende a Shakespeare y los suyos, sino que también abarca a dos o tres aportes del propio Maggi. No creo que la fórmula de *El pianista y el amor* sea repetible, al menos con las mismas características; creo en cambio que este *entretenimiento* puede representar una loable apertura para las posibilidades del teatro nacional. No es obligatorio que el *collage* haga escuela como variante dramática; baste con admitir que una brecha salvadora para el autor nacional puede estar en la provocativa amalgama de realismo y fantasía que la pieza propone y realiza.

En este punto, parece obvio aclarar que comparto el difundido dictamen de que Carlos Maggi es el autor número uno del actual teatro uruguayo. No creo, sin embargo, que se haya hecho acreedor a esa preeminencia (como varios parecen proponer) por alguna que otra escenita de hábil armazón o bien llevado diálogo. Aunque a lo largo de su obra haya decaimientos, reiteraciones y hasta fracasos, *La noche de los ángeles inciertos* y *El apuntador* alcanzan y sobran para rescatar la calidad literaria, la vivacidad y el ritmo del lenguaje, el vasto catálogo de su imaginería y sobre todo un notable instinto teatral. Aunque no hubiera en su obra otros valores (que los hay), esa capacidad provocativa e indagatoria ya sería suficiente virtud. En este instante no hace falta que se ocupe de nosotros el escritor-dómine, de pobre tono magisterial, sino el escritor dudante y veraz, ese que lleva el diálogo en sí mismo y ayuda a dialogar a los demás.

Por eso, aunque el actual rumbo de Maggi tenga poco que ver con el sainete, la definición que sobre este género compaginó Carella sirve aún para relevar el valioso aporte de este dramaturgo; cercano al sainete o al grotesco, al realismo poético o al absurdo, Maggi siempre se las arregla para que el *meridiano de vida* pase por su arte.

(1966).

el quehacer convertido en invención

En otra ocasión, al referirme a la *Literatura de balneario* [1], dejé constancia de un amago de evasión que me parecía reconcer en nuestros narradores más jóvenes. Ahora, al referirme a la obra poética de Amanda Berenguer, intento señalar la comprobación de un recorrido inverso: es decir, desde un testimonio subjetivo y radiante, a la asunción de una realidad estremecedora.

El de Amanda Berenguer no es por cierto un caso aislado; otros poetas de su generación y varios de los más jóvenes, hacen oir sus preocupadas voces, a menudo sofocadas de realidad. Hay, claro, entre esas voces, tímidos balbuceos, falsas angustias, imitaciones flagrantes, demagogia, esnobismo, pero también hay otras que integran una corriente de alerta sinceridad y validez artística.

Si, en trance de ejemplificar esa última corriente, elijo la obra de Amanda Berenguer, es porque en la trayectoria de esta escritora se reconoce un trazo no sólo nítido sino en muchos sentidos ejemplar. En diez años aporta cinco títulos: *El río* (1952), *La invitación* (1957), *Contracanto* (1961), *Quehaceres e invenciones* (1963) y *Declaración conjunta* (1964). Basta comparar el verso seguro, hen-

---

(1) Trabajo incluído en este mismo volumen.

chido, sonoro, pero no demasiado convincente, de *El río*, donde hasta la amarga premonición viene envasada en un modo casi suntuoso de metaforizar; basta comparar ese despliegue con la austeridad verbal de *Quehaceres e invenciones* y la misteriosa conciencia de *Declaración conjunta*, para apreciar el largo y fructuoso camino recorrido.

La presencia del mundo, que ya había golpeado en los cristales y en el corazón, todavía empañados, del segundo libro (*"si latido a latido, cada día / cuento los golpes diestros, terrenales, / y no puedo taparme los oídos"; "Porque en medio del alma alguien dio / esta pedrada destellante como / un quieto sol ensangrentado y triste, / no hay resguardo seguro"*) en los últimos poemas ha pasado a ejercer una presión autoritaria, fascinante, decisiva. El poeta es acribillado por las cosas, y se defiende como puede: abriendo trampas de palabras, emitiendo metáforas antiaéreas, inventando significados despistadores, clandestinos. Amanda Bereguer emprende una guerra de guerrillas contra la inseguridad exterior, pero también contra su propio pánico. "En todos los sentidos, mi melancolía busca lo espantable". Esta anotación de Kierkegaard que sirve de pórtico a los ocho poemas de *La invitación*, da aproximadamente el tono de alucinación cauta que impera en ellos. En *"la irrespirable tolerancia de la tierra"*, el poeta es un ser melancólico, irrazonablemente melancólico, quizá desprovisto aún del básico dolor capaz de transformar esa melancolía en desesperación, pero sintiéndose de todos modos despiadadamente instantáneo y fugaz: *"Si pudiera medir el hondo pozo / de la melancolía, hoy que estamos / en medio de la fiesta, entre los cuerpos / de la primavera"*. Pero la hondura de ese pozo es inconmensurable y, quizá por eso mismo, invitante, tentadora. La imaginación tiene alguno que otro sucedáneo de ese afán de medir, de definir, de concretarse en algo, en alguien. Claro que todo sucedáneo imaginativo implica, para el poeta, algo de espantable, fantasmal, y las diversas presencias que primero crea (y luego casi toca) esa melancolía, sirven para reforzar la angustia, no para calmarla:

> ¿Y a qué cielos,
> entonces, la alegría?, si no puedo
> olvidarme, si estoy despierta y siento
> pasar y perecer, a pesar mío,
> si latido a latido, cada día,
> cuento los golpes diestros, terrenales,
> y no puedo taparme los oídos

No siempre el lector tiene acceso a la más honda raíz de estos poemas; en amplia compensación, ya en este libro se incorporan algunos modos del habla corriente, ciertos movimientos de lo cotidiano, que establecen un directo contacto con el implacable oficio de vivir. Por otra parte, siempre hay una rendija por la que se filtra un impulso interior, nada impersonal por cierto:

> La mesa cruje bajo el peso usado
> de las hojas secas. Un viento adentro
> cierra la puerta y la ventana y abre
> de pronto, entre cadáveres, la noche.
> También mi corazón. Ya voy, tinieblas.

Se trata, al parecer, de una activa acepción de la melancolía. Pero la invitación también llega al lector y lo sacude, ya que ¿qué melancolía, por módica y sencilla que se crea, no se ha puesto alguna vez a buscar lo espantable, su versión ideal de lo espantable?

Es creencia bastante generalizada que hay un solo modo de asumir poéticamente lo real. Unos creen que ese modo es el azote duro, demagógico, el llamar a las cosas no sólo por su nombre sino también por su apellido; otros entienden que el mundo debe pasar por el colador de la alucinación, del ensueño o de la simple fantasía, como requisito imprescindible para obtener la visa estética en cualquier pasaporte literario. Pero quizá el único modo de asumir legítimamente lo real y transformarlo en arte, sea encontrar (no importa por qué ni con qué medios) un lenguaje propio. Cada uno sabe dónde le aprieta el estilo. Y cuando verdaderamente se sabe eso, todas las anteriores fórmulas prescriben. Entonces ya no vale decir "me parece", "no creo" y otras vagarosas y encogidas salvedades críticas; no vale, sencillamente, porque dígase lo que se diga, táchese lo que se tache, el poeta existe, y seguirá existiendo aunque le caigan encima gritos y silencios.

Pues bien, el párrafo anterior es una introducción evidentemente excesiva para recalcar algo muy sencillo: Amanda Berenguer tiene un lenguaje propio. En *Quehaceres e invenciones*, escribe un corto y excelente poema sobre una opresiva ansiedad (*Estación La Angustia*) que se abre como tantos otros, pero se cierra como sólo ese poema puede cerrarse. Usa una actitud (en *Uno de los quehaceres*) como estribillo, pero nutre de tal modo las zonas intermedias que el último "me arrepiento" suena como un patético testamento emitido en un páramo. Otorga un lenguaje de *science-fiction* a un brevísimo poema (*Historia natural*), pero la imagen total es de una soledad desgarradora. Recoge el vocabulario doméstico (carestía; paro general; menudos de ave; apagón, etc.), los quehaceres más deslustradamente cotidianos, pero los hace cumplir en su poesía funciones misteriosas. A veces le sirven para airear un desasosiego; otras, para camuflar una osadía. Lo cierto es que esa realidad que se introduce, a veces por azar, en su órbita sensible, no sigue, después de ese ingreso, siendo la misma. Hay un combate (que es casi combustión) entre ese mundo exterior, parco, amargo, en bruto, y el mundo interior y refinado de alguien que ha decidido quitarse, así sea provisoriamente, la nostalgia ("a veces pido al fin, socorro a gritos") y abrir los ojos ante el asombroso espectáculo del horror y la gloria del prójimo.

Por eso, cuando el poeta decida poner su rúbrica a un compromiso muy peculiar, y también muy solitario, el lector siente que allí no rechina el esnobismo ni se asume una moda. Por el contrario, del responsable voto se desprende la meditada asunción de un deber, la angustiosa vislumbre de una gran consternación solidaria: "*Para apurar el derrocamiento / de los últimos modelos de la sombra, / la soledad tramposa / acorralada en su madriguera / y enfurecida como pocas veces, / también los pájaros funestos / prontos a un despliegue / de terror intermitente, / para auspiciar el levantamiento / simultáneo de otra cosa / de verdad y vida y compañía, / para asumir la responsabilidad / de toda la batalla, / firmo esta noche / mi nombre partidario*". No importa que antes y después de esa rúbrica, el mundo acose en forma de quehaceres, ya que para Amanda Berenguer todo quehacer se convierte en invención, y eso es lo bueno.

Declaración conjunta es, en realidad, un solo poema, y el lector puede darse el lujo de asistir, etapa por etapa, a un verdadero *work in progress*. Partiendo de dos palabras (tú, yo) que son dos mundos y a la vez dos núcleos (uno masculino, otro femenino), Berenguer va agregando eslabones (sustantivos, adjetivos, verbos, complementos, etc.) que acrecientan y conforman cada semilla pronominal. El *tú* y el *yo* son una suerte de imanes y las palabras atraídas van estableciendo una misteriosa relación, de la que nada (ni la más terrestre cotidianidad, ni siquiera el oculto subconsciente) se salva.

Como en la forma musical del *rondó*, y también, por qué no, en la menos prestigiosa, pero quizá más gráfica, operación de la bola de nieve, cada nueva instancia, o nueva vuelta, incluye totalmente la anterior, y a su vez la amplía, la perfecciona. El procedimiento está siempre corriendo el riesgo de volverse retórico (así sea de novísima retórica) pero el poeta salva el trance gracias a una tenaz convicción interior, a un estar inevitablemente en un armónico secreto, a un porfiado e indeclinable rigor, a un bien organizado apareamiento de imágenes. La verdad es que se trata de un libro escasamente penetrable; en cierto sentido, la aproximación a *Declaración conjunta* es algo torturante, porque el lector tiene siempre conciencia de que detrás de esa impenetrabilidad, detrás de esa cal y de ese canto, no lo espera el vacío (los contados resquicios que están a su disposición, permiten esa vislumbre) sino un doble y pleno mundo, una feraz confrontación. Para llegar al estupendo logro que este poema pudo ser, sólo le falta un pequeño ángulo de apertura, tal vez una sencilla palabra que oficie de Baedecker a quien pretenda incursionar en tan extraño archipiélago de almas, de cuerpos, de palabras.

(1965)

ida vitale y su obra de un solo poema

La obra poética de Ida Vitale cabe en pocas decenas de páginas. Su primer libro, *La luz de esta memoria*, es de 1949. En 1953 publicó *Palabra dada*, y en 1960 *Cada uno en su noche*. En total: poco más de cincuenta poemas. En realidad, a través de los años, Ida Vitale viene escribiendo un solo poema, que en definitiva no será demasiado extenso, ya que el propio poeta se encarga de ir rescatando, de su obra pasada, aquellas imágenes que engranan con su visión de hoy, con la actitud que hoy asume frente a su propia intimidad.

Es difícil tentar la aproximación a un poeta como éste, no precisamente porque su lenguaje sea hermético o intrincado, sino debido al indeclinable propósito de austeridad, al sagrado horror por lo enfático, al impulso siempre contenido, que domina en la poesía de Vitale. Cuanto mayor sea la familiaridad del lector con la obra de este poeta, más cerca estará de reconocer la distancia que media entre cualquiera de sus originales vivencias poéticas y sus definitivos envases literarios. En las primeras hubo, evidentemente, un abandono a la simple fuerza de lo vital, de la experiencia a sabiendas; en las segundas, en cambio, sólo sobrevive una depurada esencia, una inteligente conclusión casi desprovista de estupores, pasiones y adjetivos.

De ahí que sea difícil la aproximación, ya que este poeta exige, como condición previa, esa familiaridad escudriñadora. Sólo en ese bucear desde el efecto a la causa, desde el poema a la vida, podrá el lector adquirir la seguridad de que éste de Ida Vitale no es un mero juego intelectual sino una severa criba de emociones. En esta obra hay autocrítica, pero también hay autocensura. El peligro reside en que el lector, llevado por sus afanes de aproximación, de puesta en claro, presuma que está cerca de un poeta (frío, descarnado, intelectual) que en realidad no es el verdadero (cálido, angustiado, sensible).

Ese poeta verdadero es el que se ha lentamente apesadumbrado, se ha definido en un sabor amargo. Desde su primera obra, hubo en Vitale una suerte de desazón frente al mundo: *"La viva luz se extraña / y en noche ya, / ignoramos qué camino comienza"*, pero además había, no sólo una negativa frente al propio descontento (*"No dije triste, alto, habitual de palomas"*) sino también un más combativo modo de decirlo (*"Adiós, adiós al mundo, / la voluntad, el orden, su silencio, / la tierra ya lejana"*). Es demostrativo de ese paulatino quebranto el hecho de que Vitale, al rescatar poemas de su libro *Palabra dada*, no haya recurrido a *Fiesta propia* (*"Sí, cantar es alegrarse, / como el aire se alegra en la mañana, / por cada cosa que a la vida vuelve"*) sino a *Final de fiesta*, que ya anunciaba la actitud de hoy: *"Al fin se nos dirá: éste es el día, / los frutos de la tierra se acabaron, / para mañana encontraréis sustancias / inútiles y un pan equivocado, / copas vacías, donde el tiempo empieza / a arrepentirse de lo que ha pasado, / una insufrible desazón del ocio, / y una menguante nube de palabras / ajenas, y lloviendo en nuestro polvo"*.

Para este poeta, el Tiempo es el condicionante más cruel, más invencible, más sagrado. Siente el viento de noche, pero lo siente "*como al pasar sobre las cosas / siento el tiempo*"; hay una constante identificación entre tiempo y noche, entre tiempo y vida, en un intento de explicar que lo oscuro es réplica terrible de lo incierto: "*Acaso con vivir, / miento otro vivir, / otro tiempo*". Es el tiempo el que lleva a la comparación: "*Una muerta pared, un aire frío; ya estoy afuera. / Ni siquiera merezco / un ángel ígneo*", para agregar en seguida: "*Sin embargo hubo un día / que era yo misma / el fuego*".

Nunca la poesía de Vitale estuvo en las cercanías de lo místico, pero hasta *Palabra dada* hubo en su lírica cierta fe en lo desconocido ("*Déjame que decida todavía mi sitio, / deja, nudo de tiempo y sombra, amanecerme*") que ahora parece estar ausente. Lo desconocido ha cedido el sitio a cierta oscura seguridad ("*La muerte es la menor distancia entre los sueños, / el cálculo más breve, / el gesto sin torpeza*"), a cierta monstruosa certeza ("*Pero después del fuego / es la ceniza, / la durable ceniza / la que gana*"), a un acabamiento sin posible prórroga ("*Ya es otoño, tan pronto. / No hay ya tiempo*").

En lo formal, los dieciocho nuevos poemas del último libro muestran a un escritor seguro de su oficio, casi siempre consciente de sus limitaciones. Es posible que el único resorte no dominado aún por Vitale, sea la rígida contención de sus impulsos; en algunos poemas aparece, evidentemente, como una virtud, pero en otros llega a ser un defecto. Después de todo, es el riesgo de una poesía subjetiva, metida en una horma de objetividad. Es el riesgo, pero también el atractivo, el color personal de esta obra lírica.

(1961)

anderssen banchero y su imaginería del arrabal

Existe una zona de la vida nacional cuyo relevamiento había estado hasta ahora reservado al tango: me refiero a los suburbios montevideanos y su color de pobreza, de resignación, de opaca desdicha. Los contactos del tango con el arrabal son a veces reveladores, pero lo más corriente es que representen versiones de segunda mano, es decir subproductos de letristas que condescienden a fabricarse un suburbio imaginado para después llorar o blasfemar a partir de esa región, por ellos idealizada o pervertida. El arrabal tiene, sin embargo, su legítima tonalidad cursi, y cuando los mejores versos tangueros la captan, la registran y la condensan, esa cursilería se redime a sí misma, adquiere personería. La cursilería insoportable, chocante, latosa, es la que surge como mera impostación, como creencia de que ése es el lenguaje obligatorio del arrabal y por tanto debe ser acatado aunque no se lo sienta. Con respecto a esta distinción entre cursilería legítima y cursilería bastarda, quizá la única prueba infalible sea escuchar un tango en la voz de Gardel. Letra que no llegó a ser redimida por esa voz, es seguramente irredimible.

La literatura argentina tiene algún narrador del suburbio. Recuerdo, por ejemplo, *Barrio gris*, una novela de Joaquín Gómez Bas que en 1948 tuvo su resonancia, pero que no llegó a merecerla totalmente debido a cierta visión turística, superficial, de la descolorida miseria que era su tema. Ahora un narrador uruguayo, Anderssen Banchero, acomete la misma empresa (*Mientras amanece*, 1963) en el género cuento.

Banchero nació en Montevideo, en 1925. Ha confesado sus preferencias por Maupassant, Tolstoy, Gorki y Hemingway, y él mismo se pinta con este brochazo: "*Ser escritor fue siempre mi aspiración más seria, y creo que esta tentativa es lo único que cuenta al fin, lo único que puede interesar. Mientras fui viviendo (repartí pan con canasto, trabajé en fábricas, cargué bolsas, jugué al fútbol) iba tomando nota de los ambientes, de los tipos, de eso tan superior a cualquier fantasía que es la vida, la realidad. Estoy siempre preocupado por ese propósito de llegar algún día a ser un escritor*". Alguno de sus cuentos (*Los Payró*) fue mencionado en el concurso organizado en 1951 por la revista *Asir*, y otros (*Leonor*, no recogido en volumen, y *Máscara suelta*) aparecieron en esa misma revista. Después de un largo período de inactividad literaria, Banchero ha reelaborado varios de los antiguos relatos y ha escrito otros.

En el comprensivo y adicto prólogo de Heber Raviolo, se dice: "Sus barrios nada tienen que ver con las nostálgicas evocaciones de tantas letras de tango". Sin embargo, algo tienen que ver (como si las estuvieran esperando) con las buenas letras de tango, las de cursilería legítima. En los cuentos de Banchero, situados en la década del cuarenta, las imágenes (la vieja y sacrificada madre de *Hormiga Negra*, la tos tuberculosa de Cocoliche en *Los Payró*, los disfraces en la semipenumbra de *Máscara suelta*) que alimentan tanta melancolía tanguera, están dadas escuetamente, sin énfasis ni adornos superfluos, tocadas apenas por una mirada triste pero sin dureza, desalentada pero sin rencor, o sea por la mirada de alguien que, entre miseria y miseria, está habituado a sobrevivir. *"No era aquel un arrabal como el de los tangos, era más campo que ciudad, pero campo precisamente, como no fuera la cerrazón flotando sobre la tierra rasa, sobre las sombras, y, aquella luz de las barreras sola, única en la noche. Era una especie de zona innominada, una región donde todo parecía podrirse como en los basurales, sobre el barro y los yuyos"*, dice el narrador en *Los Payró*. Es cierto, no es un arrabal como el de los tangos; sin embargo, también es cierto que el de los tangos es un arrabal como ése. Uno tiene la impresión de que así debieron ser los temas del tango antes de que el tango los rozara, los iluminara, los incorporara a su propia intención.

La prosa de Banchero es modesta, sencilla, pero no vergonzante. A diferencia de algunos narradores camperos, este cuentista del suburbio no infla los valores, no descubre rasgos angelicales en sus rendidos personajes; tampoco los menosprecia, tampoco los odia. Quizá no haya admiración en su acercamiento a seres y cosas, pero hay en cambio un parco asombro cada vez que comprueba el estilo peculiar de alguna soledad, la fatal descomposición de una familia, la terca resistencia de un inadaptado. El autor transita por su arrabal sin tomar partido, sólo registrando aquí y allá la anécdota mansa, que de tan lenta ya parece inmóvil; la misteriosa relación humana que subsiste por debajo de las palabras amargas, de los gestos violentos, del aparato del rencor; el perezoso arranque que de pronto acaba con una quietud que parecía inconmovible.

Claro que a veces Banchero se pasa de modesto. Hay personajes (como el protagonista de *Amanece*) que admitían un tratamiento en profundidad, desperdiciado

273

por el autor; hay desarticulaciones de la anécdota (como en *Los Payró*, que es, no obstante, uno de los buenos relatos del volumen) que oscurecen inútilmente la peripecia y malogran lo mejor de su efecto. Un poco de osadía, de impulso imaginativo, beneficiaría seguramente a este escritor; otorgaría a sus cuentos otra plenitud narrativa. Sin embargo, el saldo del libro es francamente positivo. Aun descartando cuentos como *Hormiga Negra* y *La cortina* (dos historias, cabalmente logradas, que desde ahora quedan a la legítima espera de su tango propio), situadas en el oportuno punto de equilibrio anecdótico y funcionalidad verbal, hay en todos los cuentos algo para rescatar, algo que los justifica. En *Los Payró*: la versión que, en su discurrir mental, propone el viejo acerca de los conflictos entre su hijo y María. En *Máscara suelta*: esa felicísima frase última que beneficia retroactivamente todo el relato. En *María*: la paciencia con que van siendo dosificados el deterioro de la rutina, la pusilanimidad afectiva. En *Amanece*: el planteamiento de una situación tensa (al protagonista le quitan la mujer en sus mismas narices), paralizada por una inevitable, casi procedente cobardía. En *Méndez* (el más débil de los siete cuentos): el hallazgo de esa impagable, cómica resistencia del protagonista "a venirse" a la Capital, aun después de un largo período de residencia en la misma.

Hay una singular adecuación entre temas y estilo. La prosa sobria y dulzona de Banchero se corresponde con un acontecer sin grandes contrastes, sin repentinos sacudones. Hay muertes, desprendimientos, agresiones, abandonos, soledades, pero todo tiene lugar en un marco penumbroso ("son cuentos sin sol", anota acertadamente Heber Raviolo en el prólogo) bajo la pasiva contemplación de los personajes secundarios, y, por supuesto, también del autor.

La miseria encallece la sensibilidad, parece comunicarnos Banchero, y al final hasta el lector "del Centro" se acostumbra al espectáculo de esas vidas en liquidación y se acomoda a mirarlas desde su propia penumbra. Son frases llanas, sin bruscas elevaciones, exactamente como es nuestro paisaje. Pero todas juntas, y juntos además todos los cuentos, crean un clima que, aparte de corresponderse con el paisaje, se corresponde asimismo con la época ("era en Montevideo, en 1941, a seis años de la muerte de Carlos Gardel").

En ese clima, Banchero no precisa raudales de palabras para comunicar un cielo, un estado de ánimo, una estación. Escribe apenas: "Llegó el invierno. El barrio era alto y descampado, abierto al salvaje viento del sur, el viento que venía del río, de más allá de la ciudad que parecía anclada en el fondo de los días brumosos y del color de los días, de las nubes. Era casi campo, más campo que ciudad, un grupo de casitas en una ladera, casi nada para oponer al viento, apenas los cercos de transparentes en las veredas de tierra, y los cables de la luz zumbantes. Unas pocas cosas tiritando, arrasadas por los pamperos". Y en otro cuento: "Aquella cara que no correspondía a las ropas negras, a la melena que a fuerza de aceite parecía oscura, ni a los tangos que cantó, cerrando los ojos y esforzándose para sostener una voz chiquita, como la de un viejo fonógrafo".

Más de un lector le agradecerá a Banchero este reencuentro con la veterana y cursi imaginería del arrabal; pero sobre todo le agradecerá la ocasión de asumirla naturalmente, sin necesidad de narcotizar los prejuicios o simular una amplia comprensión. Lo cursi es lamentable, y hasta horrible, cuando nos provoca grima en el gusto, erizada vergüenza en la piel; pero es en cambio una experiencia incanjeable y conmovedora, cuando no sólo arrasa con nuestras vergüenzas, sino que además nos devuelve una sencilla y compacta dignidad.

(1964)

el malabarismo lírico de
humberto megget

El cinco de abril se cumplieron diez años de la muerte de Humberto Megget, y en este caso son diez años que se parecen mucho al olvido. Los críticos de poesía, rara vez se acuerdan de él, los antólogos no lo incluyen en sus selecciones[1], los actores no lo tienen en cuenta en sus recitales. Se trata de un olvido que no hace honor a los contemporáneos de Megget, ya que éste, como todo auténtico poeta, está destinado a sobrevivir, no importa en qué cercano o lejano futuro; cuando otras generaciones de críticos o de antólogos lo reintegren al sitial que su obra merece, seguramente se asombrarán de que poemas de tanta inspiración y originalidad hayan pasado sin pena ni gloria entre quienes compartieron su tiempo y su mundo.

Cuando murió, Humberto Megget tenía sólo veinticuatro años y había padecido una larga tuberculosis. Nació en Paysandú el 1º de mayo de 1926. A los diecisiete años fundó la revista *Letras*, pero esta aventura no conoció el segundo número. Insistió sin embargo con las

<hr>

(1) Su nombre es una de las tres inexcusables ausencias en el libro de Hugo Emilio Pedemonte: *Nueva poesía uruguaya* (Ediciones Cultura Hispánica, Madrid, 1958). Las obras dos son Liber Falco e Idea Vilariño.

revistas, pero tanto una denominada *No*, como otra titulada *Sin Zona*, tuvieron brevísima trayectoria.

Su único libro de poemas se llamó *Nuevo sol partido* y fue publicado en 1949, pero el tiraje de la edición fue tan limitado, que, aparte del círculo de sus amigos, cuando murió en 1951 era prácticamente un desconocido del público y de la crítica. En 1952, el grupo de escritores que reunía la revista *Número* consiguió una serie de materiales inéditos, en su mayor parte poemas escritos por Megget en los últimos años de su enfermedad, y encargó a Idea Vilariño la selección y edición de los mismos. Este volumen, ahora totalmente agotado, incluía los siete poemas del único libro publicado en vida de Megget, y conservaba el título: *Nuevo sol partido*. Agregaba además treinta poemas de la última época. Es por este tomo —que merecería una urgente reedición— que su obra ha de ser juzgada.

El de Humberto Megget es, por varias razones, un caso comparable al de Carlos Federico Sáez, el notable pintor mercedario. No sólo por venir ambos del Interior, o haber sido derrotados por la misma enfermedad, o haber vivido exactamente la misma cantidad de años; también, y principalmente, por tratarse de dos artistas formidablemente dotados que, a causa de una muerte prematura, no pudieron extraer de sí mismos la obra plena y decisiva que seguramente habrían logrado en su madurez.

Pero aun en su inevitable envase juvenil, la obra de Megget es lo suficientemente original y valiosa como para ser incorporada a lo mejor de nuestra poesía. Poemas como el que comienza: *"Cuando descalzo recién salí..."*, de su primera época, o *"Tengo ganas de risas Raquel"* y *"Dile a las nueces que se partan solas"*, entre los últimos, sintetizan las mejores virtudes de Megget y garantizan que su poesía ha de ser dentro de cincuenta años tan actual como ahora.

Lo que más sorprende y atrae en Megget es la rara mezcla, la constante oposición que se da casi siempre entre sus temas y su estilo, entre su intención y su lenguaje. Es difícil encontrar otro ejemplo tan palpable de poesía pesimista en versos optimistas.

El verso de Megget es casi siempre alegre, juguetón, ágil de ritmo, autosatisfecho de las novedades formales que descubre. Sin embargo, lo que dice, o más bien lo que sugiere, toca a veces un punto clave de desolación:

Y salí con alegría puesta en mi rostro
y saludando al río saqué de él
aguas con formas de mi cuerpo blanco
y deposité mis pies en la playa que recogí tras mío
y cuando mis ojos se vaciaron de estrellas
entregué piernas mías al viento para que las llevase.

En la mencionada edición de *Número* figura un fragmento en prosa de Humberto Megget, perteneciente a un apunte titulado *Esquema para una conferencia,* que es poco menos que un arte poética: "*Su pensamiento antes centralizado en un casi juego intelectual se libera aquí en un retorno hacia un casi naturalismo para entrar libremente sin trabas y sin esfuerzo a la canción, la canción límpida y clara, la canción casi primitiva, la canción hecha con espíritu y amor. Y en este nuevo reencuentro con las formas poéticas donde la metáfora no es rebuscada sino espontánea, donde la canción es la fotografía de un acto generoso, donde no hay nada enfermizo, el poeta aún no se encuentra aunque es fácil adivinarlo. Ahora en el comienzo de un problema en el que se ha resuelto la primera parte, donde los trucos literarios y juegos surrealistas tienden a desaparecer por conside-*

rarlos inmorales en el arte, expone estos poemas con la sana intención de mostrar el camino por donde ha de comenzar para que le sepan ya en marcha y decidido a trabajar con sinceridad en su arte. El sabe que aquello que ha perjudicado al arte un millón de veces es ese intelectualismo usado por el pseudo creador que en lugar de intentar crear con religiosidad crea con intelectualidad, con creaciones que encierran al individuo en un mismo círculo y que encadenaron a muchos artistas en el trascurso de la historia".

Los mejores momentos de la poesía de Megget son demostraciones cabales de eso que él llama *metáfora espontánea*, fotografía de un acto generoso:

> Quiero sentarme en el ángulo de un rayo
> en la O formada por las sábanas colgadas

o también

> *Tengo miedo de mí*
> *y de la música que deja oir mis cabellos a mis dedos*

o, por último,

> *Vamos a dejarnos caer como tuercas*
> *y dejarnos levantar por nubes imantadas*

Están lejos de la frialdad intelectual que tenía Megget, pero son, eso sí, metáforas espontáneas de la naturaleza, simplemente reconocidas por el intelecto. En su peculiar modo de metaforizar, la imagen es siempre separable del ritmo; el ritmo es en sí mismo parte alícuota de la metáfora, que sin él no viviría o perdería su originalidad.

Casi todos son poemas *in crescendo*, ganan en efecto si se los dice en voz alta. Megget no es un *poeta de las cosas*, pero sí un malabarista que usa a las cosas, que las lanza por el aire y las recoge ya cambiadas, dispuestas a servirle como expresiones poéticas de su estado de alma. En una lectura superficial parecería que las cosas andan en la poesía de Megget "como por su casa", pero en una segunda lectura, más atenta, es posible comprender que es el poeta el que se mueve entre ellas con admirable libertad, extrayéndoles significados, inventándoles afinidades que son como etiquetas de originalidad.

Las palabras de Megget son las comunes, las de todos los días; virtualmente están ausentes de su poesía aquellas otras que arrastran un gastado prestigio poético. Pero estas palabras comunes, gracias al ritmo, gracias a las otras *palabras comunes* que andan en su vecindad, adquieren una resonancia que las hace nuevas, que les otorga una bienhumorada dimensión de lirismo. Megget nunca deja de ser un poeta serio, un preocupado de sí mismo y de su mundo, pero usa en cambio el buen humor como una inédita manera de cantar, de cambiar, de decir simplemente su tristeza.

(1961)

milton schinca: de la aventura a la indagatoria (1)

I

De la aventura, de Milton Schinca, debe ser el mejor libro de poemas publicado en 1961. En años anteriores, semejante elección podía significar relativamente poco, pero sucede que 1961 ha sido pródigo en libros de poemas y hay por lo menos una media docena de obras dignas de ser destacadas. Esa sola circunstancia sería suficiente para que el relieve adquirido por el libro de Schinca tuviese un especial significado. Pero, además, hay que destacar que *De la aventura* es el primer libro de este poeta [2]. Pese a ello, le ha ahorrado al lector los casi obligatorios balbuceos de todo principiante lírico.

Esto no quiere decir que Schinca no haya pasado por las inevitables etapas de experimentación y ajuste (no

---

(1) Bajo este título no recojo un enfoque plenario sobre la obra poética de Schinca, sino tres artículos que publiqué en 1961, 1964 y 1965, respectivamente, con motivo de la aparición de sus libros *De la aventura, Esta hora urgente* y *Mundo cuestionado.*

(2) Schinca ha hecho, en distintas épocas, periodismo radial y crítica de teatro; en 1956 adaptó para Teatro del Pueblo un episodio del Quijote, *Sancho Panza gobernador de Barataria;* algunos de sus poemas habían aparecido firmados con el seudónimo Alberto Salvá, en el semanario *Marcha.* En 1967 pasó a integrar la Comisión de Teatros Municipales.

se llega, de buenas a primeras, a formular un poema tan minuciosamente logrado como el que lleva por título: *Propágase el testimonio de cierta sustancia*); simplemente, no las había publicado.

Como primer libro, *De la aventura* es de una extraña madurez. Cada poema tiene un rumbo seguro, y es —sin perjuicio de integrar una severa y áspera visión del mundo— una entidad independiente. No hay versos improvisados, o, si los hay, no suenan a improvisación. Cada poema tiene una organización interna, que es palmo a palmo cumplida por el poeta.

Lo curioso es que toda esta premeditación no redunde en sequedad, en congelamiento, en ríspido estilo literario. La severidad está presente en la visión del poeta, pero el verso es casi siempre flúido y está engarzado en un ritmo de fuerza, que acaso sólo podría ser comparado con el de la única oratoria legítima: la que basa sus efusiones en verdades.

Sin embargo, Schinca no es un poeta *lírico*. Tampoco creo que pretenda serlo. Su fuerte no es la encendida eclosión emocional, la contagiosa vibración de la nostalgia. El común denominador de varios de los quince poemas es la soledad, esa *"imagen viva de desvelo"*, que devora al ser *"en larga, paciente mordedura"*. Pero Schinca tiene una serena profundidad, un concentrado modo de referirse a ese común denominador (*"Esto se llama soledad / de pronto; / solísimo es quedarse así / con todo el mundo desgajado fuera"*) y no vacila en usar, con gran habilidad, un recurso que ha sido siempre más empleado por los narradores que por los poetas; algo que, en una nota aclaratoria, el propio Schinca denomina *"tentativa de instalarnos idealmente en el mundo interior de otros seres"*. Los cinco primeros poemas del libro, agrupados bajo el rótulo de *Cercanos habitan-*

tes, muestran un eficacísimo empleo de ese expediente. (*Depuesta en sombra* y *Gimnasio despojado* me parecen particularmente felices, tanto en su concepción como en su ejecución).

Lo que hace que esos cinco poemas sean algo más que monólogos, algo más que meros ejercicios narrativos; lo que hace que esos poemas asciendan sin violencia, legítimamente, al plano poético, es la trasposición subjetiva con que Schinca encara una composición de personajes que pudo estar razonablemente condenada a la objetividad. Cada poema no es sólo la versión de lo que un personaje piensa; es, sobre todo, lo que el poeta cree que el personaje piensa. El poeta no es allí sólo un testigo; es también un destinatario, un implicado, un silencioso compartidor de culpas. Quien piense, frente al texto de algunos de esos poemas, que esta interpretación es rebuscada, advierta sin embargo que cada monologuista no es un ente totalmente ajeno al creador; más bien está inserto en la cosmovisión de quien lo usa y lo re-crea.

En la segunda parte, *Actas y confirmaciones*, hay ocho poemas de larguísimos y extraños títulos, que incluyen el mejor del volumen: *Propiedad reservada y sus fundamentos*. Este poema es ejemplar en cuanto se refiere a la conversión, en elementos poéticos, de términos ceñidamente mercantiles. Es amargo, inexorable, un certero diagnóstico; pero también, como los restantes poemas de esta segunda parte, un poco oscuro. Oscuro en el sentido que pueden serlo los poemas de T. S. Eliot o ciertos libros de los mejores *beatniks* norteamericanos (Lawrence Ferlinghetti, Jack Spicer, Allen Ginsberg), o sea no tan oscuros que el lector deje de percibir que esta vez el hermetismo no es gratuito. Es un misterio semioculto, semidescifrado, pero de todos modos se siente que la vida otorga una subterránea coherencia a las imágenes.

Schinca es especialmente cuidadoso en los apareamientos de palabras. A veces se tiene la impresión de que el autor ha pasado semanas —o meses— buscando el nexo revelador, la juntura perfecta o la proximidad creadora: "estamos libertados como niños, / inminentes para lo duradero"; "hermanos iracundos —les diré— socios míos de lo grave"; "la vio (a la muerte) pasar como una sombra / por el cielo inseguro de las inversiones"; "ninguna retina / repetirá en memoria ese paisaje / porque su arquitectura es de inocencia". Otras veces, en cambio (y en este rubro figuran las escasas debilidades del libro), usa algunas palabras que suenan mal, que perjudican notoriamente la calidad del poema: "lloridos escolares", "segura plaqueta que logra que nada mute", "estela indesgastada", "arco mirando al siempre", "criaturas que un rayo inseparara".

La tercera parte, Dos motivos latinoamericanos, me parece la menos lograda. Son poemas bien construidos, pero falta en ellos el impulso interior, la fuerza auténtica, que está presente en casi todos los restantes.

(1961)

II

En el segundo libro de Schinca, Esta hora urgente (1963) quedan a la intemperie varios de los defectos y virtudes que estaban apenas esbozados en la obra inaugural. En cierto sentido, es éste un libro más entero, más coherente, mejor programado que el anterior; pero también es un libro más encaramado en su propio riesgo. Es este mismo riesgo (honesto, decidido) el que, paradójicamente, aminora su eficacia, hace un descuento en su nivel artístico, y quizá disminuya su repercusión en el lector.

Ya en el primer libro, Schinca había demostrado una particular y legítima tendencia a despojarse de su yo. En el nuevo libro, y salvo excepciones que indicaré más adelante, no sólo se desprende de su yo, sino que abdica asimismo el yo de los demás. Alguna vez (*1 minuto-hambre*) el motor del poema es el dato estadístico que denuncia la muerte por hambre de un ser humano en cada segundo, y su desarrollo consta simplemente de sesenta escuetas o despojadas imágenes que llegan hasta el lector en calidad de alertas o de dardos. Otra vez (*Cablegramas elementales*) el insólito recurso estructural del poema está dado por la presencia de veintidós *telegramas-imágenes* que dejan constancia de una vasta pero impersonal miseria. Esa solitaria y congelada presencia de las cosas (sin su yo, también el hombre es una simple cosa), aunque denunciada y detectada por una mente particularmente despierta, parece insuficiente, por lo menos en este caso, para conseguir la imprescindible tensión poética. Hago la salvedad, porque tengo presente el caso de Octavio Paz, cuyos poemas de *La estación violenta* tienen algún punto de contacto con los del poeta uruguayo; pero es preciso reconocer que, en ese libro, el mexicano recurre a dos expedientes adicionales para el relevamiento de las cosas; en primer término, no se elimina a sí mismo como testigo, aunque a veces se considere un mero espejo, y, en segundo, se propone compensar la frialdad de los objetos con la inventiva y la urdimbre emocional del lenguaje.

Curiosamente, hay dos poemas en *Esta hora urgente*

que me parecen no sólo los mejores del libro, sino también superiores a los más logrados de *De la aventura*. Me refiero a *Sí Dios o no* y *Pensamiento depuesto*. En apariencia siguen el mismo rumbo y tienen las mismas limitaciones del resto del libro, pero cualquier lector medianamente sensible experimentará frente a ellos su módica conmoción. ¿A qué se debe? Los temas (cosmonautas, cibernética) son tan adustos, tan severos, como los que sirven de sostén a los otros poemas. Sin embargo, la vida interior del poeta, con sus dudas, preocupaciones y conflictos, se ha inmiscuido allí. La aduana implacable de la inteligencia ha sido transitoriamente sobornada por incitaciones personales; la duda en un caso, el estupor en el otro.

En *Sí Dios o no*, la invocación ya no proviene (como en el "bocas no callen" del primer poema) de un ente abstracto, casi fantasmal. Aquí es el poeta en persona quien exhorta, quien desafía, quien suplica:

> *Busquen,*
> *ávidos busquen,*
> *astronautas!*
> *Mas si El no comparece,*
> *si ni un temblor avisa*
> *del paso de su llama,*
> *puede que en vez otras verdades fuljan*
> *en la altura de platas desatadas,*
> *u otro eternizador amor descúbrase,*
> *o amanezcan bondad, justicia intactas,*
> *o —intemporal— se nos desvele y cunda*
> *otra paz, otra gloria nunca hablada.*

En *Pensamiento depuesto* hay un asombro indeciso, y a la vez intranquilo, frente a la invasión de la ciber-

nética, pero esa preocupación provocada por los "abs-
tractos personajes automáticos", es algo tan personal e
intransferible como la duda ante lo sobrenatural. De ahí
la importancia y el rigor del verbo en primera persona:

Hoy subvertido asisto al orden que se extiende:
ideas como tejidos de platinos,
premisas en ráfagas alámbricas,
silogismos cual velocísimos rayos ascendiendo
por peldaños metálicos. ¿Dónde quedan
las cimas distinguidas del pensar, su azur pudiente,
frente a tan victoriosa aurora activa?

Lamentablemente, ni el subjetivismo inventado de De
la aventura, ni este otro subjetivismo casi clandestino de
los poemas recién citados, están presentes en el resto
del segundo volumen, y ello provoca un desajuste entre
la intención y la dicción. Los poemas de Schinca no
están desasidos del mundo ni del hombre actuales; por
el contrario, se hallan particularmente atentos a "esta
hora urgente". La bomba atómica, el hambre universal,
el condenado esplendor que da el dinero; éstas son las
duras esquirlas de la realidad que rebotan en la acerada
superficie de estos poemas. Pero tales denuncias parecen
reclamar una voz entrañable, una desesperación con
nombre propio; de lo contrario quedan (y así perma-
necen en el libro) como un frío trámite intelectual que
se limita a dejar constancia del peligro o de la ignominia.

Me parece una estimable actitud de Schinca, su resistencia a usar la poesía como monótono estandarte,
su negativa a ser frenado por la imposición de la militancia; en este sentido, su poesía es una saludable lección para tantos ingenuos o facilongos "comprometidos"
de hoy. Sin embargo, no hay que olvidar que esta poe-

sía es en cierto modo incitación (por lo menos ésta parece ser la dirección verbal y moral de varios de los poemas) y es para cumplir con esa incitación que el poeta debería hallar el vehículo ideal de su homenaje o de su voz de alerta. Creo que ese vehículo ideal aún no ha sido hallado por Schinca; su verso es todavía excesivamente seco para transportar dolorosas angustias o rebeldías. Su proposición es en definitiva demasiado ardua: dar un herido testimonio del mundo y del hombre actuales, pero sin expresarlo a partir de un yo, ni siquiera a partir de un yo imaginario (salvo las excepciones ya anotadas) y sin dar un respiro al áspero ritmo de la inteligencia. Más que ardua, es una proposición casi imposible; algo que un poeta de la estatura de T. S. Eliot pudo cumplir apenas y con intermitencias.

Quizá este segundo libro de Schinca deba ser encarado como un punto de transición, como un viraje que más adelante parecerá una decisiva experiencia en su trayectoria de poeta, ya que significa la asunción de nuevos temas y preocupaciones, aunque todavía sin el mejor instrumento para enfrentarlos, para extraerles el máximo provecho. Es seguro que Schinca, una de las voces más estimables y originales que han surgido en la poesía uruguaya de los últimos años, sabrá rescatarse a sí mismo de este transitorio desencuentro entre voz y propósito, entre tema y sistema. El vaticinio puede confiadamente apoyarse en la honestidad y la agudeza de su enfoque intelectual, y, sobre todo, en su sensibilidad, que viaja casi siempre de incógnito (o por lo menos encapuchada bajo extraños adjetivos) por los misterios y las urgencias de esta hora.

(1964)

Mundo cuestionado (1964) es un solo poema, y de difícil captación. Schinca incurre a menudo en misterios semiocultos, semidescifrados, pero de todos modos brinda asideros a su lector. La dificultad para acercarse a esta poesía radica sobre todo en su organización, en su estructura, pero una vez captado el módulo, la comprensión viene por añadidura.

Al igual que en su primer libro, Schinca pide aquí algo prestado a la narrativa; en aquella obra, el poeta trataba de instalarse *"idealmente en el mundo interior de otros seres"*, típica actitud de narrador. En *Mundo cuestionado*, que evidentemente es un poema confesional (el término consta en la contratapa), Schinca aprovecha otro recurso de narrador: la captación fragmentaria, aislada, ya sea del mundo exterior o del propio fárrago mental, que introdujeron Joyce y Faulkner.

Este es un poema de ardua programación y ningún descuido. El propio poeta lo define como un puzle, una indagatoria, como *"su expediente fragmentario del mundo"*, como *"inútil memorandum concerniente a ser hombre"*. Al lector le llegan trozos, algunos violentamente seccionados (empiezan a veces con la última mitad de una palabra, o terminan en un artículo, en un prefijo amputado), pedazos de vida y pensamiento, de anécdota y sensación, meras astillas de mundo con su veta o su corteza interrumpidas. Pero el autor también es un lector, o por lo menos mira por encima del hombro de quien lee; para el autor-lector, el mundo cuestionado se vuelve cada vez más confuso, más desorganizado, más absurdo. Y entonces comienzan a llegar, como enjambre de leónidas desprendidas quién sabe de dónde, palabras insólitas, casi monstruosas, suerte de centauros verbales (solitarma, fracasmo, idiomasta, ningupro) y por último sílabas aisladas, incomprensibles, trastrocadas.

Es la asunción del caos, y el poeta recupera el juicio y se interroga: "¿Cómo atestiguaré lo que no abarco?". La respuesta es el lúcido autoengaño:

No obstante
indilucidado —al parecer entero, uno—
no ceso de organizar fervor —
me sostengo en la libertaria empresa de existir—
y un día advierto que acaso
lo exterior me sostiene parodiando energía
así que me esperanzo
decido crecer nuevos tramos ingenuos
y concluyo en que lo conducente
es soldar incesantes negocios de amor
nacer a cada hora con fresco delirio
aunque con ello a tientas logre, o nunca.

Para llegar a esta actitud de derrotada alegría, de realista falacia, el poeta ha debido pasar previamente por el vértigo, el caos, la ofensiva demencial, y, pese a todo, sobrevivir, rearmarse. Después de un libro diagnóstico en que le ahorró al lector todo balbuceo de principiante; después de un segundo intento que significó un desencuentro entre voz y propósito, esta tercera salida de Schinca lo coloca, acaso de modo definitivo, en el primer plano de la poesía uruguaya.

(1965)

un novelista de la insinceridad montevideana

Mario César Fernández (montevideano, 34 años) es uno de los periodistas más ágiles, mejor informados y más leídos de este país. Aunque ha tocado casi todas las teclas del quehacer periodístico es evidente que sus acordes mejores tienen que ver con el cine y el humorismo. En el primer rubro, es uno de los pocos críticos que todavía se *entusiasman* sinceramente con un film de modo que sus juicios sobrevienen como cálido y bienvenido complemento de la comúnmente equilibrada, objetiva, intelectual (y un poco fría) crítica cinematográfica uruguaya. En el segundo, mantiene (sin descensos notorios) una sección semanal y otra diaria. Sólo quien haya hecho humorismo con regularidad, puede valorar el infrecuente mérito de Fernández quien con toda seguridad consigue del lector una sonrisa-promedio para sus comentarios costumbrista de *18 y Andes,* sección fija que firma con el seudónimo *Ceblás* en el diario *Acción.*

Como en muchos otros cultores del género, en Fernández el humorismo ha sido —paradójicamente— una manera de tomar en serio el país. (Alguna vez escribí sobre algo que llamé *el recurso de la chacota,* y sostuve la modesta teoría de que el humorismo resulta el gran nivelador psicológico del uruguayo, el único factor que, tan inconscientemente como se quiera, le permite recuperar su equilibrio y también disculparse, siquiera en forma parcial, frente a su conciencia). Pues bien, ya que se lo tomaba en serio, este periodista, que es asimismo literato, ha querido escribir con seriedad sobre un tema nuestro; no desde el punto de vista de Ceblás sino de Mario César Fernández. Esta parece ser la intención de su primer libro: *Nos servían como de muro*[1].

El asunto del relato son los amores que rodean a dos muchachas, que la prosa del narrador consigue hacer bastante apetecibles. La primera, Ana María, cuenta con un amante (Carlos), un marido (Jack) y un enamorado (Ricardo). La segunda, Olga, después de haberse acostado con toda la juventud masculina que estaba a mano, se enamora de (y se casa con) un joven católico, rigurosamente casto. En la narración, Ricardo y Carlos son los dos puntos de vista masculinos. La relación entre Carlos y Ana María parte de un Carnaval cualquiera, más exactamente de un baile de teatro, y da motivo para que el autor use como constante, y a la vez como símbolo, el *antifaz* de Ana María, con el que ella defiende, más allá de lo estrictamente verosímil, su verdadero rostro.

En las últimas páginas del relato, Ricardo piensa que él conoce el verdadero rostro de la muchacha, mientras que Carlos sólo ha poseído un alma enmascarada, una apariencia. Pero quién sabe: la desventaja que lleva Ricardo es que él *sólo imagina* a Ana María y cree que únicamente el odio da *buenos ojos para la verdad*.

En cierto sentido la *nouvelle* de Fernández es flojamente montevideana, pero no creo que ese sentido sea el más importante. Quiero decir que en el relato no aparecen ni el paisaje ni el aire montevideanos, ni el ruido

---

(1)   Montevideo, Ed. Alfa, 1962.

ni las esquinas (ni siquiera ese 18 y Andes que tanto
le gusta a Ceblás) de la ciudad. Aparece un poco el diálogo, aunque el *voseo* y la difundida incorrección coloquial, queden a veces desvirtuadas por algún *tú* y algún
perdóname. Creo que el rasgo más montevideano que
propaga el libro, es la insinceridad ambiente, en un grado que me parece particularmente profundo y veraz: la
hipocresía (o, para no olvidar el folklore, *la fallutería*)
que brindó casi un estilo a las últimas y penúltimas ca-
madas de ciertos sectores en nuestra vida política y moral, el culto casi fanático de la apariencia y la simulación, han dejado en los jóvenes (y en los que ya están
saliendo de la juventud) una huella mucho más grave
que todo eso; han creado casi una imposibilidad orgáni-
ca de ser sincero, una suerte de trauma en la natural
capacidad de comunicación.

Como simple lector del libro de Mario César Fernández, no creo que Carlos o Ana María sean meros especímenes de hipocresía. Se trata de algo mucho más
terrible y paradojal: son seres que *no pueden* ser since-
ros, que no pueden tocar el fondo anímico del *otro*, porque ni siquiera logran tocar su propio fondo. En ese
sentido, el libro de Fernández me parece importante y
ejemplar, así como eficazmente complementario de otros
enfoques (Onetti, Martínez Moreno) igualmente acucia-
dos por ciertas renqueras temperamentales del rioplatense.

En cuanto simple narración, entiendo que deben ano-
tarse algunas objeciones a *Nos servían como de muro.*
De los nueve capítulos breves, siete son narrados objetivamente, en tercera persona, por un relator que deja
hablar y pensar a los personajes, y se limita (en un estilo que quizá venga de Hemingway o de los novelistas
italianos contemporáneos) a hacer breves comentarios de

ubicación o de movimiento. Los otros dos capítulos están escritos en primera persona (en el I, el yo corresponde a Ricardo; en el VIII, a Ana María). La heterogeneidad de *sujetos* no me parece en este caso estrictamente funcional; más aún, creo que la fluidez narrativa, y también la fuerza del subterráneo mensaje, habría ganado de haberse mantenido en todo el libro el relato en tercera persona; la incomunicación quizá habría sido más patente y más patética.

Pero no es ésta la objeción más grave. El libro se lee con interés; está escrito en una prosa inteligente, especialmente atenta al detalle psicológico, al matiz de lenguaje. En este sentido, Fernández demuestra ser un escritor intelectualmente adulto, y el lector no tiene derecho a saltearse ni un párrafo. Baste para demostrarlo cierto estribillo que aparece en los capítulos IV (en labios de Ana María) y V (en los de Olga): "Yo creo que *estamos locos*". Son los momentos en que una (frente a Carlos) y otra (frente a Nicasio) están más cerca de la sinceridad. La frase recurrente acentúa el carácter insólito de esa cercanía, la *locura* que puede llegar a significar la sinceridad en una falsa, desvirtuada escala de valores. Sin embargo (y aquí viene la objeción), creo que en lo anecdótico el autor se queda corto, no se anima a imaginar hasta el fondo una peripecia que constituye verdaderamente un resorte argumental.

Aparentemente, en el relato pasan cosas (bailes de Carnaval, infidelidades conyugales, cartas que van o vienen, diálogos confiteros) pero son lo que podríamos llamar *hechos marginales*. Falta el suceso que brinde la clave dramática del relato, el resorte narrativo que suele ser el corazón (o el estómago) de una novela. Afortunadamente, creo que sólo se trata de timidez literaria en Mario César Farnández, de algo muy similar a lo que uno de sus personajes ha dicho con certeza: "*Admiro a los cursis, a su inocente valentía. Les pediría un poco de ella*". En los jóvenes narradores uruguayos suele haber un *complejo de primer libro*, que les impide, en su intento inicial, darse al lector con todo el impulso de que son capaces. Mario César Fernández padece un poco esa inhibición, pero lo mucho de bueno (interés narrativo, sensibilidad idiomática, riqueza psicológica) que tiene el libro, permite esperar con confianza esa segunda novela que (según anuncia la solapa) ya tiene escrita. Seguramente en ella ya habrán caído algunas cortedades que en *Nos servían como de muro* le sirvieron de muro.

(1962)

maría inés silva vila y sus
señales entre la niebla

El mismo año (1951) en que Julio Cortázar publicaba en Buenos Aires la primera edición de *Bestiario*, en Montevideo una narradora de veintidós años reunía por primera vez en volumen siete cuentos que, con una sola excepción, habían aparecido antes en diversas revistas y semanarios. Me refiero a *La mano de nieve*, de María Inés Silva Vila. La conexión de su nombre con el hoy célebre narrador argentino no es caprichosa. Dos de los ocho cuentos de *Bestiario* tienen una evidente afinidad (en tema, en ritmo, en fantasmagoría) con dos de los siete cuentos de *La mano de nieve*. Basta comparar *Omnibus*, del argentino, con *Ultimo coche a Fraile Muerto*, de la uruguaya, para encontrar la misma inminencia de un acontecer absurdo, misterioso, en ambos casos relacionado con un viaje en ómnibus; basta arrimar *Lejana*, de Cortázar, a *La muerte tiene mi altura*, de Silva Vila, para hallar el mismo resorte, la misma yuxtaposición de un alma y su complemento, y hasta la misma invasión de una por el otro. En el final de *Lejana*, la protagonista Alina Reyes, a través de los ojos de la mendiga de Budapest que es su imagen complementaria, ve como se aleja la propia "Alina Reyes, lindísima en su traje gris, el pelo un poco suelto contra el viento, sin dar vuelta la cara y yéndose". En el final de

La muerte tiene mi altura, la protagonista Andrea, vestida de novia, ve su imagen y la imagen de su perseguidora, pero en su última mirada, distingue que ésta *"aun tiene mi vestido de novia, blanco, sin una mancha ni una arruga en el tul, donde sospecho un ángel. De pronto, tiembla un poco y desaparece, sin empequeñecerse; para no dejarme lugar a dudas, ella tiene mi misma altura".*

Aun en el caso de que ambos libros no hubieran aparecido simultáneamente, no cabría hablar de mutuas influencias, ni menos todavía de franca imitación. Lo más probable es que, en 1951, María Inés Silva Vila ignorara la existencia de Julio Cortázar y viceversa. (Aunque el libro de Cortázar está fechado en marzo de 1951, y el de Silva Vila en setiembre del mismo año, conviene recordar que los mencionados cuentos de ésta última habían aparecido previamente, uno en *Mundo Uruguayo* y otro en *Escritura*). Pero de todos modos la manifiesta afinidad de los relatos traza una gráfica de lecturas aproximativas, de admiraciones compartidas.

Desde 1951 sólo han pasado catorce años, pero el ritmo de la última década ha sido tan vertiginoso que aquella fecha parece hoy increíblemente lejana, borrosa. En realidad, 1951 es el año en que llega a Montevideo la traducción española de *Doktor Faustus* y las vidrieras están llenas de novelas de Julien Green; la revista *Sur* cumple pomposamente veinte años; todavía se lee febrilmente *La hora veinticinco*, porque en 1951 aun no ha habido tiempo de que aparezca el verdadero y lamentable rostro de Virgil Gheorghiu; Mallea ha empezado (con *Los enemigos del alma*) su desde entonces incontenible decadencia; y llega la primera traducción española de Truman Capote (*Other voices, other rooms*). Aunque Morosoli acababa de publicar sus *Mu-*

chachos; Onetti, *La vida* breve; Idea, *Por aire sucio*; y Cunha irrumpía con *Sueño y retorno de un campesino,* en verdad la mayoría de los posibles lectores estaban pendientes de otras voces y otros ámbitos.

En ese entonces era fácil equivocarse de vocación y de enfoque, y creer que uno había nacido para escribir otro Grand Meaulnes. Sin embargo, los cuentos de *La mano de nieve* no difundían una impresión de inautenticidad, de paso en falso. Una de las cosas más difíciles del mundo es ser auténticamente realista cuando el realismo está de moda. Pero hay algo más difícil aún, y es ser legítimamente fantasmagórico cuando la voracidad de los *snobs* exige su diaria ración de fantasmas. Ese fue quizás el mejor mérito de aquellos siete cuentos de Silva Vila, que en su momento no tuvieron una gran resonancia. Todavía con timidez, y también con pereza, en 1951 empezaba lentamente la vuelta a lo real, y quizá por eso *La mano de nieve* quedó injustamente atrás. Había venido a hablar de fantasmas precisamente en el instante del primer exorcismo.

Si una demostración faltaba para atestiguar la legitimidad de aquel libro, ella puede cómodamente coincidir con la reciente aparición de *Felicidad y otras tristezas* (Ediciones Arca, Montevideo, 1964, 146 páginas), que incluye los siete cuentos de *La mano de nieve* y agrega otros diez relatos, hasta ahora no reunidos en volumen. En pleno 1964, cuando el oído del lector y el del intelectual, son aturdidos y asediados por lo social, lo político, lo científico, lo bélico, y otros órdenes y desórdenes no menos estentóreos, esta narradora reaparece después de un silencio de trece años (sólo parcialmente interrumpido por la aislada aparición de algún cuento en publicaciones periódicas) y de inmediato es posible comprobar que su paso, su mundo, su ritmo, su interés, no difieren sustancialmente (salvo excepciones que se indicarán más adelante) de lo que eran en 1951. Es evidente que María Inés Silva Vila ha seguido transitando, con pareja preocupación, por el mismo camino.

Los siete relatos de *La mano de nieve* eran, en cierto sentido, cuentos de atmósfera. Y ya que al comienzo de esta nota señalé una doble coincidencia con Cortázar, vale la pena anotar ahora el más importante desencuentro con la actitud de aquel escritor. Mientras Cortázar se enfrenta a la realidad y extrae de ella sus incitaciones, y hasta la razón de sus fantasmas, la narradora uruguaya prefiere sencillamente inventarse una realidad, y luego verla a través de la niebla. Hay en Silva Vila una falta de ostentación, una timidez, un retraimiento, que le impiden casi siempre llamar a las cosas por su nombre. Las llama por su sombra, claro, y eso forma parte de su atractivo; o también por su reflejo, o por su remedo, es decir por alguno de sus irreales aledaños. Sin duda, ese modo de aproximación integra el innegable atractivo de este mundo de ficción. En los cuentos hay muchas veces sueños poéticos, dolorosos, y es con ese lado onírico, vago, inextricable, con el que se enfrenta su actitud creadora. Incluso en aquellos casos (como en *Una pluma de pájaro*) en que la nomenclatura realista parece estricta, la imagen de fidelidad es siempre engañosa. *Espejismo* parece la palabra más justa para caracterizar esta ilusión, tan óptica como literaria.

Existe además un rasgo muy difícil de calificar. Me refiero a cierta inseguridad, a cierto desconcierto que a menudo estremece o inhibe la prosa de Silva Vila. Por un lado suena a defecto, a error de oficio, a gazapo profesional; por otro, parece formar premeditada parte del clima, o remendar algún súbito desgarrón del misterio. Así como entre nosotros hay algún poeta (pienso concretamente en Milton Schinca) que suele utilizar procedimientos narrativos para sus poemas, he aquí, como contrapartida, una narradora que usa imponderables poéticos para sus cuentos. Algún relato, como por ejemplo *La muerte segunda*, me trae, no sabría definir exactamente por qué, el recuerdo insistente de Eugenio Montale ("Svanire / e dunque la ventura de venture") o de los largos poemas de T. S. Eliot. No se trata de una afinidad de imágenes, o de tensiones, o de tópicos; pero, como lector, los siento como paisajes distintos de una misma y coherente comarca. Cuando Eliot escribe: "To arrive where you are, to get from where you are not, / you must go by a way in which there is no ecstasy" (Para llegar allí donde uno está, desde donde no está / hay que andar un camino en que no existe el éxtasis), me parece encontrar una ruta abierta por donde transcurrirán luego los relatos sin énfasis de María Inés Silva Vila, con personajes que expían nunca se sabrá bien qué culpas, o que hallan en su recorrido insólitas estaciones que sin embargo no provocan en su creadora ni un solo párrafo de estupefacción.

"Lo que en verdad necesitamos es que lo milagroso se torne la norma", dice el epígrafe de Henry Miller, y la verdad es que Silva Vila escribe como si ya se hubiera realizado esa institucionalización, es decir, sin deslumbrarse, transitando con normalidad por entre sus puntualísimos y módicos fantasmas. Claro que, en algunos cuentos, esa sobriedad llega a ser contraproducente. *La playa*, por ejemplo, impresiona como la desnuda armazón de un relato mayor; e incluso se diría que tal armazón está incompleta. En *Las islas*, la autora roza (sólo roza) todo un archipiélago de posibilidades, pero sin atreverse a desencadenarlas, sin animarse a convertirlas en el gran preparativo que está exigiendo esa última, impecable frase: "No se veía ninguna isla en el horizonte". En *Un paseo a la luz de la lluvia*, la niebla que se interpone entre el lector y el significado del cuento, es más espesa, más cerrada que de costumbre; en consecuencia, el cuento parece excesivamente lejano y pierde buena parte de su recóndito atractivo.

Tanto en *La mano de nieve* como en *Felicidad y otras tristezas*, los mejores cuentos son aquellos en los que, de algún modo, se cumple la clásica ley de sorpresa, ese grande o pequeño pasmo que parece estar en la sustancia más incanjeable, en el meollo mismo del arduo género, y que Maupassant legara para siempre a todos los cuentistas que después de él han sido. Así como *El espejo de dos lunas* (un cuento que no habría desentonado en la producción de Felisberto Hernández), que relata las muertes sucesivas de tres viejas tías: Cora, Claudia, Cyntia Brunet, se convertía verdaderamente en cuento cuando el lector se enfrentaba con la placa de bronce que había hecho grabar el primo Esteban: "A C. Brunet, mi novia querida"; así también, en *La divina memoria*, la autora establece un audaz nexo entre un día eterno y un día terrenal. Ambos ejemplos sirven en cierto sentido para mostrar, por un lado, que a Silva Vila le cuesta tomar decisiones narrativas, le cuesta cortar por lo sano, pero en aquellas ocasiones (no demasiado frecuentes) en que elige la osadía, la intuición le rinde un más que aceptable dividendo.

No obstante, a esta altura tengo la impresión de que esta narradora ha iniciado la búsqueda de otra salida, de otro rumbo. Entre los diez cuentos recién incorporados, hay dos (*Felicidad* y sobre todo el excelente *Toda la noche golpeando*) que parecen anunciar esa nueva actitud. No sólo se trata de una mayor conexión con la realidad, sino también de un empleo muy discreto, pero a la vez muy beneficioso, del humor. ¿Será que Silva Vila, después de sus silenciosas migraciones a la fantasmagoría, al ensueño y a la intriga simbólica, se ha decidido por fin a pisar la malquista y desacreditada tierra? Aunque se me ocurre que todavía transita por ella en puntas de pie, la verdad es que los lectores (terrestres, mortales, corpóreos, o a lo sumo fantasmas fracasados) empiezan a entenderse mejor con los candorosos y sin embargo complicados desvelos de esta creadora singular. Aunque la niebla haya empezado lentamente a disiparse, habrá que reconocer que, después de todo, ella significó un estimulante preámbulo para esta transparente expectativa.

(1965)

juan carlos somma y el contacto con dios

Por lo menos en dos aspectos, la aparición de *Clonis*[1], libro inaugural de Juan Carlos Somma, representa algo desacostumbrado en nuestro medio: en primer lugar, por el tema religioso (en los últimos años, sólo recuerdo un cuento de Omar Prego Gadea y otro de Alberto Paganini, que trataban marginalmente ese tópico), y luego, por su sostenida calidad literaria, verdaderamente insólita si se considera que es la primera novela de un autor joven. Somma escribe sobre seguro, sorteando con felicidad la mayor parte de las tentaciones que siempre acechan al escritor bisoño.

Clonis es el relato de un combate interior, del conflicto espiritual vivido por alguien que, partiendo de una honda vocación religiosa, acaba en una locura casi lúcida, casi consciente. Pero Somma no cuenta la historia en línea recta; se permite el lujo de empezar por el desenlace (la estada de Clonis en el manicomio, los diálogos de Sor Dalmacia, la visita del Rector del Seminario, la "aventura del pararrayos"), para luego, en las dos últimas partes, desarrollar el proceso previo a esa extraña, iluminada enajenación.

---

(1)   Montevideo, 1961, Editorial Alfa.

No todo en la novela está claro. (La actitud de Clonis es la del suicida, pero su muerte comparece en dudosas entrelíneas). Quedan muchos cabos sueltos, reacciones inexplicables, nombres (como el de María Teresa) apenas prendidos a evocaciones de vacilante lirismo. Pero esa oscuridad le cae bien a la novela, porque acentúa la lobreguez del enigma que el pobre Clonis lleva en su alma, cual un destino obligatorio.

En realidad, el conflicto podría sintetizarse así: profunda vocación religiosa, frente a la imposibilidad de establecer contacto con Dios. *"Era muy difícil serte fiel, Cristo; era una fidelidad al vacío!"* Estas palabras de Clonis sirven de epígrafe a la segunda parte de la novela, e ilustran inmejorablemente el exceso de lucidez que arrastra consigo el protagonista. *"Dios mío, te amo, te amo!"*, escribe en su diario a continuación de haber renunciado al Seminario, y agrega: *"Lo de la oscuridad también es cierto. Y me da miedo. Absurda conexión de infidelidad y Gracia".*

Treinta páginas antes el Rector le había reprochado que fuera demasiado natural; que no fuese capaz de gobernar sus acciones: *"¿Me entenderá? Usted es demasiado usted mismo, mientras que debería ser más el dueño de usted mismo"*, y antes de que Clonis abandonase el Seminario, el mismo Rector le había recomendado: *"Cierre todas las ventanas, y en la soledad tranquila de su alma, palpe todo su corazón (...). Clave por dentro puertas y ventanas. Por dentro y por fuera. ¡Sea su dueño, Clonis! Ame lo que quiera amar; no deje que sea su corazón quien elija"*

La imagen de las puertas y las ventanas acompañará a Clonis hasta su locura; porque él quiere la comunicación, pero no encuentra con quién comunicarse. Paga por acostarse con una mujer, pero aclara que no tiene "*la curiosidad casi científica de su pubertad*"; simplemente quiere "*conocer la palpitación de la mujer frente al hombre*", pero fracasa, ya que al abrazarse a la mujer "*se había sorprendido abrazado a sí mismo*". Cuando en la instancia decisiva del relato, siente una irresistible atracción hacia la señora Moeller, la mujer de su médico, y ésta (en un episodio que trae el recuerdo de *Tea and Sympathy*, la pieza de Robert Anderson) condesciende a besarlo con ternura y piedad, Clonis toma conciencia de su propia incapacidad para amar, una incapacidad hacia la que oscuramente parece transportar su otro fracaso: el de su amor a Dios, ese amor que no ha encontrado en Dios la mínima resonancia.

Clonis ingresa libremente al manicomio; no lo traen a la fuerza. El detalle tiene su importancia, ya que Somma parece querer decir que su protagonista elige conscientemente el rumbo de la locura. "*No soy un loco así, lo que se dice un loco*", reflexiona Clonis en el instante del ingreso, "*soy loco; lo que no es igual. O pensándolo mejor, soy distinto de todos los demás*". Es como si Clonis necesitara la locura para encontrarse de veras con su fe, para abrir definitivamente sus ventanas. En el pasado, cuanto más hondo penetró su lucidez, tanto más lejos había estado de ese Dios al que ama y no encuentra. Y es significativo que "*la aventura del pararrayos*" tenga lugar el mismo día en que Antonio, su amigo del Seminario, se ordena sacerdote. En el fondo, Antonio es lo que Clonis hubiera querido ser. "*Envidio a Antonio. El está en su lugar*", había escrito en el diario, y luego: "*Antonio es admirable. Es verdadero*".

Algunas objeciones formales habría que hacer a Somma en cuanto al desarrollo de este desencuentro de un hombre con su Dios. En primer término, creo que Somma tiene una tendencia a sintetizar, a apretar episodios, que si bien puede ser muy estimable en un cuentista, llega a perjudicar un planteo de novela. Varios de los pasajes (especialmente, la relación con la señora Moeller), están reclamando mayor espacio. Una estructura que hubiese tenido en cuenta sesenta páginas más, habría indudablemente beneficiado la novela, que, debido a ese exagerado afán de síntesis, se resiente a veces en su ritmo narrativo.

Esta es la única objeción importante; las restantes sólo se refieren a detalles. Por ejemplo la pesadilla de Sor Dalmacia; si bien, aisladamente considerada, tiene una evidente fuerza expresiva, lesiona sin embargo la tensa coherencia del relato al apartar el interés del absorbente centro que significa Clonis. En materia de puntuación y signos de dialogado la novela es más bien caótica, y hay algunas erratas que, por su insistencia, no son atribuíbles al linotipista. No obstante, sería injusto poner el acento en esas pequeñas claudicaciones, cuando la verdad es que todo el libro tiene un impulso estilístico, un buen gusto en la elección de imágenes, un buceo psicológico y una tensión dramática, que siempre están a tono con su proposición existencial, con la importancia de su arduo tema.

(1961)

circe maia: la limpia mirada del desamparo

Cuando Circe Maia (nacida en Montevideo, 1932) publicó su segundo libro, *En el tiempo* (1958), escribió unas palabras introductorias que ayudaron a comprender su actitud creadora. Allí, tomando como base una definición sobre poesía ("respuesta animada al contacto del mundo") de Antonio Machado, elaboró algo así como su arte poética: *"La relación con la realidad es, por consiguiente, estrecha, íntima: se trata de un diálogo. Vemos en cambio, muy a menudo, que la poesía se ha vuelto monólogo, perpetuo girar del pensamiento sobre sí mismo, oscuridad expresiva, acumulación de imágenes (...) Comparto, al contrario, la opinión que ve en la experiencia diaria, viva, una de las fuentes más auténticas de poesía (...) Su expresión adecuada es un lenguaje directo, sobrio, abierto, que no requiere cambio de tono con el de la conversación, pero que sea como una conversación con mayor calidez, mayor intensidad. La misión de este lenguaje es descubrir y no cubrir (...) Cada poema debiera tener su forma intransferible, como cada objeto real tiene su color y figura propia"*.

Descubrir y no cubrir. Hoy está claro que es a esa suerte de rescate que Circe Maia ha jugado su destino de poeta, pero no sólo como obsesión reveladora de lo externo, de lo ajeno, de lo circundante, sino también como casi pública indagación en sus propios reflejos, en su vida sensible. Las cosas, las vidas y muertes cercanas, el mundo exterior, le han servido a Maia para ver en sí misma, para hallar su lenguaje, su "forma intransferible".

La voz de Circe Maia se hizo oir mucho antes que las de sus compañeros de promoción. No es necesario referirse a un primer libro *(Plumitas*, 1943), publicado cuando sólo tenía once años. Antes aún de la aparición de *En el tiempo* (1958), sus poemas fueron surgiendo en semanarios y revistas. A partir de 1960 pasó a integrar el equipo estable de *Siete poetas hispanoamericanos* (la excelente revista que dirige Nancy Bacelo), publicación que asimismo ha editado su último libro, *Presencia diaria* (1964). Con una producción, pues, que virtualmente incluye apenas dos libros y algunos poemas sueltos, Circe Maia (que desde hace muchos años reside en el Interior y sólo en contadas ocasiones baja a Montevideo) es probablemente la voz más personal y auténticamente creadora de una promoción que cuenta, por cierto, con varios nombres estimables.

Sus poemas no siempre constituyen un logro cabal, y a veces es visible cómo su búsqueda se malogra. Pero aun en tales chascos, queda en el aire la estupenda posibilidad de un talento sencillo, de una sensibilidad desprovista de trucos, de una limpia, incanjeable mirada. En un poema de su libro anterior, Circe Maia contempla una tarde actual, presente, pero de pronto observa: *"Sus vidrios transparentes empaño con mi alma /enturbio con un polvo que sube del recuerdo /su cristal inocente"*. El título es *Interferencia*, y esta palabra es poco menos que una clave, una constante. En ese diálogo con la realidad que Maia busca sin cesar, en ese vínculo instantáneo con seres y cosas, siempre hay, inevitablemente, algo que interfiere. Pero aunque el intelecto se angustie o se desviva, la interferencia crea en cierto modo el desgarrón poético, y convierte el paisaje en metáfora, el mundo en imagen. Siempre hay vidrios transparentes, inocentes cristales, y la poesía acaso sirva, al igual que el aliento, sólo para empañarlos. Pero en ese imprevisto, transitorio esmeril que borra límites y dobla rigideces, surge de pronto el instante revelador, la poesía en fin.

Es particularmente arduo comentar poemas como los de Circe Maia, porque andan por sus libros sin receta, casi sin contaminación. "*Mojadas uvas, aire de vacaciones...*" Así, tan sólo así comienza uno de sus poemas. Es una sencillez que quizá venga de Machado, pero a la vez no es la misma, ya que tiene su propia y sobria integridad. "*Cuando no se ha sentido subir la noche, todo/ parece detenido*", escribe en otra página, y no necesita forzar vecindades de palabras para decir un clima, para crear un instante. El lector tiene la impresión de que la poesía no es aquí una operación literaria, sino que las palabras se limitan a transcribir fiel, textualmente, una vivencia. Uno de los mejores poemas de *En el tiempo* (*El ruido del mar*) concluye así: "*Y no se sabe /qué es que quiere o qué pide /el turbio ruido oscuro /cuando todo en redor está tan claro*". ¿Quién no sintió alguna vez ese latigazo de la sencillez, esa afirmación de la naturaleza?

Maia tiene una particular intuición para comunicarse con los más sutiles matices de la cotidianidad. Es evidente que no vacila ante el sacrificio de ciertas imágenes, acaso más brillantes, pero menos afines con su temperamento. Su verso se mueve con gusto y con pudor entre las cosas, y revela la excepcional capacidad del poeta para situarse en el núcleo de pequeños conflictos, de imperceptibles dudas, e iluminar al detalle, con vergüenza y sensibilidad, ese alrededor deliberadamente mínimo:

"*Nos vamos, y en la rápida corriente /que nos arrastra, caen /las cosas que tocamos*", y esas mismas cosas, hipnotizante presencia diaria, vuelven a aparecer en otro poema: "*¿Para quién son entonces /tranquilas, quietas, siempre quedándose /mientras tú y yo nos vamos?*" Ese apoyo recíproco que se prestan los poemas, ese precederse o continuarse de algún modo, uno en otro, fue visto por Maia antes que nadie. En el prólogo antes mencionado, dice: "*Es por eso que no he seguido eliminando y seleccionando. Ninguno parecía valer por sí solo; los dejo, pues, que se apoyen unos en otros, que busquen crear una atmósfera común que los sostenga*". Lo cierto es que el poeta (este poeta) no crea personajes a partir de los cuales puede ver el mundo. Por el contrario, la mirada que ve las cosas y los seres es siempre la de Maia. Y es esa mirada (insistente, preocupada, indagadora) la que otorga unidad y coherencia a lo mirado. Por eso no importa un poema aislado, sino toda la obra, aun con sus rupturas y malogros. Por debajo (o mejor, por dentro) de ese paisaje captado en ojeadas cordiales, de esa naturaleza nueva, espontánea, turbadora, manan las perentorias dudas, los cándidos asombros de un ser único, tan seguro en sus reclamos como inseguro en sus esperanzas.

Semejante conflicto entre certezas e incertidumbres, adquiere en el último libro (*Presencia diaria*) una austeridad formal que, en ciertas páginas, amenaza apagar la voz del poeta, pero en otras, por cierto las mejores, rescata para el lector las raíces más hondas de un creciente (y lúcidamente admitido) desamparo. Basta comparar algunas versiones anteriores (por ejemplo: el número III de *Cuatro poemas de la espera*) publicadas en *Siete poetas hispanoamericanos*, con las ahora revalidadas, para comprobar hasta qué punto Maia ha ido dejando en el camino lo accesorio, lo que sólo era adorno (a veces

311

sólo un adjetivo), para concentrar en menos palabras, o en imágenes de mayor concentración, esa esencia que quiere extraer de sí misma y dar al prójimo. Casi podría decirse que el diálogo, o sea el tránsito imaginero, ha cambiado de mano: antes venía del mundo, ahora va hacia él. No importa que el paisaje, las cosas, los seres, sigan apareciendo en el verso. Antes venían de la naturaleza, del contorno; ahora proceden del interior del poeta.

Es una sensación ardua de explicar, y tal vez engañosa, pero la verdad es que si en su libro anterior Maia escribía: *"Altos, inmóviles / doble hilera de álamos"*, uno recibía esos álamos del exacto paisaje, aunque a veces mediara entre éste y el lector el empañado cristal del poeta. Pero ahora, cuando Maia escribe: *"Estas tardes de paz, de cielo liso"*, hay en la imagen una síntesis verbal que no viene de la textual naturaleza, cuyo cielo nunca es liso, sino de una honda recapitulación anímica. Y pocas líneas después vendrá la confirmación: *Y no es posible entrar dentro de ellas/ —real, realmente dentro— / Antes de haber pasado ya están hechas / de la misma sustancia del recuerdo"*. Sustancia del recuerdo, o sea regreso, segunda mirada, puesta al día.

Es sólo entonces que irrumpen *Los cuatro poemas de la espera* (acaso lo mejor que ha escrito Maia, o por lo menos la zona en que es más singular el equilibrio entre la recóndita angustia y el envase de arte) y *Tal vez* (que anteriormente se titulaba *El lejos)*, una suerte de instante estremecido y estremecedor, en el que Dios es sospechado de ausencia:

Habitando una luz inaccesible
escondido entre pliegues de esplendores
detras de sus cortinas de silencioso brillo

tapado por destellos.
Casa de luz, sin nadie
nadie sube las gradas silenciosas
y si las voces cantan, cantan lejos
y si los ojos miran, caen
caen quemados
heridos del fulgor donde El habita
y anda el amor rondando como un pájaro
golpeando el ala en ventanal cerrado
Nadie responde, nadie abre las puertas
Tal vez no hay nadie.

Ante este poema debe acabarse el comentario. No sea que el lector se pregunte, con todo derecho y glosando las palabras de Circe Maia, qué quiere o pide el crítico "cuanto todo en redor está tan claro".

(1965).

eduardo galeano y su estilo en ascuas

Para quien conozca a Eduardo Galeano exclusivamente por su actividad más notoria —el periodismo— su
lado literario puede constituir una sorpresa. Desde su
precoz intervención en la militancia estudiantil hasta su
desempeño como director del diario *Epoca*, pasando por
dinámicas etapas como secretario de redacción de los
semanarios *El Sol* y *Marcha*, como codirector de un programa de ágiles *interviews* en televisión y como autor de
un reportaje-libro: *China 1964 (Crónica de un desafío)*, a
los veintiséis años Galeano es sin duda uno de los periodistas uruguayos de trayectoria más incisiva, inteligente
y creadora.

Después de semejante actitud definida y beligerante,
era de esperar —y hasta de temer— que, al desembocar
en el quehacer literario Galeano se sintiera tentado, como
tantos otros, por formas de denuncia, muy compartibles
en su intención y en sus postulados, pero lamentablemente ajenas a la exigencia artística.

La verdad es que Galeano, ya desde su primera obra,
Los días siguientes (1963), había sorteado hábilmente ese
riesgo. Todavía inmadura en varias zonas, *nouvelle* más
que novela, ese librito sirvió sin embargo para demostrar
que Galeano era quizá, entre los narradores más jóvenes,

el que estaba más cerca de conseguir un lenguaje propio y un estilo de indudable calidad literaria.

En ese primer libro, Galeano se enfrentó a su nuevo oficio con cautela (quizá excesiva), con modestia, con seriedad, y, lo mejor de todo, con talento. Después de haber leído una decena de páginas, representaba un alivio comprobar que el nuevo narrador no escribía desde un estante de obras famosas ni desde una prominente erudición. En Galeano hay influencias (¿en quién no?) pero no imitación. Hay una concepción de los seres y de las cosas, una visión entre tierna y sombría, que evidentemente desciente directamente de Pavese, pero que el escritor uruguayo convierte en algo propio. Ni su tierna reticencia ni su sombrío desprendimiento (dos rasgos característicos de aquel primer libro) son los mismos que los del italiano; sólo se trata de un parentesco espiritual, de un vago aire de familia.

Los días siguientes trae un epígrafe de Faulkner: "Papá dice que es como la muerte: un estado en que quedan los demás", que permite entender mejor el sentido del título. El relato es, en una primera y superficial lectura, apenas un itinerario de acercamientos y semi rupturas entre Mario —narrador en primera persona— y Marta, una muchacha que mantiene cierta confusa relación con un amigo de Mario, llamado Carlos, hasta que en la pág. 34, éste se suicida con luminal. No obstante, en una lectura más profunda, es posible advertir que *Los días siguientes* transita por ese "estado en que quedan los demás".

Sin que el relato se resigne a hacer explícita la averiguación ni descienda jamás al nivel de la encuesta, Carlos va atando cabos. Claro que tales cabos no provienen exclusivamente de los indicios sobre Carlos que, en intermitentes descuidos, le va proporcionado Mario;

también provienen de sí mismo. Existe un personaje, Ferreyra, integrante del curioso círculo de rostros que rodea a la muchacha, que siempre confunde a Mario y lo nombra: "Carlos", y el viviente se deja llamar con el nombre del muerto.

Hay una zona de ambigüedad en la que no aparece con claridad suficiente si Mario está tratando de prolongar, reemplazándolo y reivindicándolo, el amor no correspondido de Carlos hacia Marta, o si pretende definir en la muchacha el verdadero rostro del muerto para sólo después vencerlo y reemplazarlo, o si simplemente se propone averiguar qué parte de culpa tuvo Marta, o tuvo él mismo, en el suicidio de Carlos. Las tres intenciones, que aparecen asimismo como tres posibilidades superpuestas, son barajadas por el autor con suficiente habilidad como para mantener un módico misterio psicológico.

Aparentemente, algunos de los cabos que ata Mario, son apenas falsos cabos; varios de los mejores instantes de confidencia y sexo que vive con Marta, son posteriormente aniquilados por cierta frivolidad de efecto retroactivo; y, por último, la imagen fantasmal del amigo muerto ("*Te parecés a Carlos, ¿sabías?*", le dice Lida, una amiga de Marta) se instala en él como un demérito, como una amargura sin levante. Galeano lleva con verdadera destreza a su protagonista hasta situarlo frente a una última perspectiva en que todo se mezcla, en que nada es categórico, en que la única hipnotizadora visión es la tristeza. "*Veo veo: triste*", dice la línea final.

Entrelazada con esa historia central, por cierto muy bien contada, corre una adicional peripecia de unión y desunión, que es vivida por el mismo Mario con otra mujer: Nina. Esta segunda relación, que en sí misma podría tener validez y en realidad incluye buenos diálogos, no llega a empalmar con la anécdota mayor y en cierto modo la perjudica. Galeano no logra hacer totalmente creíble esa coexistencia de dos mujeres en la vida más bien pasiva del protagonista, y ése es probablemente el único punto en que revela cierta inexperiencia. Parece evidente que el relato habría ganado en profundidad y en concentración, de haberse limitado a plantear la relación Mario-Marta-Carlos; Nina no sólo está sobrando en el conflicto sino que además dispersa la atención del lector. No obstante, si bien la presencia de Nina disminuye la eficacia total del relato, no llega de ningún modo a malograrlo. Por otra parte, Galeano posee un estilo sobrio, depurado, en el que hasta los matices psicológicos más sutiles están dados con sencillez, sin cargazón inútil. Los diálogos son verosimilmente montevideanos, pero están compuestos una octava más alta de la corriente parla ciudadana. Es decir: están lo bastante cerca de la realidad como para ser creíbles, pero han sido asimismo lo suficientemente recreados como para constituirse en literatura.

Superado ya el comprensible *complejo de primer libro*, los cuentos de *Los fantasmas del día del león* (1967) permiten la aproximación a un creador por cierto mucho más maduro, más consciente de las posibilidades de los temas que maneja, y sobre todo más legítimamente osado en el ejercicio de su aventura.

Nada de esto —entendámonos bien— quiere significar que la narrativa de Galeano transcurra en una Arcadia inaccesible o en un limbo de metáforas. Por el contrario, en el relato que da título al libro, hay un evidente propósito (político, social) de desarrollar uno de los lugares comunes (la heroicidad de la policía) más cortejados por la llamada prensa grande; heroicidad por cierto muy confortable cuando se trata de arremeter —a sablazos, con bayoneta calada, o simplemente a tiros—contra estudiantes u obreros inermes, pero bastante menos visible cuando se trata de enfrentarse a pistoleros, que, en vez de piedras o baldosas rotas, empuñan armas por lo menos tan letales como las pertenecientes a las desordenadas fuerzas del orden.

Basándose en el episodio tristemente célebre, ocurrido en el invierno de 1965, que acabó con la vida de los pistoleros argentinos que se habían refugiado en un apartamento de la calle Julio Herrera y Obes, y que constituye un excepcional catálogo, una prodigiosa sinopsis de la hipocresía, la cobardía, la cursilería y la bambolla, que integran el estólido promedio de estos sucesos reveladores, Galeano construye una anécdota (*Lo que el Bolita contó*), convergente con la cacería, que si bien en sus datos es tributaria del episodio policial, en su desarrollo muestra la ductilidad y la capacidad creadora de Galeano para imaginar un contrapunto de estricto valor narrativo.

Es cierto que los distintos tramos de *La batalla de Julio Herrera y Obes* (el subtítulo sintetiza admirablemente el lado ridículo de la temblorosa euforia policial) son transcripciones textuales (en alguna de ellas, el demagógico cinismo invade la zona de lo inefable) de los comentarios periodísticos que provocara la operación de caza humana. Pero también es cierto que la tijera de Galeano los recorta sin perder de vista el episodio inventado; éste no es opacado por la realidad, y se convierte en el nervio mismo del relato, gracias a la sensibilidad del autor para re-crear un lenguaje popular en el que las citas y glosas tangueras tienen, es cierto, un colorido funcional, pero además sirven como factor desencadenante.

No obstante, y pese a la fuerza de ese relato mayor,

para mi gusto el indudable talento de Galeano encuentra sus mejores posibilidades en la dimensión, el ritmo, las exigencias y hasta el efecto, característicos del cuento breve. Resulta claro que este autor, pese a su juventud, posee una tradición de lecturas que —a diferencia de otros narradores de su promoción— no lo inmovilizan sino lo estimulan, lo ayudan a atreverse.

La visión desprevenida y libérrimamente fabuladora de dos criaturas de escasa edad: un varón (en *Señor Gato*) y una niña (en *Homenaje*), le sirven a Galeano para enfocar ciertos absurdos y contradicciones del mundo adulto. El procedimiento no es el mismo en ambos relatos. En *Señor Gato*, el recurso clave es cierta objetiva ambigüedad, presente aun en la última línea del relato; en *Homenaje*, la óptica estrictamente infantil le permite a Galeano inscribirse en una tradición que pasa por Richard Hughes (*A High Wind in Jamaica*) y su honda percepción, por Raymond Queneau (*Zazie dans le métro*) y su humor a saltos, y llega hasta el más reciente Bruno Gay-Lussac de *La robe*.

La ambigüedad también está presente en *Fotografía del grano de mostaza*, un relato que basa su poder hipnotizante en la eficacia del diálogo pero también, y sobre todo, en lo que ese mismo diálogo sabiamente elude. Este cuento es casi una filigrana del sobreentendido y en él Galeano demuestra haber asimilado inmejorablemente las lecciones del viejo y despojado Hemingway al rehallar la difícil equidistancia entre la aséptica credibilidad del diálogo (los personajes no tienen por qué dar demasiados datos acerca de episodios que conocen de sobra) y un mínimo asidero para quien lo lee.

En *Para una noche del fin del verano*, Galeano construye pacientemente la prehistoria del imprevisto desenlace. Podría decirse que hay un desarrollo de ida y otro de vuelta, pero sólo el primero (después de un encuentro con su amante montevideana, el protagonista regresa a Punta del Este donde debe esperarlo su mujer, fría, complejeada, indigestada de pastillas). El desarrollo de vuelta, o sea la valoración retroactiva, queda a cargo exclusivo del lector, que a partir del final sorpresivo ha de reconstruir inevitablemente toda la situación hasta que la misma adquiera su dimensión exacta.

Con este libro concentrado, de estilo en ascuas, rico de diálogo, nutrido de hondos significados laterales, Galeano da un decisivo paso adelante y se instala en el nivel más creador de la última promoción de narradores uruguayos.

(1967)

cristina peri rossi: vino nuevo en odres nuevos

"Pienso, entonces que se escribe porque se muere, porque todo transcurre rápidamente y experimentamos el deseo de retenerlo; la literatura es testimonio, precisamente porque todo está condenado a desaparecer, y eso nos conmueve y a veces nos pide a gritos residencia. Escribo, por lo tanto, porque estoy momentáneamente viva, en tránsito, y no quiero olvidar aquella calle, un rostro que vi mientras caminaba, o la alegría que sentí al manifestar por la calle junto a compañeros que no habían leído libros, ni sabían lo que hacía yo, ni me lo preguntaban, pero alcanzaba con saber que en ese momento estábamos uno al lado del otro, hacíamos algo juntos, y ese sentimiento creaba la confraternidad." Si se piensa que esta cita (reportaje a Cristina Peri Rossi, en *Marcha*, 27 de diciembre de 1968) pertenece a una escritora nacida en 1941, hay que admitir que algo está cambiando en las letras nacionales; por lo menos que una parte de los jóvenes que escriben han acelerado su ritmo de maduración vital, y, lo que es más estimulante, que ese cambio se ha producido en su nivel de simples seres humanos antes aún que en su calidad de escritores. A conclusiones como las arriba transcriptas, o parecidas, también llegaron en su momento algunos escritores de promociones anteriores, pero por lo general esa certeza sobrevenía sólo después de los cuarenta.

Tal sazón no corresponde, por cierto, a *todos* los jóvenes. También hay jóvenes-viejos que respiran aliviados cuando alguno de sus mayores afloja el paso o cae en concesiones. Justamente por su ejercicio en varios géneros (cuento, poesía, ensayo); por su modo tajante, y a la vez austero, de expresar sus convicciones y de entender su militancia; por su franqueza sin cálculo cuando se ve conminada a hacer la nómina de sus preferencias nacionales (dos vivos: Onetti, Idea, y tres muertos: Felisberto, Megget, Falco); por su comprensible incomprensión de ciertos desgarramientos que sufren *otros* (el hecho de escribir un poema al Che no siempre significa la cómoda instalación que ella detecta); por la dimensión estética en que deliberadamente coloca su ejercicio literario; por haber sido premiada por sus pares (Jorge Onetti, Eduardo Galeano, Jorge Ruffinelli); en fin, por sus cálidas esperanzas no cicatrizadas, Cristina Peri Rossi es particularmente representativa de los jóvenes-jóvenes, y por eso valdría la pena encarar su personalidad literaria como un ente total que incluya no sólo sus cuentos, sus poemas, sus ensayos, sino también su respuesta vital, comprometida.

Empezaré por un *mea culpa*. Admito que se trata de un prejuicio bastante necio, pero la verdad es que nunca me han gustado los títulos en gerundio; quizá por eso, cuando apareció el primer libro de Peri Rossi, *Viviendo* (1963), no lo leí de inmediato sino un par de años después. Curiosamente, y quizá por primera y única vez en mi experiencia de lector, encontré que el gerundio titular estaba justificado por el texto. Tal como lo quiere la gramática, expresaba allí el verbo en abstracto: los personajes de los tres relatos ("Viviendo", "El baile", "No sé qué") son seres marginales, que no consiguen afirmarse en ese imprescindible trozo de vida, inevitablemente concreto, capaz de dar sentido y justificación a un azar individual. Tanto Anabella, la prematura solterona de "Viviendo", como Silvia, la peluquera pueblerina ("El baile") que se deslumbra por error, o Sonia, la opaca y lúcida protagonista de "No sé qué", padecen una congénita imposibilidad de actuar, de influir de algún modo en su propio destino. El suyo no es el fracaso del que juega y pierde, sino del que no se atreve a jugar. No es la soledad que vive de recuerdos, sino la que no llegó a fabricarlos. Sin embargo, Anabella, Silvia y Sonia tienen sendas oportunidades de enderezar sus respectivas y monocordes existencias; sencillamente, hacen muy poco por asir la ocasión, cuando ésta las roza. No son víctimas del azar, sino más bien sus victimarias.

El presente está tan condicionado por rutinas, prejuicios y recuerdos ingrávidos, que toda relación con él queda inmovilizada en una frustración cualquiera. Es, con todo, un mundo de apariencias, pero curiosamente la apariencia no es aquí una realidad idealizada o ambicionada, sino que constituye un nivel tan mezquino como las pobres vidas que a duras penas cubre. Extrañamente, ese tácito desprestigio de las apariencias (¡qué *boccato di cardinali* para la crítica estructuralista!) infunde un cierto respeto en el lector, quien lentamente llega al convencimiento de que estos personajes hacen de su melancolía una suerte de compromiso. Viven sin amor porque eligen, conscientemente o no, la soledad; hay una parálisis social, una atonía sentimental, un sopor psicológico, en esos seres que contemplan desinteresadamente el alrededor y contagian su letargo al paisaje. Pero eso mismo los arranca, en tanto que personajes literarios, del mero realismo, y les inculca una condición poco menos que fantasmal. No se trata sin embargo de apariciones, de almas en pena, sino de esa índole espectral que tienen ciertos hombres y mujeres, incapaces de imbricarse en su medio; fantasmas sí, pero de carne y hueso. Ya señaló alguna vez José Carlos Alvarez que "hay algo de monocorde en estas tres narraciones; parecería que ellas forman parte de una letanía hecha una grisura, una lluvia, un silencio, y una melancolía provocados y buscados. Pero todo surge con tanta autenticidad en *Viviendo* y con una sugerencia tan atractiva, que bien se puede disculpar a la autora una reiteración que tiene algo de transfigurante". En esa falta de reacción a los estímulos exteriores, en ese torpor aparentemente irremediable, hay seguramente un símbolo, una metáfora estructural que sólo ahora, al aparecer su segundo libro, se clarifica. Casi podríamos decir que los relatos de *Viviendo* son los museos *antes* de ser abandonados, o sea que se trata de un orden ya carcomido, sin respuesta válida para el hombre de hoy y su dramática conciencia.

En el lapso que media entre los dos libros, hay, entre otros, dos textos de la autora, aislados pero significativos: el relato "Los amores" y el poema "Homenaje a los trabajadores uruguayos del 1.º de mayo, aplastados por soldados y policías". El primero lleva a una instancia de demencia la anquilosis temperamental, la resistencia al cambio, que ya aparecía en algunos personajes de *Viviendo*; el segundo, pese a su título de pancarta, es una reacción estremecida y estremecedora frente a aquellos sectores de la sociedad, voluntariamente ciegos y sordos, que se autoconvencen de una paz que no existe. Este poema otorga verdadero sentido a la simbología latente en los relatos anteriores y posteriores, ya que Peri Rossi es en poesía mucho más directa que en su zona narrativa. Ese poema incluye una ironía desgarrada, una contenida energía, que en cierta manera lo aproximan a los certeros poemas políticos de Ernesto Cardenal.

Los museos abandonados obtiene el Premio de los Jóvenes, de la Editorial Arca, en 1968, y es publicado en 1969; dos años que probablemente serán decisivos en la vida del país. La muerte está en las calles; la obcecación en el poder; el poder pierde sus máscaras. Evidentemente, es hora de abandonar los museos, con sus estatuas que perdieron vigencia, sus momias acalambradas en gesto hipócrita, y también con sus irreparables deterioros y su olor a podrido. Es hora de abandonar las valetudinarias excusas, los lugares comunes en vías de desintegración, las cobardías en cadena. Es hora de salir al aire libre. No piense el lector, sin embargo, que Peri Rossi dice este mensaje con la exactitud y la puntualidad de un teorema o de un panfleto. De ningún modo; la narradora (que conoce bien su oficio y maneja hábilmente su instrumento) instala su convicción en una alegoría, pero luego ésta funciona de acuerdo a leyes alegóricas y no a pasamanería política. Para decir lo que quiere o lo que intuye, revisa el anaquel mitológico y extrae Ariadnas y Eurídices, pero de inmediato ajusta los tornillos a los presupuestos míticos y, al poner al día sus símbolos, les hace rendir significados nuevos. Ahora sí hay presencias definidamente fantasmales: son las viejas maneras de concebir arte y vida, muerte y justicia. A veces llega a pensarse que el mundo total es un gran museo destinado a quedarse solo, y esta imagen está en cierto modo refrendada por el único relato, "Los extraños objetos voladores", que transcurre fuera de los vacantes repositorios culturales.

Este cuento, que ocupa exactamente la mitad del volumen, me parece el punto más alto de la producción de Peri Rossi. Cierto engolosinamiento metafórico, cierta anfractuosidad poética, que a veces aminoran la eficacia de los tres relatos de museos, están ausentes de este riguroso texto, en que la autora muestra su mejor condición de cuentista nato. Sin hacerle trampas al lector, ni trampearse a sí misma, Peri Rossi construye una atmósfera de creciente terror, pero conviene aclarar que se trata de un espanto normal, de cotidiano desarrollo, algo que no golpea sino que (lo que es mucho más grave) transforma. Aquí el estilo es despojado; la anécdota (pese a la insólita pauta en que transcurre), de una sobriedad sin fisuras; el penitente final produce en el lector el buscado sobresalto metafísico. Todo esto metido en un contorno regulado por la costumbre; medida ésta poco menos que obligatoria, ya que a medida que el relato avanza, casi podría decirse que el lector asiste a sucesivas efracciones de la rutina, y hasta se vuelve corresponsable de esa fractura de tradiciones. El cuento es la historia de una amenaza (un objeto marrón se instala en el espacio, y su presencia nihilista trastorna y limita progresivamente la realidad), una suerte de ultimatum absurdo y sin embargo verosímil. Todos los recursos literarios de la autora (que son casi siempre eficaces, originales) están puestos al servicio de una alarma, es cierto; pero una alarma en que nos va la vida.

Después de la enquistada soledad de *Viviendo*: este abandono de los museos, del orden antiguo, de la caduca estructura. ¿Qué vendrá después? Quizá puedan hacerse pronósticos a partir de la frase final del último cuento, "Los refugios": "Cubrí a Ariadna con una de las sábanas que protegían a las estatuas del polvo y del tiempo. Nos quedamos adentro, en silencio, hasta que todo estalló, como una gran fruta madura, como una formidable víscera descompuesta". O sea: después del abandono, la presencia fantasmal de los viejos mitos, de los antiguos moldes; después de esa presencia y de su fracaso, el estallido renovador, la destrucción para construir. Ahí adquiere su sentido la dedicatoria que encabeza el volumen: "A los guerrilleros. A sus héroes innominados. A sus mártires. A sus muertos. Al Hombre Nuevo que nace de ellos. Aunque éste sea, en definitiva, el más torpe homenaje que se les pueda hacer". Sin embargo, no es un torpe homenaje. Este afán de transfigurar en arte, de convertir en alegoría, un angustioso pero decisivo viraje de la historia, de nuestra historia; esta intención de convertir en estremecimiento estético un cataclismo social; este propósito de no hacer panfleto sino remoción; todo ello forma parte de una respuesta revolucionaria al desafío de este siglo, de este año, de este mes, de este minuto[1].

(1969)

_____

(1) Con posterioridad a la redacción y publicación (en el semanario *Marcha*) de este trabajo, Cristina Peri Rossi obtuvo precisamente el Premio Marcha con su novela *El libro de mis primos*.

literatura de balneario

Después de largas décadas de literatura gauchesca y de una breve temporada de narrativa ciudadana, aparentemente ha llegado el momento de preguntarnos si no estamos asistiendo a la eclosión de una nueva variedad: la literatura de balneario. Por cierto que el balneario, como marco natural de un relato, no es estrictamente nuevo en nuestras letras. Tal vez pueda decirse que fue apareciendo en la obra de los escritores a medida que el incentivo de la vacación balnearia iba arraigando en los hábitos de las clases alta y media. Sin embargo, nunca como ahora, el balneario ha desempeñado un papel literario tan absorbente, casi protagónico.

En los escritores de anteriores promociones, el balneario apareció esporádicamente y sin acaparar el interés de la trama. La obra de Enrique Amorim (tanto en la póstuma *Eva Burgos* como en *Todo puede suceder*, novela que en algún sentido parece un borrador de cierto misterio que ahora ha cobrado actualidad) tiene sus balnearios, pero el novelista les dedica una sostenida mirada crítica. Menos importa ese ámbito en *El habitante*, de José Pedro Díaz, donde el paisaje apenas existe como adecuado *partenaire* del elemento fantasmal. En *Los altos pinos*, de Giselda Zani, el balneario se diluye entre bien elegidos elementos de folletín y vaivenes psicológicos.

Este relato tiene de común con los intentos de Amorim, la intriga casi policial y quizá la misma fuente de inspiración: los crímenes que, con asombrosa regularidad, van quedando impunes en Punta del Este y sus aledaños. También aparece un balneario en *La cara de la desgracia*, de Juan Carlos Onetti, pero ¿quién lo recuerda como tal? Sin duda, el balneario es una presencia mucho menos notoria que la bicicleta de la muchacha sorda, o que su vestido amarillo. El lector, salvo contadas excepciones, recuerda de Onetti sobre todo la encerrona humana, la exasperante y alucinada abyección, la impecable estructura; poco, en cambio, de sus paisajes húmedos, de sus madrugadas en neblina. En *La cara de la desgracia*, hay una "exagerada luna de otoño", y sin embargo, no se sabe bien por qué, el balneario innominado es una imagen indefinida, neblinosa. La verdad es que allí el balneario es sólo un accesorio.

Después de figurar como simple destino, como meta a alcanzar, en el tercer acto de *La trastienda*, de Carlos Maggi, el balneario, como zona de peripecias, reaparece en *Muerte por alacrán* (incluido en *La calle del viento norte*), notable cuento de terror de Armonía Somers. Es cierto que, en la última página, el alacrán "titubea a la vista de los dos cuellos" de los camioneros, pero antes de esa vacilación, la simple amenaza de este azaroso verdugo ha metido otra púa de sospecha y rencores en la sórdida vida de una mansión de veraneo. También aquí puede haber un enlace con la actitud crítica de Amorim, aunque construida con otro ánimo, otra fascinación.

Pese a este zigzagueante recorrido (quién sabe cuántos balnearios literarios se me quedaron en el tintero), pese a esas mínimas costas, dunas y rocas, a nadie se le ocurriría hablar de una *literatura de balneario* con referencia a Amorim, Zani, Onetti, Maggi, Díaz o Somers. En cada una de las obras mencionadas, siempre hay algo más importante para ser recordado. Pero ahora el panorama es otro. Si después de haber leído varios cuentos y relatos de escritores jóvenes, alguien cierra los ojos y trata de recordarlos como una creación integral, seguramente sentirá la presencia de un balneario promedial, más bien incoloro, con muchas dunas, bares de paso, y gente opaca, gente que se aburre confortablemente y hace lo imposible por detectar el fondo de sus dramas.

Claro, no todo es balneario. Junto a autores como Silvia Lago, Alberto Paganini, Juan Carlos Somma, Fernando Ainsa, que sitúan en costas anónimas o nominadas, obras íntegras o alguno de sus capítulos, hay otros, como Ariel Méndez (perteneciente a una promoción anterior, pero temáticamente más cercano a los jóvenes), Mario César Fernández, Eduardo Galeano, Hiber Conteris, cuyos personajes sólo enfrentan, a veces en alguna página aislada, la costa montevideana. A aquéllos y a éstos los une empero, un modo de dialogar, un estilo conversacional de balneario.

Quizá lo más sencillo, tal vez lo más fácil, sería decir que ese coloquialismo al aire libre se parece más a *La spiaggia*, de Pavese, que a la clientela de nuestras playas; pero, sin perjuicio de reconocer en varios, pero no en todos, de los autores mencionados, la huella de Pavese-Antonioni y también la de los objetivistas españoles, quizá sea necesario buscar en nuestra *literatura de balneario* otras motivaciones, otros pretextos y también otras raíces.

Como siempre (lo mismo pasó con la corriente campera y con la montevideana), hay en el nuevo marco un aspecto legítimo y otro postizo, artificial. Quizá ambos puedan ser reunidos para relevar un síntoma ya no literario sino social. Existe, claro, un factor inevitable, directamente brindado por la naturaleza: en nuestro país sin montañas, sin lagos, sin nieve, sin precipicios, sin volcanes, el único atractivo natural es la extensa costa, con su ininterrumpida y accesible cadena de playas. No sólo son balnearios Punta del Este, San Rafael o Portezuelo; Montevideo mismo es una ciudad-balneario. Esta circunstancia sirve para unificar en cierto modo las aspiraciones al ocio, los derechos al sol. El *bungalow* con piscina que poseen en Punta del Este acaudalados personajes, en una flúida escala de valores puede equivaler al rancho de Malvín pagado cooperativamente por solteros y solterones de clase media. Y hasta es posible que éstos se diviertan más. El balneario (o mejor, la ancha línea costera, cara y barata a la vez, con su pesca, sus deportes, sus bikinis, sus vitaminas, su sensación de salud, su celulitis al sol, su ocio tostado, sus espaldas despellejadas, su mate con termo, su radio a transistores, sus casinos, su invitación erótica) constituyen una suerte de El Dorado para grandes y chicos, hombres y mujeres, ricos y pobres, gobernantes y gobernados De ahí que el balneario pueda constituir un tema vivo, un ámbito al que el escritor (realista o fantástico, comprometido o prófugo) tiene ganado su derecho. Pero cuando el balneario se transforma de pronto en un protagonista genérico, colectivo, forzoso es reconocer que algo está cambiando.

Esta nota trata simplemente de llamar la atención sobre un fenómeno cultural, aunque parezca prematuro establecer desde ya un diagnóstico sobre una tendencia que apenas se insinúa. (Aclaro que en mi impresión panorámica interviene un elemento que el lector desconoce: al integrar jurados en concursos de novelas inéditas, he podido comprobar el alto porcentaje de eso que podría llamarse *narrativa balnearia*). Pero la verdad es que, así como parece legítimo que el balneario surja como marco natural en la literatura de un país que tiene abundancia de playas, hay otros aspectos de esa preferencia que son menos claros. Por lo pronto, los personajes que se instalan en esos cuentos y novelas, son, como es lógico, seres casi estáticos. Mientras conversan largamente sobre la arena, no pueden actuar. Flirtean, discuten, se malentienden: tres especialidades uruguayas. ¿No representará acaso esa inmovilidad un modo de corporizar cierta colectiva inhibición nacional, que tanto arriba como abajo frena las decisiones? ¿No representará, en última instancia, la propia indecisión de los escritores? La calle es conflictual, el campo es conflictual; sólo la playa es idílica. Por agitado que haya sido el invierno, en el verano todo el país entra en receso. Como bien lo dijo Melina Mercouri, todos (políticos, comerciantes, industriales, empleados públicos, dirigentes gremiales, jugadores de fútbol, estudiantes, escritores) nos vamos a la playa. Ahora bien, este naciente verano de nuestra literatura, ¿significará acaso que otros temas han de entrar en receso?

A esta altura, temo que estas notas puedan interpretarse como una suma de objeciones sobre la obra aislada de cada uno de los escritores mencionados. Nada más lejos de mi propósito. Como cualquier lector bien entrenado, soy capaz de disfrutar las bien escritas páginas que pueden encontrarse en cada uno de esos libros. Si las considero por separado, ninguna de esas obras me produce alarma. Lo que me alarma es el todo, o sea la perspectiva de ver convertida nuestra narrativa en un gigantesco y soleado médano, bien provisto de inteligentes, desencantados conversadores, que, ante nuestro estupor, no siempre hablan como los habitantes de nuestras dunas; a veces, suelen hablar como pobladores de otras literaturas.

Así como un balneario real puede ser una linda evasión para los fines de semana, así también el balneario literario puede ser una cómoda fuga de otros temas, de otras urgencias, de otras osadías. La *escuela de la mirada* ha conquistado a muchos de nuestros jóvenes más jóvenes. Pero, ya que se la ejerce, no sólo hay que mirar hacia la costa. A veces, aunque resulte incómodo, aunque incluya un sacrificio, hay que darle la espalda al mar y sus alegres gaviotas, y mirar un poco hacia la comarca y sus lúgubres cuervos.

(1964)

333

¿qué hacemos con la crítica?

I

En cierto modo es comprensible que, para algunos lectores y numerosos autores, el crítico de libros resulte una suerte de ogro en ejercicio, implacable poseedor de una glándula intelectual encargada de segregar veneno en dosis máximas y mínimas. Hace noventa años escribió Disraeli: *"¿Sabéis quiénes son los críticos? Hombres que fracasaron en la literatura y en las artes".* "Todo crítico es un fracasado", reza más escuetamente una de esas tantas *ideas recibidas* que representan la máxima sabiduría para algunas personas; entre ellas, para los fracasados que no ejercen la crítica.

Es verdad que en ciertas ocasiones el crítico es un fracasado, o, por lo menos, un escritor que alguna vez tuvo suficiente auto-exigencia como para darse cuenta de que la novela o la oda que tenía escondidas en el último cajón de su escritorio, sencillamente no valían la gloria, pero sobre todo no valían la pena. Cuando alguien piensa y dice: "Todo crítico es un fracasado", en realidad, por más que no lo diga ni siquiera lo piense, le está negando al crítico personería intelectual. Creo que es un erróneo trasplante de culpas; más o menos como pretender que alguien, incapaz de saltar a la garrocha, no pueda ser, a pesar de ello, un formidable ajedrecista. A nadie se le ocurre pensar que un jugador de ajedrez deba ser necesariamente un garrochista fracasado.

Reconozcamos que el crítico es, en algunos casos, un ser exasperado y —con bastante más frecuencia— un ser exasperante. Aun la verdad lisa y llana tiene un alto poder de irritación; cuánto más no habrán de tenerlo ciertos vicios de la profesión, tales como la lectura distraída, el consejo presuntuoso, la ironía brillante pero injusta. El mal crítico tiene diversos modos de ocultar sus carencias. Lo más peligroso es, sin embargo, cuando existe un mal crítico dentro del bueno. En este sentido, la *amistad* constituye a veces la palabra clave. Hay críticos que, por el solo hecho de referirse al libro de su amigo, se sienten obligados a elogiarlo sin medida; pero hay otros, en cambio, que se sienten obligados a vapulearlo con especial vigor, a fin de que nadie se atreva a pensar que la amistad ha pesado en el juicio. Es fácil darse cuenta de que un crítico no tiene derecho a ser premeditadamente injusto o agresivo o servicial; sin embargo, no es tan fácil comprender que un crítico tenga derecho a equivocarse. La objetividad es un arte difícil de practicar, tanto para el crítico como para el lector.

Desconfianza, odio, escepticismo, a veces respeto; de tales ecos suele rodearse el ejercicio crítico. Pero ¿a quién se le ocurriría sentir piedad hacia esos juzgadores, hacia esos censores frecuentemente despiadados o que así lo parecen? No son, empero, totalmente indignos de la misma. Piénsese por un instante que el oficio de crítico comienza por lo general en el oficio de lector, en la fruición con que un lector vocacional se ha ido arrimando a ciertos autores, a ciertos libros. Pues bien, cuando el crítico era sólo lector, elegía espontáneamente sus lecturas y éstas se convertían en un estímulo más para vivir. Desde que es crítico, en cambio, la actualidad bibliográfica elige por él, y el solo pensar en la pila de libros que esperan turno frente a su obligación, el solo pensar en los interminables capítulos de aburrimiento que le acechan, alcanza y sobra para consolidarle el desaliento.

Un escritor inglés llegó a confesar que había dos o tres libros por año sobre los cuales le gustaría escribir, pero que se veía obligado a escribir sobre cientos. En rigor, un artículo sólo aparece como particularmente vivo, ágil y sincero, cuando el crítico se ha entusiasmado o indignado frente a la obra o el autor que comenta. Ello no significa abdicar la objetividad; a partir de la primera impresión objetiva, el crítico pone calor, se compromete en el elogio o en la negación. Pero eso pasa, verdaderamente, dos o tres veces por año. El resto es una práctica más profesional que vocacional, un deglutir de páginas y páginas, memorias y tragedias, liras y solapas, y largas, larguísimas monografías sobre temas o autores por los que no siente la menor afinidad, ni siquiera la menor repulsión. Porque el crítico general de libros no es, ni puede ser (por más que el lector piense a veces lo contrario) un erudito; acaso sea un especialista en estilos, o en sociología, o en métrica, o en metafísica, pero nadie es erudito en Cultura Universal.

Recuérdese, además, que la crítica bibliográfica cumple una misión informativa. Desde el punto de vista del lector, es preferible que en una sección literaria aparezcan seis o siete comentarios breves sobre otros tantos libros recién publicados, antes que uno exhaustivo sobre un tema de mayor especialización o trascendencia. De modo que, en cumplimiento estricto de ese cometido, el crítico llega inevitablemente a ser superficial, limitándose por lo común a tres o cuatro giros para decir un elogio y a otros tantos para formular un reparo. Los clisés estilísticos son harto más frecuentes en la crítica que en cualquier otro género literario y eso es en cierto modo comprensible, ya que una reseña bibliográfica debe contener un juicio sintético, y en definitiva no hay muchos modos de decir que una cosa está bien o que una cosa está mal.

Difícilmente será esto comprendido por el autor nacional. En el fondo de su corazón literario, él siempre espera un extenso artículo en el cual se analice su obra con la minuciosidad y la profundidad que habitualmente se consagran a un Shakespeare o a un Cervantes. Si la nota es breve y desarrolla sumariamente un tema que podríamos denominar: "Oh, qué bueno es", el autor comentado se da la cabeza contra las paredes porque piensa que si al crítico le gustó, bien podría haber escrito un poco más. Si, por el contrario, la reseña desarrolla concisamente un tema que podríamos denominar: "Oh, qué horrible es", el autor comentado es muy capaz de buscar al opinante para ocuparse personalmente de darle la cabeza contra el muro.

En resumidas cuentas un género bastante ingrato. De vez en cuando, el crítico se acuerda del lector vocacional que aún sobrevive en él, y adquiere algún libro que no puede comentar (es viejo, apareció hace dos años, o en la página 83 menciona la palabra Cuba) aunque daría dos noches de vida por hacer un hueco en su agitado tiempo a fin de leerlo y disfrutarlo a gusto. Pero ese libro, la mayoría de las veces sin abrir, será depositado junto a varios otros en el estante especial que dedica a los ideales inalcanzados. Difícil es prever cuándo tendrá tiempo para leerlo. Por ahora, imposible; le esperan un grueso volumen de quinientas páginas sobre el uso del pronombre en los autos sacramentales no calderonianos, cinco sonetarios autóctonos, y un apéndice sobre tradición oral de refrases peninsulares durante el sitio de Montevideo. Naturalmente, algún día terminará con ellos, pero ese día sentirá en la cabeza una suerte de dulce zumbido, y acaso tome la profiláctica medida de irse al Estadio, al cine o al café.

II

No bien la crítica, en sus diversos órdenes, llegó a adquirir alguna importancia en el panorama cultural de este país, surgió una objeción que durante varios años fue sostenida como un lema por una parte del público y cierta porción de los criticados. La objeción habría podido sintetizarse así: "Por distintas razones, la crítica no debe tener, frente al creador o el intérprete nacionales, la misma exigencia, la misma severidad, que tiene frente al creador o al intérprete extranjero". Las distintas razones eran, como fácilmente puede imaginarlo el lector: la escasez de medios con que el artista nacional cumple su labor, la poca o ninguna resonancia que esa obra tiene en el ámbito social, el singular sacrificio (de tiempo, de energías, incluso de dinero) que implica cualquier actividad artística en un ambiente que, en líneas generales, es considerado hostil o indiferente. Como puede observarse, todas eran razones atendibles, por lo menos en teoría. En la práctica, la exigencia de una mayor tolerancia por parte del crítico frente al hecho artístico nacional, en rigor implicaba una opinión más bien peyorativa con respecto a ese mismo arte uruguayo que se pretendía defender. A todos nos ha pasado, cuando estábamos en edad escolar, que alguien nos desafiara a una carrera, con el anuncio adicional de que nos daba unos metros de ventaja; entonces nos sentíamos profundamente agraviados, y preferíamos perder la carrera, sin ventaja, antes que lograr una victoria, previamente disminuida por la concesión. Creo que ésta es la reacción que debería experimentar el creador nacional, frente a un crítico que lo elogiara "teniendo en cuenta la indigencia del medio" o "el pobre nivel de otros cultores del género en nuestro país". No es cuestión de ser rey tuerto en el país de los ciegos. El artista nacional debe ser juzgado con la misma exigencia que el artista extranjero, y creo sinceramente que esa pareja y equilibrada severidad en el juicio, en vez de llevar —como se ha pretendido— a una frustración del creador autóctono, en definitiva habría de conducirlo a una superación. Después de todo, ¿qué título es más atractivo? ¿Ser un correcto escritor, juzgado en un nivel internacional, o ser "el poeta más genial de la zona Oeste de Pocitos Viejo"?

En general, los críticos uruguayos en estos últimos años han desechado ese tipo de juicio caritativo que algunos sectores les reclamaban, y hoy en día, si uno de ellos escribiera: "Y... para ser uruguayo, está bastante bien", la limosna sería mal recibida por el criticado. Claro que, con cierta intermitencia, otro peligro se ha venido insinuando. Al creador o al intérprete nacionales, el crítico no debe exigirle menos que al artista extranjero, pero tampoco debe exigirle más. A veces llegan a Montevideo un libro determinado, o la obra de un pintor, o una pieza teatral, que han sido precedidas, en Europa o en Estados Unidos, por polémicas sensacionalistas o premios trascendentales. El esnobismo no sólo hace presa de los públicos o los artistas; también los críticos sufren su contagio y a veces concurren a su tarea con unas ganas tan fervientes de que les guste lo que van a ver, que su presunta objetividad queda hecha añicos. Pues bien, tampoco es cosa de que el tuerto siga siendo rey, aun en el país de los videntes.

Hace unos cuantos años (en 1950, para ser más preciso) publiqué un ensayo crítico, sobre la obra novelística de Carlos Reyles, que evidentemente encerraba un juicio desfavorable. A partir de ese momento y como imprevista consecuencia de tal publicación, una escritora compatriota me retiró su saludo. No se trataba de un pariente ni de una amiga de Reyles, ni de alguien que lo hubiera conocido personalmente; tan sólo de una escritora que se sentía solidariamente agraviada porque un crítico juzgaba de manera desfavorable los valores literarios de un novelista. En aquel momento, la desmesurada reacción me asombró bastante; hoy, después de haber sido actor o espectador de varios episodios por el estilo del relatado, puedo valorarlo en su exacta medida y ubicarlo en su adecuado contexto. Se trataba, simplemente, de una muestra de nuestro provincianismo cultural.

Desde 1950 hasta ahora, han tenido lugar otras muestras de ese provincianismo: polémicas desarrolladas en un estilo francamente insultante, críticos teatrales agredidos por quienes se consideraban sus damnificados, literatos que se sienten agraviados, ya no porque un cronista les formule objeciones, sino porque los hace víctimas de un *elogio compartido*. "Vanitas vanitatum, et omnia vanitas", dijo el Eclesiastés, y su dictamen sigue siendo válido.

Existe, como es lógico, una porción de vanidad que es legítima e integra casi inevitablemente la vida del artista. Un proverbio turco establece que "una onza de vanidad deteriora un quintal de mérito", pero cabría agregar que *media onza* sirve en cambio para condimentar ese mismo mérito. Tal porción de vanidad, cuando es legítima, sabe confiar en que la propia obra lleve en sí misma suficientes virtudes como para refutar, aliada con el tiempo, las objeciones de la falible crítica.

Hace algunos años se publicó en Montevideo una *Discusión sobre la Filosofía del Lenguaje* que en 1905 habían sostenido Benedetto Croce y Karl Vossler. Más que las respectivas argumentaciones, lo que mejor recuerdo como lector de esa polémica es su tono asombrosamente civilizado. Ninguno de los contendores era impermeable a las razones del otro. Cada nueva intervención exigía un replanteo, y, a su vez, demostraba una capacidad y una buena voluntad excepcionales para comprender los argumentos contrarios, así como una inexpugnable honestidad para reconocer cuando el adversario se había anotado un punto a su favor.

En nuestro medio, en cambio, la polémica siempre recurre al estilo energuménico, y por lo general no arroja luz alguna, ni para los polemistas ni para los lectores. En la mayoría de los ejemplos a que podríamos echar mano, sería posible comprobar que a los dos meses de empezada una discusión de este tipo, cada contendor se mantiene en sus trece, tan inconmovible como autosatisfecho. Entonces, ¿a qué polemizar? Para peor de males, una de las armas más frecuentemente utilizadas por los polemistas, es el insulto sin eufemismos, el agravio directo y personal. Si aquella *Discusión sobre la Filosofía del Lenguaje*, en vez de tener lugar en 1905, entre Vossler y Croce, desde Heidelberg a Perugia y viceversa, se hubiera verificado en Montevideo, en cualquiera de estos últimos años, entre dos intelectuales compatriotas, lo más probable es que éstos hubiesen intercambiado acusaciones de plagio, dipsomanía, homosexualismo y estafa. Ninguno de esos epítetos tendría demasiado que ver con la Filosofía del Lenguaje, pero qué se va a hacer: ése es el *estilo criollo* de la polémica intelectual.

Quizás medie en todo esto una ausencia trágica de sentido del humor. Existe sí un exacerbado sentido del ridículo, pero éste resulta siempre un mal sucedáneo del humor. De ahí que todavía hoy se pretenda esgrimir con tanta firmeza la calidad de *amigo* para influir en el juicio crítico. Sin embargo, la amistad no debería tener nada que ver con la crítica. Tampoco la enemistad. Esto es difícil de comprender en nuestros círculos culturales. Lo más que un amigo puede honestamente pretender de un crítico es que, antes de juzgarla, trate de comprender su obra o su actuación, y una vez comprendida, la juzgue con respeto hacia el esfuerzo creador. Pero esto, desde el punto de vista del crítico, no debe ser un favor especial hecho al *amigo*, ya que lo menos que un crítico puede honestamente hacer es tratar al creador con comprensión y con respeto. De modo que si el crítico es ecuánime, la amistad no pesa y por lo tanto no constituye un privilegio. Si la amistad pesa, entonces significa que el crítico no es ecuánime, y en ese caso, ¿puede su opinión interesar verdaderamente al autor o al intérprete criticados?

Sucede también (y esto explica un poco todo ese provincianismo de que antes hablaba) que, pese a su probable millón de habitantes, Montevideo tiene un clan intelectual muy reducido, un clan que frecuenta siempre las mismas calles, las mismas librerías, los mismos cafés, los mismos estrenos. Críticos y criticados se están encontrando constantemente a la vuelta de cada esquina, en el hueco de cada entreacto, y tal enfrentamiento no ayuda a la objetividad. Por ello, ese cruce de opiniones, que, en ciudades de alto entrenamiento cultural como Londres o París, es un juego parecido a la esgrima, aquí, en la ciudad de bajo entrenamiento cultural que es Montevideo se contenta con ser un juego que sospechosamente se parece al boxeo.

III

Hoy nadie podría negar que la crítica, como género literario o simplemente periodístico, ha adquirido voz y espacio en nuestro medio. La mayor parte de las producciones y actividades literarias, musicales, plásticas, cinematográficas o teatrales, son comentadas por críticos profesionales en casi todos los diarios y semanarios montevideanos. Pero ¿quién queda para criticar a la crítica? Alguna vez estallan aisladas polémicas, o surgen quejas en mesas redondas de damnificados, pero el ámbito ideal para la crítica sobre críticos es la mesa de café. Hay dos atendibles razones para no llevar al ruedo público, o al artículo firmado, aquel comentario que merece una crítica. En primer término, cierto pudor elemental del creador o del intérprete, que impide salir a aclarar el malentendido o defender la actitud subjetiva. Es bastante explicable ese retraimiento. A menos que el crítico desencadene sobre el criticado un alud de denuestos que rocen la moral, o recurra al insulto sin metáforas, hacen bien el creador o el intérprete en pensar que su labor misma está mostrando lo defendible y lo indefendible de su arte. Pero hay otro motivo de reticencia, por cierto menos honorable: el temor a malquistarse con el crítico y provocar su ira, y por ende su desquite en la ocasión más próxima o en la más inesperada. Es dable apreciar ese temor en ciertos actores o en ciertos poetas que, si en privado arremeten contra los críticos, en reportajes o en mesas redondas no tienen inconveniente en adularlos con verdadero esmero.

Es probable que todo esto sea consecuencia del auge de la crítica. En tal caso, no hay que olvidar que semejante auge es, a su vez, consecuencia de una resonancia previa. Quince años atrás nadie se preocupaba de los críticos, en primer término porque eran muy pocos, y luego, porque la opinión de esos pocos no tenía virtualmente ningún peso en el público. Un film o una pieza teatral no alcanzaban altas recaudaciones por el solo hecho de haber obtenido buenas crónicas; un libro o un cuadro no se vendían mejor porque la crítica los hubiese puesto por las nubes. Las circunstancias han cambiado: hoy un comentario sobre estrenos, o libros, o exposiciones, se refleja casi siempre en la acogida del público.

Pero si, en los últimos años, la crítica ha crecido en extensión, en número de cultores, en espacio periodístico, también es cierto que ha decrecido en profundidad y, sobre todo, en responsabilidad. Esto no quiere decir que carezcamos hoy (en cualquiera de los órdenes literarios o artísticos) de profesionales que encaran su oficio con seriedad, equilibrio e independencia. Sin embargo, la misma demanda de cronistas provocada por la innegable resonancia de la crítica, ha permitido la promoción de nuevos nombres, algunos de ellos ciertamente talentosos, pero también ha auspiciado el ascenso de otros que todavía parecen inmaduros para el arduo oficio de juzgar la obra ajena.

La crítica fue reivindicada especialmente, en el Uruguay, por la llamada *generación del 45*, cuyos integrantes la emprendieron (a veces, con excesivo afán) contra la complacencia y el trueque de ditirambos, ejercidos por sus antecesores mediatos e inmediatos. Conviene recordar que en tal reivindicación bregaron por algunos postulados importantes, entre los cuales figuraron la independencia de criterio, una documentación adecuada, severos padrones de juicio, prescindencia de la amistad personal en cuanto se relaciona con la objetividad de las opiniones, etc. Naturalmente, todos estos rasgos estuvieron acompañados por algunos tics estilísticos, por ciertos moldes de ironía. El giro *"otra vuelta de tuerca"* aparecía, como mínimo, una vez por crónica. Sin embargo, no fueron los tics sino los fundamentos de los juicios, los que en definitiva conquistaron un público para la crítica.

Hay que reconocer que algunos de los jóvenes que llegaron más tarde a esa tarea, heredaron los tics del 45 pero no siempre la seriedad de los enfoques, no siempre la obsesión documental; heredaron la irónica agresividad, pero no siempre el hábito de apoyar esa agresividad en buenas y tangibles razones. Al comentar un libro, no se olvidaron de escribir: *"otra vuelta de tuerca"*, pero en cambio se olvidaron de leer los libros anteriores del autor comentado, a fin de situarlo en la verdadera perspectiva. La ficha, por sí sola, no es garantía de buen criterio y de poco sirve para la formación del juicio; por sí sola, la ficha es mera pedantería, bastante ingenua, bastante tonta por cierto. Para ejercer una crítica que virtualmente se limite a fichas, basta con tener buenos manuales y diccionarios; en cambio, para ejercer la crítica que penetra en la obra y se pronuncia con honestidad y sensibilidad, hay que abrir el diccionario en la hoja de la visión personal, del juicio sin pereza, hay que estrellarse varias veces contra el dato congelado antes de que ese dato se inscriba o se descarte en el ámbito del propio discernimiento.

Ahora ha tomado cuerpo la opinión de que es bastante fácil hacer crítica. En realidad, lo que es fácil es salir del paso con un dictamen superficial e injusto (también puede haber injusticia en un elogio); lo que es fácil es incluir alguna frasecita de lucimiento, alguna ironía que se atenga a la moda y, de paso, oficie de lápida; lo que es fácil es pronunciar algún elogio excesivo y excluyente. En cambio, sigue siendo difícil hacer crítica con respeto para el creador, porque ese respeto significa un trabajo previo de acercamiento a la obra, a sus antecedentes, un mínimo esfuerzo por comprender cuál ha sido la intención de ese creador, y juzgarla sobre tal medida en vez de compararla con la novela, o el cuadro, o el drama, o la ópera, o la sinfonía que el crítico hubiera hecho "si él fuera creador". Desde el punto de vista de la conciencia profesional, un crítico tiene siempre derecho a equivocarse, pero para ganar ese derecho tiene que cumplir previamente con aquel deber de aproximación. Que el juicio sobre una puesta en escena o un libro de poemas o un concierto, en cuya preparación el artista gastó meses o tal vez años de oficio, de fracasos y de pasión, dependa a veces de un malhumor o una mala digestión, de un recuerdo vengativo o de un egoísta encogimiento de hombros; que tal coraje para enfrentarse al riesgo de errar, sea a veces el oportuno pretexto para ejercitar un viraje de ingenio o de seudo-ingenio, significa una pobre posibilidad para el oficiante de la crítica. Lo deseable es que éste diga todo lo que piensa, por amargo que sea, pero que lo diga una vez que esté seguro de que ésa es verdaderamente su opinión y no la resultante del intercambio de ocurrencias y sutilezas en el entreacto. Lo menos que se le debe reclamar al crítico es que no se trampee a sí mismo. Por otra parte, parece ser ésta la condición indispensable para que tampoco trampee al público, ente fantasmal y sin embargo concreto, al que, según se presume, tiene el crítico la sagrada obligación de orientar.

IV

Entonces ¿qué hacemos con la crítica? Hay tres entidades que pueden hacer algo con la crítica y son: el criticado, el público y —¿por qué no?— también el crítico. Durante casi veinte años, he militado, con alguna intermitencia, en uno u otro de esos tres sectores, de modo que puedo aportar cierta experiencia al respecto.

Empiezo por el crítico. De los tres órdenes que acabo de mencionar, el crítico es quizá el más sacrificado. *"Nunca se le ha levantado una estatua a un crítico"*, decía Sibelius, pero no hay que olvidar que él opinaba desde su propio pedestal. Naturalmente, no todos los críticos tienen ambiciones estatuarias, pero, aparte de no tener estatua propia, el oficio de crítico tiene otras desventajas.

Una de ellas es el apuro. Ya mencioné la tiranía de ese apuro en relación con el crítico literario. El problema es más grave aún, en el caso del crítico teatral, o musical, o cinematográfico, es decir, del crítico de espectáculos en general. De ciertos períodos en que he desempeñado la crítica de cine conservo el recuerdo de la disposición de ánimo en que me encontraba al fin de la jornada, después de haber visto tres estrenos en una sola tarde. A esa altura, los zapateos de la comedia musical se superponían en mi memoria con las sutilezas del drama psicológico, y las wagnerianas clarinadas

347

del bíblico y estentóreo Cinemascope estorbaban el recuerdo de las escenas de amor.

No obstante, hacer crítica de cine es, en cierto sentido, menos riesgoso que hacer crítica de libros o de teatro, sobre todo cuando se piensa que, si bien es poco probable que Ingmar Bergman o Brigitte Bardot, desde sus respectivos Olimpos, lleguen a enterarse de qué opina un oscuro crítico montevideano sobre gustos en general y bustos en particular, en cambio es seguro que al día siguiente de publicada su crónica, el crítico teatral o literario habrá de cruzarse en el *hall* del Solís, o en Dieciocho y Ejido, o en el Tupí, con la actriz o el autor damnificados. Para ciertos criticados, una crítica desfavorable escrita por alguien que hasta ese momento los saludaba con cordialidad, representa algo así como una puñalada por la espalda.

Hay otros temperamentos, claro, y por lo tanto otras actitudes. No hace muchos días, me decía un actor: "Para mí siempre es estimable lo que me dice un crítico, ya que me habilita para saber qué piensa de mi trabajo uno de tantos espectadores, alguien del público. De los demás espectadores, en cambio, no sé nada. El crítico es el único espectador que me dice su opinión, eso es importante". Claro que lo es. Piénsese que, en la mayoría de los casos, el crítico es el que menos disfruta de un libro, de un film, de una comedia. En mi caso, por lo menos debo confesar que disfruto inconmensurablemente más de un film o de un libro cuando no tengo que escribir sobre él que cuando debo ir tomando notas mentales o marginales sobre las cuales fundamentar la futura crónica. ¿Cómo puede uno emocionarse con una despedida desgarradora o un arranque pasional o un dechado de angustias, si al mismo tiempo debe ir atendiendo a méritos o deméritos del encuadre, a la agilidad o torpeza de la cámara, a la dicción de los actores, a la simbología del diálogo, a los matices del vestuario? Es claro que también el crítico puede abandonarse, como un espectador del montón, al poder de lo que está viendo, y escribir después en base a esa conmoción. Pero hay otro factor que tiene su importancia y es la presencia fantasmal de sus colegas. ¿Cómo escribir una crónica cinematográfica que ignore el montaje, la escenografía, la partitura, las fechas y los nombres del fichero? ¿Cómo condescender a esa vergüenza gremial?

Por otra parte, la estructura de la crítica tolera innovaciones, nuevas fórmulas de presentación para hacerla más atractiva, más periodística, más diligente. Cuando el interés crítico y el periodístico tienen el mismo norte, el resultado es un aumento de la eficacia. Pero pasa a veces que el interés crítico conspira contra el interés periodístico, y viceversa. En nuestro medio, una de las fórmulas innovadoras fue la *guía*. Creo sinceramente en la eficacia y en la utilidad de las *guías* cinematográficas, pero no tanto en la justicia de las *guías* teatrales. Un film es un hecho artístico acabado, incambiable, fijo, y una guía cinematográfica sigue teniendo vigencia a las dos semanas o a los tres meses o a los cinco años del estreno. Pero todos sabemos que en un estreno teatral hay un cincuenta por ciento de trabajo del director y un cincuenta por ciento de trabajo de los nervios, porcentaje éste último que va disminuyendo a medida que los actores se sienten más seguros del texto, más conscientes de su papel. Me parece correcto que la crítica de un espectáculo se haga sobre el estreno, pero no me parece justo que la *guía* teatral (es decir, una síntesis de adjetivos sin espacio para ser justificados) siga pendiente sobre el espectáculo a través de toda una temporada. La noche del estreno, un actor nervioso pudo haber dicho: "Chocolito, está pronto el señorate", pero es más que probable que a partir de la segunda función haya regresado a la lengua española con un correctísimo: "Señorito, está pronto el chocolate".

Entre esas innovaciones, hay algunas —por cierto, bien intencionadas— que a mi entender conspiran contra la labor del crítico. Me refiero, por ejemplo, a ese hábito que lleva a algunos críticos a escribir, inmediatamente después del estreno, una *primera impresión*. La intención es buena, de un verdadero sentido periodístico: informar en seguida al lector sobre el sentido y la calidad de un espectáculo. Pero ¿está un crítico (cualquier crítico) en horas de la madrugada, después de toda una jornada de labor, en las mejores condiciones para emitir un juicio? Creo que el juicio exige una pausa, una mínima cura de reposo, una confrontación interna de lo visto con lo esperado, del presente con el antecedente. Naturalmente, se me dirá que todo esto puede aparecer en la nota definitiva, pero creo que sería casi inhumano exigirle al crítico que, en esa crónica posterior, aclarase: "Perdonen ¿eh?, ayer me equivoqué porque escribí con sueño". Los críticos también son seres humanos; no se les puede reclamar imposibles. Estoy seguro de que si yo mismo (que no defiendo ni practico el sistema) escribiera una *primera impresión*, al día siguiente toda mi elaboración mental iba a estar inconscientemente tendida a pormenorizar, a confirmar, a documentar mi previo, apurado dictamen. Lo contrario sería, además de insólito, antiperiodístico. Los únicos diarios que toleran polémicas de un individuo consigo mismo, son los diarios íntimos.

Con esta observación sólo quiero señalar, en descargo de la profesión crítica, algunas de las exigencias de un sistema, que, si no impiden, por lo menos dificultan que el crítico establezca un contacto ideal con su propia y más honda opinión. Es cierto, además, que en ciudades tan adultas en materia de espectáculos como Londres o París, no existe una *segunda* y definitiva crónica; existe pura y exclusivamente la *primera*. Pero aunque Londres o París lo hagan, no me parece la mejor solución.

Todos los críticos actuales fueron alguna vez aprendices de críticos; en realidad, todo el que llega a *algo*, pasa primero por ser *aprendiz de algo*. El aprendizaje no es una deshonra, sino una necesidad. No importa demasiado cómo y por qué se aprende; hay quien aprende a los golpes. Pero también hay quien no aprende de ningún modo. Y ése es el caso trágico. En tal sentido, la crítica está en desventaja con respecto a otros oficios. Si un aprendiz de tornero, por ejemplo, no aprende su oficio, es dejado de lado; en cambio, si un aprendiz de crítico no aprende su oficio, nada le impide seguir haciendo crítica. En el mejor de los casos, remedia su falta de oficio con un poco de pedantería y otro poco de opiniones ajenas. La pedantería tiene el grave inconveniente de que tanto el público como el criticado fruncen (por adelantado) el ceño y es obvio que un ceño fruncido impide que se den las mejores condiciones de receptividad. En cuanto a las opiniones ajenas, tienen el grave inconveniente de que vienen de un autor, y que ese autor a veces aparece de modo irreverente e inoportuno. Pues bien: cuando digo críticos no me estoy refiriendo a estos aprendices que no pudieron ni podrán aprender su oficio.

El más honesto de los críticos puede equivocarse; por supuesto el error no inhabilita al crítico. Inhabilita en cambio al aprendiz apurado, deshonesto o incompetente, que vierte inapelables opiniones sobre libros que jamás leyó, que se acerca a una obra, o a un espectáculo o a una exposición, dispuesto de antemano al elogio o a la diatriba; que critica en función del interés del grupo o cogollito literario o político o plástico al que pertenece o aspira pertenecer; que hace citas, separadas de su contexto, capaces de dar al lector una impresión falsa de una obra; que usa la obra criticada como mero pretexto, como tendencioso trampolín para que salten sus odios, sus resentimientos o sus metejones.

No pienso que el crítico deba ser un ente abstracto, sin convicciones, sin preferencias, sin repugnancias. De ningún modo. Pretendo simplemente que practique el juego limpio de esas convicciones, preferencias y repugnancias. Un crítico puede ser católico o marxista; nadie tiene derecho a exigirle que oculte ésta o aquella condición. Pero un crítico marxista no puede honradamente opinar sobre una obra de Graham Greene: "Está mal, porque es católico", o un crítico católico sobre la obra de Pablo Neruda: "No sirve, porque es comunista". El mínimo respeto que reclama un creador es ser juzgado en lo que quiso hacer, en la medida en que alcanzó su ambición o quedó lejos de ella. Sólo después de ese examen, un crítico tiene el derecho de decir, por ejemplo: "Fulano quiso hacer tal cosa, y lo ha logrado; pero a mí no me interesa ese logro".

Es bastante frecuente encontrar una nota crítica, en la que el crítico le reprocha al creador que no haya realizado la obra que *él* hubiera hecho. No obstante, el creador la hizo. Esa es la diferencia, y por tal dosis de mínimo coraje adquiere el derecho a ser juzgado, no por lo que *no hizo* sino por lo que efectivamente creó. Como crítico, siempre he tenido esa obsesión y durante muchos años creí que era original, pero está visto que aun nuestras obsesiones están condenadas a descender de alguien. En 1926, Vaz Ferreira señaló que el crítico "*debe* discernir, anunciar y hacer sentir lo que vale de lo que el creador hizo, dentro de la tendencia que éste eligió, o de su temperamento, juzgarlo dentro de esa tendencia (y no la tendencia misma, que es tan legítima como las otras). Si un músico creó música pura, otro música con letra o programa, juzgar dentro de lo que se quiso hacer". Pero ni siquiera Vaz Ferreira era en esto absolutamente original. Diez años antes, había escrito Ortega y Gasset en una de sus crónicas de El espectador: "Todo escritor tiene derecho a que busquemos en su obra lo que en ella ha querido poner. Después que hemos descubierto esta su voluntad o intención, nos será lícito aplaudirla o denostarla. Pero no es lícito censurar a un autor porque no abriga las mismas intenciones estéticas que nosotros tenemos. Antes de juzgarlo tenemos que entenderlo", y más adelante agregaba: "No hallo cuál puede ser la finalidad de la crítica literaria, si no consiste en enseñar a leer los libros, adaptando los ojos del lector a la intención del autor".

El segundo orden humano del juego crítico está representado por el objeto de la crítica, o sea el criticado. Puede ser el creador, el intérprete, o alguien que tiene un poco de creador y un poco de intérprete, como puede ser el caso del director teatral o el realizador cinematográfico, que están interpretando un texto y a la vez creando un ritmo, un clima y una dimensión.

Está el caso del creador extranjero, a quien de poco le podrá servir la opinión de la crítica montevideana, por la sencilla razón de que generalmente no le llega. En cambio, cuando se trata de autores o intérpretes nacionales, es evidente que se enteran de la opinión crítica local; más aún, que la esperan en un estado de ánimo en que se mezclan la impaciencia, la curiosidad, la esperanza y el escepticismo. Y bien, creo que tampoco al intérprete o al creador nacionales les sirve de mucho la crítica. Y es bastante explicable que así sea. No se trata de un defecto atribuible a la crítica, ni tampoco al criticado. Simplemente, hay entre ambos una barrera. El artista está del lado de adentro de la obra o del espectáculo; el crítico está del lado de afuera. Son posiciones congénitas, y ambas tienen sus ventajas y desventajas. Por el hecho de residir en el interior de la obra o del espectáculo, el creador o el intérprete no están en las mejores condiciones para formular un juicio objetivo, equilibrado, imparcial, sobre lo que están haciendo. El crítico, en cambio, está en esas mejores condiciones; es un lector o un espectador más enterado y mejor entrenado que el común de los lectores y espectadores. Pero sucede que debido a esa posición congénita, a ese estar del lado de afuera de la obra o la actuación juzgadas, toma a veces lo blanco por negro, o lo real por simbólico, o el símbolo por documento, o la simple emoción por trauma psíquico, o el lugar común por trascendente mensaje, o el trascendente mensaje por inefable tontería.

Se me dirá que a veces el crítico comete esa equivocación debido a que el creador no pudo o no supo trasladar hacia el exterior aquello que tenía en su fuero íntimo, y responderé que, efectivamente, eso es muy frecuente. Pero lo que aquí trato de relevar es la escasa utilidad que la crítica tiene para el criticado, y en esa zona, creo que será fácil admitir que si un crítico le objeta —por ejemplo — a un creador un aspecto que él llama testimonial, y se lo objeta como testimonio, pero el creador sabe que para él no se trata de un *testimonio* sino de un *símbolo*, la objeción del crítico le servirá de poco. es decir, sólo le servirá para darse cuenta de que no expresó adecuadamente ese carácter simbólico; pero acaso ni siquiera le sirva para eso, ya que bien puede darse el caso de que el artista lo haya expresado bien y el crítico no lo haya sabido captar. La crítica que verdaderamente podría servirle a ese creador, sería una que admitiera primeramente el carácter simbólico, y luego hiciera su objeción —si la sigue teniendo— sobre la manifestación externa de ese carácter. Este último caso, sin embargo, es el que se da con menos frecuencia. A menudo puede escucharse a los poetas (incluso a los buenos poetas) quejarse amargamente de los críticos (aun de los buenos críticos) y deberse la queja a que los poetas tienen a veces la impresión de que los críticos se están refiriendo a una obra que no es la suya.

Claro que, sobre todo en cuanto tiene que ver con la poesía, éste es un problema muy complejo. Por una parte, el poeta suele tener muy explicables razones y pudores que lo llevan a camuflar su vida íntima, a cubrir sus confesiones con veladas imágenes, con nieblas de palabras, con cortinas de humo y de metáforas; pero, por otra parte, el lector, y por ende el crítico tienen no menos explicables razones para sentirse a veces perdidos y desalentados frente al misterio. La diferencia entre el lector y el crítico, es que el primero suele darse por vencido, mientras que el segundo, por razones de oficio, no puede hacerlo. El crítico tiene que salir a la búsqueda de un *ábrete sésamo*. Benedetto Croce decía que "*ningún juicio, aun el más simple, es concebible sin el fundamento de la sensibilidad*". Pero la sensibilidad es —aunque quizá el mejor— sólo uno de los caminos posibles; otros críticos, a fin de penetrar en la obra de un poeta, apelan a la inteligencia, otros apelan a Freud, y están por último quienes apelan a la tradición oral del chisme vernáculo. Sucede que, a veces, consiguen un *ábrete sésamo* y lo pronuncian, pero no se dan cuenta de que la puerta que se abre no es la que ellos quieren, sino la de al lado. Y se entusiasman, y formulan teorías, y encuentran testimonios, y descubren inhibiciones, y diseñan toda una personalidad que se corresponde, a la perfección y al detalle, con un esquema que puede llegar a ser fascinante. Justamente, esa amargura que por lo general tienen los poetas con respecto a los críticos, viene de su explicable imposibilidad para llamarlos y decirles: "Señor: se equivocó de puerta. Yo tengo inhibiciones, pero son otras".

Después de todo, es un malentendido casi inevitable. El poeta se oculta; sobre un sutil cañamazo de verdades, miente a sabiendas, despista al crítico, le escamotea sus claves. Luego se queja de que el crítico no lo entiende. Es algo así como un destino irreversible. Desde un punto de vista poético, el poeta hace bien en mentir y hace bien en quejarse. Desde un punto de vista crítico, el crítico hace bien en hurgar y hace bien en crear su teoría, aunque ésta sea falsa. No olvidemos que el arte tiene siempre un poco de artificio, y el artificio tiene siempre un poco de mentira. A Robert Louis Stevenson le gustaba que los indígenas de Samoa lo llamaran Tusitala, "el contador de cuentos", y ¿qué son los cuentos, sino mentiras entretenidas, fascinantes, provocativas?

Acaso no exista la fórmula apta para remediar este malentendido. De ahí que al creador la crítica le sirva de poco, ya que casi siempre tiene la sensación de que el crítico se queda afuera. Habría que señalar, además, que esa sensación tiene poco que ver con que la crítica sea favorable o desfavorable; el crítico puede quedarse afuera en ambas ocasiones. El único juicio que al artista le sirve de algo, es aquel que penetra en la obra o en la actuación, que traspasa el malentendido y que no se equivoca de puerta. También ese juicio penetrante puede ser favorable o desfavorable. Por otra parte, muchos de los defectos (y a veces, de las virtudes) que el crítico señala al criticado, ya son de conocimiento de éste y por lo tanto no representan una novedad. Cuando un crítico destaca que un actor tiene una voz desagradable, generalmente se trata de un rasgo que el actor conoce desde mucho antes que el crítico. Éste hace bien en señalarlo, pero al actor le sirve de muy poco.

Y llego al tercer orden del juego crítico: el público. El público ve el espectáculo o asiste al concierto o lee el libro, y, a veces, lee también las críticas. Claro que hay un público que no lee críticas. Es el sector formado por quienes se consideran muy por debajo de la crítica o muy por encima de ella. Es un sector muy respetable, pero aquí no lo puedo considerar, porque ante la pregunta: "¿Qué hacemos con la crítica?", tales personas han decidido responderse: "Ignorarla".

El otro público, el que lee críticas, y que evidentemente hoy es bastante numeroso, suele oscilar entre dos extremos: 1) los que creen que la crítica es la Biblia, y 2) los que creen que la Biblia son ellos. Quienes integran la primera categoría tienen generalmente uno o dos críticos preferidos, a quienes han decidido otorgarles la misión (sin que los críticos se enteren, por supuesto) de que piensen en lugar de ellos. Para tales personas, el crítico es algo así como un apoderado general en materia de opiniones. Como es lógico, leen primero la crítica y sólo más tarde leen el libro o ven el espectáculo; cuando lo hacen, ya van completamente seguros de que les va a gustar hasta el paroxismo o de que les va a desagradar hasta la histeria, según haya sido el tono de la crítica leída. Es en realidad una categoría bastante confortable, ya que, tratándose de opiniones, vienen a ser una suerte de rentistas espirituales de la crítica.

357

Los otros —aquellos que creen que ellos son la Biblia— sólo leen las críticas para saber si el crítico es tan inteligente como para coincidir con ellos, o tan torpe como para discrepar. Son impermeables a toda argumentación lógica o emocional, y su argumento más contundente suele ser: "Me gustó, y ya está", o "No me gusta, y se acabó". Entre ambos extremos, está el público verdadero, que piensa por su cuenta y trata de formarse una opinión fundamentada pero propia, y para ello se auxilia con los elementos que le brinda la crítica. Este sector de público es, en mi opinión, el único que puede beneficiarse con la crítica. Su flexibilidad, su buena disposición, pero también su personalidad, lo llevan a no admitir ni rechazar a priori el juicio del crítco, sino a confrontarlo con su propia opinión. El buen espectador o el buen lector dialoga mentalmente con el crítico; algunas veces, el crítico lo convence con su planteo, pero otras veces fracasa. En estos casos, la crítica representa un acicate para que funcione el propio raciocinio; para este sector de público, la crítica aporta temas conflictuales, despierta el apetito por la obra de arte, estimula las propias ganas de gustar lo artístico y de algún modo contribuye —ya sea por la vía del acuerdo o por la del disentimiento— a formarse un gusto seguro, legítimo, personal.

¿Qué hacemos entonces con la crítica? En ese gran organismo que representa una cultura determinada, la crítica es algo así como el aparato circulatorio, la corriente que lleva y trae la vida (sin ser la vida misma), que lleva y trae el arte (sin ser el arte mismo). En este campo tan problemático e indefinible de la cultura, la crítica tanto afecta al creador como al intérprete, al público como al crítico; es decir que, mal que bien, nos comunica a todos con todos.

Unos la escriben, otros la leen, otros la sufren. Aunque pueda resultar una paráfrasis ya gastada, habría que decir que cada país y cada cultura, y, además, cada momento de un país y de una cultura, tienen siempre la crítica que se merecen. Tal vez habría que comprender que en la historia de esos merecimientos no sólo cuentan los del crítico, sino los de todos. Un público *snob* y un arte *snob* tentarán siempre al crítico a formular un enfoque viciado de esnobismo. Un público adulto y un arte adulto empujarán inequívocamente a la crítica a formular un enfoque que también sea adulto. Por eso, cuando le pregunto al lector y me pregunto a mí mismo: "¿Qué hacemos con la crítica?", me gustaría que pudiéramos estar de acuerdo en que la respuesta adecuada fuese: "Merecer una mejor".

Hubo un crítico musical norteamericano, James Gibbons Huneker, que en 1905 escribió: "El crítico es un hombre que espera milagros". Yo no sé si nuestros críticos todavía los esperan, pero por si acaso, por si alguno de ellos es aún tan ingenuo, o tan tonto, o tan sabio, como para ser un hombre que espera milagros yo invito al lector y me invito a mí mismo, a que lo acompañemos solidariamente en esa espera.

(1961)

índice de autores citados

índice

impreso en forma cooperativa en los talle-
res gráficos de la comunidad del sur, ca-
nelones 1484, montevideo, en el mes de
enero de 1970. comisión del papel. edición
amparada en el artículo 79. ley 13349.